BERLINERPOPLENE

Anne Birkefeldt Ragde

BERLINERPOPLENE

Roman

FORLAGET OKTOBER

8. opplag

ANNE B. RAGDE *Berlinerpoplene*

Første gang utgitt i 2004
Bokomslag: Egil Haraldsen & Ellen Lindeberg | EXIL DESIGN
Trykk og innbinding: AIT Trondheim AS, 2007
ISBN 978-82-495-0322-3
www.oktober.no

– Kom, hvisket hun. – Kan du ikke komme snart, da ...

Hun stod rett innenfor naustdøra og knuget hendene nede i forklelomma, hva om noen slo følge med ham, det hadde skjedd før. For hvem kunne vel ane at en tur ned til fjæra var noe annet enn en tur i fjæra, de kunne finne på å tro at han ville ha selskap. Men hvis han ikke kom alene og de fant henne her, ville hun bare forklare det med at hun ville hente kaldt fjordvann til å slå over fersksilda. Hun hadde tatt med en pøs nettopp med tanke på en slik unnskyldning.

Heten inne i naustet var uten bevegelse, stripete sollys lå inn mellom veggplankene, og der solstrimene hadde sin gang, vokste tuster av kort, grønt gress mellom steinene. Helst ville hun ha kledd seg naken nå, og vasset ut i den ennå vinterkalde fjorden, kjent skjellsanden under fotbladene, og tangvaser gli glatte forbi legger og lår, glemt ham en liten stund, glemt ham og gledet seg desto mer når hun husket ham igjen.

– Kom, nå da ... Vær så snill ...

Naustdøra stod på gløtt så hun kunne følge med. Utenfor lå færingen trukket opp på land, halvveis på skrå. Baugen stakk ned i vannet, småbølger smattet opp mot den tjærebredde baugen. Tjelden jaget hverandre langs vannflata, var svarthvite dotter med knallrøde streker rundt, yre av sola og den plutselige heten. Alle snakket om heten, at de varme vårene var kommet med freden. To år med fred i landet, og plutselig var varmen her igjen. Åkrene svulmet av spirende korn og settepoteter, bærbusker og trær stod fulle av nye skudd, til og med de tyske trærne vokste som besatt. Den våren tyskerne kom, og tok seg til rette, var det så kaldt at det lå is innerst i fjordarmene til langt ut i mai.

Fremdeles frydet hun seg over freden og lurte på hvor lang tid det ville gå før hun tok den som en selvfølge, slik man visst egentlig skulle. Men kanskje kom fryden også et annet sted fra, fra ham. Ham hun traff fredssommeren. Eller traff … Hun hadde jo alltid visst hvem han var, endatil snakket hverdagslig med ham ved flere anledninger, han hadde jo sin gang på alle gårder, som grannefolk flest. Men plutselig, den sommerkvelden på Snarli da de satt ute på bøen etter å ha jobbet med torvtaking hele dagen, satt der svette og ørskne av varmen og arbeidet, kom han ruslende over jordene fra Neshov, og hun så med det samme at det var til henne han ville. Hun forstod det med selve kroppen, at hver flik av kroppen hennes ble sett av ham, halsen, de svette krøllene inntil panna, hendene hun støttet bak seg i gresset, leggene hun visste stod brune og blanke i skoene, rett imot ham. Noen hentet en mugge øl; ølet fikk henne til å le, han lo også, forsøkte å le mest til de andre, men blikket hans havnet alltid tilbake på henne igjen og gjorde henne vakker, og da hun kjente kjolekanten gli så vidt over knærne hvor lårenes nedoverbakke begynte, lot hun den gli litt til, og litt til, og spredte knærne så vidt, mens hun lo mer, og fornemmet verken som vokste opp mot korsryggen så hun nesten ville ynke seg.

Hun gikk hjemover og han stod inne i løvskogen og ventet, hun fikk lagt håndflatene sine mot hans hud og møtt blikket hans, og hun skjønte at fra nå av var alt nytt. Ikke bare freden og det at hun var blitt voksen i løpet av krigsårene, men at verden var ny, de stod her og skapte den, de to sammen, trærne og bakken ble ny, fjorden der nede, sommerhimmelen med flagrende svaler på, da han bøyde nakken og skråsikkert forventet at hun møtte leppene hans.

Det uhyrlige ved det, skjenket hun ikke en tanke.

Der kom han! Alene, takk Gud i Himmelen.

Hun hikstet til og kjente skjelven begynne, huden på leggene nuppet seg i den stillestående heten, munnen ble tørr. Armene hans svingte, panna hans skinte blank og brun der han stirret ned mot treskoene sine og planla skrittene på den steinlagte, ulendte stien. Under de grove arbeidsklærne var han hennes, bak luktene av hardt arbeid lå hennes lukter, hun ville slikke øynene hans til de bare rommet henne, enda hun godt visste at slik var det allerede. Hun hørte hjemme på Neshov nå, skulle være der, han hadde ordnet det så hun skulle være der bestandig. Og innimellom slapp de unna og ned hit, eller på låven, eller i skogen, vekk fra de tynne soveromsveggene som strittet av ører.

Treskoene hans knaste mot soltørket tang. Han stoppet utenfor naustet.

– Anna? spurte han lavt mot den mørke dørsprekken.

– Her er jeg, hvisket hun og ga døra et lite puff.

DEL I

DA TELEFONEN RINGTE halv elleve på en søndagskveld, visste han selvsagt hva det gjaldt. Han grep fjernkontrollen og senket lyden, TV-skjermen viste en reportasje om al-Qaida.

– Hallo, du snakker med Margido Neshov.

Og han tenkte: Jeg håper det er et gammelt menneske død i sin seng og ikke en trafikkulykke.

Det viste seg å ikke være noen av delene, men en unggutt som hadde hengt seg. Det var faren som ringte, Lars Kotum, Margido visste godt hvor på Byneset den store Kotumgården lå.

I bakgrunnen lød høye skrik, dyriske, skingrende. Skrik han på sett og vis var fortrolig med: en mors skrik. Han spurte om faren hadde varslet lensmannen og legen. Nei, faren hadde straks ringt til Margido, han visste hvem Margido var, og hva han jobbet med.

– Du må nesten ringe lensmannen og legen også, eller vil du at jeg skal gjøre det?

– Han har ikke hengt seg på ... vanlig vis. Han har mer ... strupt seg. Det er helt forjævlig. Ring du. Og kom. Bare kom.

Han tok ikke den svarte bårebilen, men Citroënen. Lensmannen fikk heller bestille en ambulanse fra St. Olavs.

Han ringte fra mobilen med bilvarmen på fullt mot

frontruta, han måtte rope for å overdøve lyden fra vifta, det var mange minus ute, tredje søndag i advent. Han fikk tak i både lensmannen og legen, søndagskveldene var alltid rolige. I denne kalde, stille kvelden skulle det snart summe av biler på et gårdstun, folk på nabogårdene ville lene seg mot rutene og undre seg. De ville se sykebil, lensmannens bil, legens bil, og en hvit Citroën CX stasjonsvogn noen av dem kanskje dro kjensel på. De ville se lys i vinduene lenge etter at det pleide å være lys på gården, men de ville ikke våge å ringe så sent, de ville i stedet ligge våken til langt på natt, og snakke lavt sammen i mørket om alt som kunne ha skjedd på nabogården, og med hvem av dem, og innvendig kjenne en hemmelig, skamfull fryd over at det ikke gjaldt dem selv.

Faren møtte ham i døra. Lensmannen og legen var der alt, hadde kortere vei å kjøre. De satt i kjøkkenet med kaffekopper foran seg, og moren, med måpende kullsvart blikk og tørre øyne. Margido presenterte seg for henne, enda han visste at hun kjente til ham. Men de hadde aldri håndhilst tidligere.

– Tenk at du skulle komme hit. Du. For han, sa hun. Tonefallet var monotont, og stemmen litt hes.

En elektrisk adventsstake stod i vinduskarmen ut mot tunet. Lensmannen reiste seg og gikk foran Margido mot soverommet. Legen gikk ut på trammen da mobilen hennes ringte. En gul papirstjerne med lyspære inni hang i et lite gangvindu, det elektriske lyset trengte gjennom hullene i papiret, som var lysegult i midten og gradvis ble dyp oransje ut mot stjernespissene. Faren ble igjen i kjøkkenet. Han ga seg til å stirre ut av vinduet, gjorde ikke mine til å forholde seg til guttens mor, som bare satt der, plutselig likegyldig med hendene i sitt eget fang, føttene sine mot gulvet, pusten sin, koppene på bordet foran seg, klokkeslettet, regningene i hylla, kyrne på båsen, mannen ved vinduet, været og minusgradene, julebaksten, dagene som ville komme, helt av seg selv. Hun satt der og var bare forbauset over at hun ennå pustet, at lungene gikk av seg selv. Hun visste ikke ennå hva sorg var, hun satt der bare oppriktig forbauset over at klokken fremdeles gikk.

Margido bare observerte alt. Hvordan skulle han vite hvordan det var å miste en sønn, han som ikke engang visste hvordan det var å få en. Dessuten kunne han ikke tillate seg å føle, hans jobb var å registrere hvordan følelsene ga seg utslag i de etterlatte, så han fikk dem til å ta stilling til alt det praktiske. Den sympati og sorg han gjemte bak profesjonaliteten, forsøkte han alltid å vise ved å gjøre nøyaktig det de etterlatte ønsket og forventet av ham.

Han var uforberedt på synet, selv om faren hadde sagt at det ikke var noen vanlig henging. Faren hadde nok tenkt på tau fra bjelke i taket, en veltet stol på gulvet under, et lik som svingte sakte om sin egen akse, eller hang helt i ro. Det klassiske scenarioet, det alle hadde sett på film, i alle detaljer, med unntak av avføring som pleide å renne langs buksebeina og lage dam på gulvet. Slik var det ikke nå, gutten hang ikke høyt og fritt. Han lå fremover på kne i senga, naken bortsett fra en vinrød boxershorts. Tauet var surret til sengestolpen og stod skrått opp fra nakken hans. Ansiktet var blekblått, øynene åpne og oppsperrede, tunga tørr og oppsvulmet mellom leppene. Lensmannen hadde lukket døra bak dem og sa nå: – Han kunne ha ombestemt seg når som helst.

Margido nikket, uten å ta blikket fra liket.

– Hvor lenge har du vært i denne bisnissen? spurte lensmannen.

– Snart tredve år.

– Har du sett noe lignende før?

– Ja.

– Har du sett noe verre?

– Kanskje ei jente fra en dør engang. Det var ikke langt nok ned til gulvet, hun hadde holdt knærne opp mot brystkassa.

– Fy faen. Da vil de det.

– Det vil de. Ser ingen annen løsning. Er vel for unge til å se noen annen løsning, stakkar.

Han løy til lensmannen, han hadde ikke sett akkurat denne varianten av selvmord før, men han var nødt til å vise en blasert ro, han jobbet best da, han fikk være i fred, og ble sett på som profesjonell ekspertise og ikke mer enn det. Ja, det ble ofte forventet større profesjonell avstand av ham enn av for eksempel en politimann. De regnet vel med at siden han håndterte døden hver dag, ble han ikke berørt av den. Han hadde flere ganger plukket kroppsdeler fra asfalten etter trafikkulykker sammen med ambulansepersonell og politifolk, og de andre fikk tilbud om krisehjelp etterpå, men ikke han.

Han studerte gutten. Selv om synet sjokkerte ham, kunne han samtidig på en makaber måte ikke bli annet enn imponert over en unggutt som bare lener seg fremover i senga og legger tyngden på knærne og lårene, lar tauet presse mot pulsårer og nervesentra og venter på mørket. Og når mørket begynner å komme, først i form av røde flekker for øynene, tar han ikke hendene fremfor seg mot madrassen og retter seg opp igjen. Han gjør ikke det. Han greier å la være. Han har bestemt seg.

– Jeg har lest om en slags sexlek, hvisket lensmannen og stabbet med beina.

Margido så fort på ham, og tilbake på liket.

– Jeg skjønner ikke hva du mener, sa han.

– Noe med å nesten kveles, før du ...

– Han har jo underbuksene på seg.

– Ja. Du har rett. Bare noe jeg tenkte på. Hele greia er jo opplagt. Ingen mistanke om noe som helst ... kriminelt. Han har lagt igjen et brev også. Bare noen ord, en unnskyldning. Foreldrene var på etterselskap hos et par nygifte. Gutten visste han hadde flere timer på seg. Han skulle egentlig ha vært med. Han er yngstesønnen deres. De har to jenter, den ene studerer noe ubrukelig visvas inne i Trondheim, den eldste går heldigvis på Ås. Men han her ... Yngve, bodde hjemme ennå, visste ikke helt hva han ville. Jeg så ham ofte sykle ned til Gaulosen med kikkert over skuldra, skulle kikke på fuglene, fordømt mange slags fugler som mellomlander der nede vet du. Men for faren å ha en fuglekikker til sønn, må ha vært slitsomt, med alt som skal gjøres på en gård, selv om det ikke var Yngve som skulle ta over. Men å henge seg, på kne! Det er jo faen ikke noe et normalt menneske går bort og ...

Margido hentet beholderen for spesialavfall i bilen. Ambulansen var her ikke ennå. Legen satt i kjøkkenet sammen med foreldrene. Han hørte stemmene idet han passerte den åpne døra på vei tilbake. Setninger med få ord og lange pauser mellom. Legen kom inn i soverommet like etter ham, lukket døra bak seg.

– Vi får klippe ham løs, sa lensmannen. Legen hadde fått låne en husholdningssaks, med håndtak av oransje hardplast som hun rakte til lensmannen. Han klippet.

Hodet falt ned mot dyna. Margido knyttet taustumpen løs fra sengegavlen.

– Ambulansen er her hvert øyeblikk, sa lensmannen. – Du ordner resten i morra? På sykehuset?

– Selvsagt, sa Margido.

– Ja, denne pasienten kan i alle fall ikke jeg gjøre mer for, sa legen.

Margido stusset over legens mangel på følelsesladde kommentarer. Hun var tross alt kvinne, selv om hun var lege. Likevel snakket hun som om hun daglig fant unggutter på kne, død i sin egen seng. Han var lettet da hun gikk tilbake i kjøkkenet.

Han hørte ambulansen ute i tunet; han gikk ut i gangen, fikk blikkontakt med sjåføren i ytterdøra og nikket. Margido ville gjerne at liket lå på ambulansebåren før moren eller faren kom. Det var bedre slik. Da lignet det mer en ulykke, noe ingen av dem kunne stå til ansvar for.

– Skulle gjerne ha fått stelt ham. Fælt å sende ham av gårde slik, med tauet ennå rundt halsen, sa Margido stille.

– Sånn er det jo med selvmord, sa lensmannen. – Enda dette er en opplagt sak.

Ambulansepersonellet fikk buksert båren på plass og dekket den med svart likplast. De var to unge menn. Ikke mer enn noen år eldre enn gutten på kne i senga. De dro på seg engangshansker og grep gutten under armene og rundt anklene, talte lavt sammen til tre, og fikk gutten over på plasten i ett kjapt hiv, før de foldet plasten tett rundt ham. Den nå blottete madrassen var ikke noe pent syn.

– Jeg har hentet beholderen, sa Margido. – Kan jeg i alle fall få ta vekk lakenet? Så foreldrene slipper å se det?

– Ja, gjør det, sa lensmannen.

Han rakk også å folde dyna sammen og legge over den store fuktige flekken på madrassen, før moren kom. Madrassen ville uansett bli kastet, det ble den alltid, men det ble ekstra mye følelser og uro å håndtere for ham, jo mer de pårørende fikk se. Det var ofte detaljene som gjorde tragedien virkelig for de etterlatte og kastet dem inn i realitetene, hysteriet, det kunne være alt fra en halvtømt kopp te på et nattbord, en skitten bamse på gulvet, eller termos og matboks de fikk levert etter en ulykke på en arbeidsplass.

– Men hva har dere gjort med ham! skrek moren. – Pakket ham inn i plast? Men han får jo ikke ... han får jo ikke puste! Jeg vil se ham!

– Det går ikke, sa lensmannen. – Men i morgen, når Margido har ...

– Nei! Jeg vil se ham nå!

– Jeg må få stelle ham først, sa Margido.

Moren kastet seg mot båren og begynte å slite i den svarte likplasten. Nå burde mannen hennes ha kommet. Det gjorde han ikke. Det ble ambulansesjåføren som måtte gripe henne om skuldrene og holde henne fast.

– Bare rolig nå, så skal vi ...

– HAN FÅR IKKE PUSTE! YNGVE! Gutten min ...

Endelig var mannen der. Han overtok den hulkende kvinnen og stirret selv ufravendt på bårens svartskinnende last som inneholdt hans eneste sønn. Det var som om all energi i rommet ble sugd mot synet, det uhyrlige i at gutterommets tidligere beboer lå her innpakket slik, større og mer dominerende enn han noensinne hadde vært i levende live.

– Men hvorfor ..., sa han. – Jeg tenkte vi skulle få se ham før han dro. Jeg visste ikke at ... Jeg trodde Margido skulle ...

– Han må obduseres, sa lensmannen og så i gulvet. – Det er vanlig prosedyre ved selvmord.

– Men hvorfor det? Det er da ikke noen tvil om at han har gjort det selv!

Faren lød hes og anspent av å ta seg sammen, mens guttens mor hang hjelpeløst fra armene hans og gråt lydløst med lukkede øyne.

– Det er ikke det at jeg tror noe annet, sa lensmannen, han kremtet og skiftet vekten over på den andre foten.

– Kan jeg ikke nekte? Nekte å la noen skjære opp gutten vår?

Det rykket til i moren, men hun åpnet ikke øynene, tårene fortsatte bare å sive nedover kinnene hennes.

Lensmannen så plutselig beint på guttens far, og sa: – Det er greit. Jeg lar være å begjære obduksjon. Det er greit, Lars. Men uansett vil dere ikke se ham mer i kveld. Vi lar ambulansen få dra med ham. Men når Margido har fått stelt ham ...

Faren nikket sakte.

– Takk. Tusen takk. Turid, de må få dra med ham nå. Kom.

I ly av travelheten med å få båren ut av huset, fikk Margido fraktet avfallsbeholderen ut i sin egen bil og hentet papirene sine. Sykebilen kjørte sakte og uten hastverk ned innkjørselen, uten sirener eller blålys, nå skjønte alle naboer at noen var død. Lensmannens bil var den neste ned veien.

Ytterdøra stod fremdeles på vidt gap, et gult lys la seg utover snøen på trammen og bakken foran, et varmgult lys som lett kunne forveksles med lun innehygge, varme i ovn og i kaffekjel, normalitet. Margido sluttet aldri å undre seg over kontraster, døden passet aldri inn noe sted, unntatt kanskje på en krigsskueplass, tenkte han. Månen hang over åsen lenger oppe, den var nesten full, en svak frostrand lå rundt den, skyggene fra trærne tegnet revner i skaresnøen, han betraktet dem mens han planla neste dag. Han måtte komme hit igjen på formiddagen, så hadde han en begravelse i Strinda kirke klokka to, deretter måtte han ordne liket, så de fikk sett ham, søstrene også. Kanskje de også ville ha en båreandakt, i morgen kveld, i sykehuskapellet. Han fikk koordinere med damene sine i morgen tidlig. Han var ikke alene om alt. Det var alltid godt å tenke på, at fru Gabrielsen og fru Marstad hadde kontroll på sine ting. Men selv om de var tre, var det alltid han selv som dro på hjemmebesøk. Hadde han ikke tid til det, henviste han til et annet byrå. Damene ville ikke på hjemmebesøk, de visste så vel at det handlet om helt andre ting enn å putte laken i avfallsbeholdere.

Legen hadde gitt moren en beroligende tablett, faren ville ikke ha. Det var det klassiske: Menn ville greie seg uten, holde hodet klart, ikke bryte sammen, ikke miste kontrollen. Han gikk i stedet frem og tilbake på kjøkkengulvet med hendene på ryggen, Margido misunte ham ikke natta som skulle komme.

– Du kan få en sovetablett i stedet, sa legen, som åpenbart hadde tenkt det samme som Margido.

– Nei.

– Jeg legger igjen et brett for alle tilfelles skyld. Det er ikke ... gammeldagse sovetabletter. De hjelper deg bare å sovne inn.

Margido så fort på henne, men hun lot seg ikke merke med ordvalget, det gjorde visst ikke de to andre heller.

– Han skal ikke kremeres, sa faren og rettet nakken mot sitt eget speilbilde på vindusruta.

– Selvsagt ikke, hvis dere ikke vil det, sa Margido.
– Jo! skrek moren. – Jeg vil ikke ha ham nede i den svarte jorda! At han skal ligge der og råtne og bli spist opp! Han skal ... han skal ...
– Han skal ikke brenne i helvete såfremt jeg kan forhindre det, sa faren lavt. Moren tidde og løftet en hånd mot øynene.
– Jeg forstår ikke, hvisket hun. – Hvorfor han ... Vi skulle jo bare være borte noen timer. Hvorfor ventet han ikke så jeg fikk snakke, hjelpe ham, hjelpe gutten min. Så vondt han må ha ...
– Jeg syns du skal gå og legge deg nå, sa faren. Hun reiste seg straks, forvirret, og sjanglet til. Mannen støttet henne ut i gangen. Legen og Margido ble sittende i stillhet og lytte til de stabbende sakte trinnene opp trappa. De så på hverandre. Blikket hennes var plutselig fylt av en stor sorg, men hun sa ingenting.

Da legen var dratt, ble han alene på kjøkkenet med faren, som endelig satte seg på en pinnestol, med bøyd nakke og nevene mellom lårene. Bondehender, svarte render rundt neglene og i dypet av hver rynke og fure. Men han hadde eldstejenta på Ås. Det var ikke odelsgutten som var på vei til sykehusets kjølerom ei søndagsnatt like før jul. Som om det hjalp. Det trodde åpenbart lensmannen.
– Jeg kan bistå med all den assistanse dere behøver, begynte Margido. – Det er dere som bestemmer hva.
– Du får ordne med alt. Jeg greier ikke engang å ... En begravelse. Å begrave Yngve, det er ikke til å fatte at vi skal det. Det er helt meningsløst.
– Har dere fått varslet søstrene hans?
Faren løftet ansiktet. – Nei.

– Det bør du vel. Og resten av familien.

– I morgen tidlig.

– Ja, ta én ting i gangen nå, sa Margido og la full medfølelse i stemmen, han visste hvordan man gjorde det. – Først annonsen. Den kan komme på tirsdag.

– Jeg orker ikke å ...

– Selvsagt ikke. Derfor legger jeg igjen en brosjyre dere kan se på, og kommer tilbake i morgen formiddag. I ti-tida, passer det?

– Det er det samme når du ...

– Da kommer jeg i ti-tida.

Faren dro brosjyren til seg og åpnet den på en tilfeldig side. – Dødsfall-symboler, leste han. – Et dødsfallsymbol. Dødsfallsymbol? Det var et rart ord.

– Det er det symbolet som står øverst i annonsen.

– Jeg skjønner det. Har bare ikke visst at det hadde et ... navn. Da far døde, ordnet mor alt, og da mor døde, ordnet søsteren min alt. Jeg må vel ... ringe henne også. Vi var sammen med henne i kveld, hun var også i det etterselskapet. Vi hadde spleiset på gave. En linduk, tror jeg det var. Laget på Røros. Eller ... vevd ... på Røros. Av noen.

– Den var sikkert fin.

– Ja. Det var den sikkert, sa faren. Han satt og rugget på stolen med brosjyren i hendene. Margido visste at han satt der og lette etter forklaringer. Forklaringer som Margido hadde gitt opp å forsøke seg på for lenge siden, enda han stadig ble spurt. Det lå en umulighet i døden han aldri sluttet å fascinere seg over, men forklare den kunne han ikke. Sannhet fant han ikke noe annet sted enn i ritualene.

– Kan ikke bare du velge et ... dødsfallsymbol? sa faren.

– Det kan jeg selvsagt. Men det kan være ... godt for dere. Å velge selv. Dere vil huske begravelsen. Senere. Da kan det være viktig at den ble ... riktig for dere.

Han pleide å ta små pauser mellom ordene, som om han lette etter dem. Han følte ingen kynisme i gjøre det, han visste at for dem han snakket med, var situasjonen unik på kloden, unik i livet. Han måtte derfor aldri lire ordene av seg, la dem skjønne at dette sa han ofte, at han hadde en avspillingsmaskin inni seg som visste hva som skulle sies til enhver tid. I alle fall nesten til enhver tid.

– Lensmannen fortalte meg at Yngve var svært glad i fugler, sa han.

– Ja.

– Kanskje en svale, sa Margido. – Øverst i annonsen.

– Han er helt vill etter de svalene som hekker her på gården. Skriver ... skrev opp i en bok når de kommer fra Syden, det er de siste trekkfuglene som kommer. Kanskje ikke før i begynnelsen av juni. Og det er visst seint til trekkfugler å være. Han kunne sitte i timevis og betrakte dem holde flyoppvisninger i lufta over låven.

– Kanskje en svale, da. I annonsen.

– Han var så glad i natur. Så glad. Man skulle jo tro at en bondesønn selvsagt var glad i natur, men han var det på en annen måte. Jeg tenker ikke så mye på natur, hvis du skjønner, den er jobben min, rundt meg overalt, en selvfølge. Men Yngve, han var opptatt av ting som kunne vært annerledes, maste om dette med søppelsortering og gjengroing av kulturlandskap og at gårder forsvinner. Klart jeg tenker på sånt, men for han var det ... viktig! Jeg har jo ikke tid til å ... Jeg skjønner ikke hvorfor han ... Bare sytten år gammel. Tok kjøretimer. Har allerede en bil på låven, en gammel Toyota. Men han var ikke så interessert i å mekke på den, var liksom ikke den typen, trodde vel bare at den ville tusle og gå den dagen han vred om tenningsnøkkelen med certet på lomma. Og der satt vi og gomlet på kaker og drakk kaffe og kikket på bilder og messet på om dette hælvetes bryllupet, mens *han* ...

– Jeg tror kanskje du bør prøve å hvile litt nå, det er sent, det blir nok en lang dag i morgen.

Faren ble stille, bøyde nakken, betraktet hendene sine og sa lavt: – En svale. Da blir det en svale, i hvert fall. Takk.

– Ingenting å takke for. Selvsagt ikke. Men husk, der ligger tablettene.

– Jeg skal ikke ha noen. Jeg skal jo i fjøset i morra tidlig. Må være våken.

Det var lite trafikk. Korsfjorden lå med hvit frostrøyk inne ved land, og tversgående frynser av månelys midtfjords. Bilen hadde rukket å bli isende kald igjen. Da han en stund senere passerte avkjørselen opp til Neshov med den lange alleen av lønnetrær, stirret han bare stivt fremfor seg. Han visste allikevel at vinduene var mørke på denne tida av døgnet, bare utelysene ville stå på, og dem hadde han sett før.

Han skrudde på bilradioen, la avkjørselen bak seg og lyttet til munter trekkspillmusikk. Han kjente seg plutselig overraskende avslappet og litt glad, men han visste ikke helt hvorfor. Det var en sjelden følelse. Kanskje det var lettelsen over å ha oppdaget sorgen i legens blikk.

Da han kom til Kotumgården neste formiddag, var huset fylt av mennesker. Presten satt ved kjøkkenbordet, presten i Byneset kirke. Fosse Prest kalte alle ham, en eldre kar på Margidos egen alder. Tynn og innskrumpet inne i klærne, men varm og tett i håndtrykket, Margido likte ham godt. Han var alltid ryddig, punktlig og profesjonell, ikke alle prester var det; noen maste og herset med folkene fra begravelsesbyrået, som om det var presten de skulle gå til hånde, og ikke de etterlatte.

Kjøkkenet var blitt kvinnenes arena, mannfolkene ble henvist til en av stuene i den lange, velholdte trønderlåna. Guttens mor satt i kjøkkenet på en pinnestol og betraktet med undring alt som skjedde rundt henne. Fem kvinner med rødkantete øyne, antagelig både guttens ene søster og tante, sjauet med mat, kaffe, kopper, fat, servietter, sukkerkopper. Kvinner var heldige slik, de hadde alltid dette med matlaging og servering å sysselsette seg med, mens mannfolkene måtte bearbeide sorg i lediggang. Det ville ikke tatt seg ut om faren begynte på utendørsarbeid i dag, men moren kunne gjerne ha satt i gang med å lage ti liter vaffelrøre uten at noen ville ha funnet det upassende. Hadde det snødd en meter i løpet av natta, kunne vel mannen på gården ha brøytet, men ikke ha gjort noe særlig mer, og helst burde nok naboen ha kommet og brøytet for ham.

Faren lukket døra inn til kjøkkenet, lukket vekk travelheten, og sa, henvendt til Margido, allerede før han slapp dørklinken: – Ei jente gjorde det slutt med ham. Lørdag kveld. Vi visste ikke engang at han hadde ei.

Faren slapp seg ned i skinnsofaen, kroppen hans sank sammen, skulderbladene skar tydelig mot innsiden av den rutete flanellsskjorta.

– Kjærlighetssorg, hvisket han. – Tenk at han tok livet sitt av kjærlighetssorg. Tok fra seg sjøl ... hele sitt eget liv. Fordi ei jente ikke ville ha han. Ei enkelt jente.

Ingen hadde sett på brosjyren Margido hadde lagt igjen, skjønte han. I tillegg hadde han nå med seg enda en brosjyre, over ulike kistetyper. En ny barriere som skulle forseres. Men han måtte ha kista til likstellet i dag, og til kapellet i kveld.

– Når kommer eldstesøsteren til Yngve? spurte han.

– Ingebjørg? Om noen få timer, tenker jeg.

Margido nikket. Han måtte altså få klarhet i kista.

– Dere vil se ham i kveld? Alle sammen? spurte Margido.

– Vi vil vel det.

– Gjør det, sa presten og lente seg fremover med albuene på knærne. – Jentene må få se ham. Eller få muligheten til det, i alle fall. Om ikke de vil, er det greit det òg. Men Margido gjør det så vakkert. Det blir fint, et skritt videre i sorgen, i sjokket for dere alle, Lars.

De satt i stillhet en lang stund.

– Vi må nesten få klarhet i annonsen, sa Margido.

– En svale, sa faren.

Margido trakk opp en skriveblokk fra veska. Han var glad presten var der, og presten hjalp faren frem til beslutningen om at det bare skulle stå *vår umistelige* over navnet, Yngve Kotum, og *døde brått fra oss* under. Presten ville at faren skulle hente kvinnen fra pinnestolen i kjøkkenet for å være med og bestemme, men det ble ikke noe av det. Og presten hjalp Margido med å få alle navn på plass, det omvendte slektstreet under guttens navn, fødselsdato og dødsdato.

– Et dikt. Vil du ha et dikt? spurte Margido.

– Et dikt? Faren så på ham med oppriktig forbauselse.

– Mange pleier det, Lars, sa presten. – Margido har sikkert flere du kan velge mellom.

Margido trakk til seg brosjyren. Her hadde han gjengitt

mange dikt som klientene kunne se på. Han åpnet på riktig side og rakte den til faren som tok imot med et blikk som skinte av fortvilet motstand. Han ga seg til å studere teksten, gransket hvert dikt en lang stund.

– Mye som passer på gammelt folk her, eller folk som har ligget sjuke lenge, sa faren, og rensket halsen. – Men det er jo noen som ... Dette kanskje. Han pekte og ga det til presten, som tok imot brosjyren og leste høyt: – Så lukker vi deg i våre hjerter inn, og gjemmer deg innerst inne. Der skal du fredfullt få bo i våre sinn, som et kjært og dyrebart minne.

Faren klemte hendene om hodet og falt sammen, nærmest i sittende fosterstilling, hælene hans spente seg opp fra gulvet; han utstøtte noen pipende, hivende strupelyder. Nesten i det samme gikk døra opp og to kvinner kom bærende med kaffekopper og fat, og et stort brett med påsmurte brødskiver og skårne kakestykker. De stanset og ble stående. Faren tok seg sammen, lyden av svelgingen hans var plutselig blitt den eneste lyden i rommet.

– Det skal bli godt med kaffe nå, sa presten og nikket til kvinnene og smilte, før han reiste seg, gikk rundt bordet og la en arm om farens skuldre. Kvinnene tok signalet og dekket bordet med kjappe bevegelser uten å være hjelpesløsheten, eller ta ansvar for den. Først tok de av den vevde løperen og erstattet den med en firkantet bomullsduk med broderier, deretter satte de koppene sirlig utover, med servietter brettet i presise trekanter, og til slutt fatet med brødskiver og kaker midt på, sammen med sukkerkopp og fløtemugge.

Margido og presten ble sittende alene da faren forsvant med en unnskyldning om at han bare måtte på do en tur.

I samme øyeblikk som døren lukket seg bak ham, begynte de å snakke lavmælt og effektivt sammen.

– Torsdag klokka ett, sa presten. – De vil ha jordfestelse.

– Ikke moren, sa Margido mens han noterte dato og klokkeslett. – Hun sa i natt at ...

– I dag vil hun det, sa presten. – Jeg har snakket med henne. Yngve skal ligge ved siden av farmoren og farfaren sin. Den tanken greide hun å forsone seg med. Klart gutten skal i jord. Han er bondesønn.

– Kan du hjelpe ham med valg av salmer og musikk? Og ringe meg om det etterpå?

– Selvsagt.

Han ga presten et ark og sa: – De salmene som er listet opp her, har vi liggende klare på trykkeriet.

Presten nikket og sa: – Og du ordner med i kveld? Kanskje de vil ha en båreandakt også, ikke bare visning.

– Jeg må ringe St. Olavs og bestille kapellet. Og jeg må få ham til å velge kiste. Du blir her?

Presten kikket på klokka og nikket.

Margido var vant til at hvert ledd i prosedyren fremkalte nye sjokk av sorg. En dødsannonse gjorde det umulige til en vagt mulig virkelighet, fargebilder av ulike kister skrudde smerten inn enda et hakk. Faren satt med kistebrosjyren i hendene og stirret på bildene som om han betraktet noe fullkomment ufattbart.

– Alle er jo vakre, sa presten.

De fleste pleide å peke hjelpeløst på den hvite. Modell Nordica. Det var den han hadde stående flest av, på lageret i Fossegrenda. Men mannen i sofaen overrasket ham.

– Denne, sa han og kakket fingeren på bildet av en

furukiste, modell Natur, i tre varianter: Kvistfri lakkert furu, ubehandlet overflate, eller lutet overflate.

– Ubehandlet, sa faren. – Og den heter Natur. Det passer.

Margido kremtet. – Jeg har allerede flere på lager, men de er i lutet furu. Den ubehandlete må jeg bestille, det tar et par dager.

– Da tar vi den lutete. Den er vel kanskje også penere. Men en sånn hvit, den passer best for gammelt folk. Akkurat som diktene.

Han slengte brosjyren fra seg på bordet, og Margido fikk straks lagt den i veska si. – Da sier vi det, sa han.

Han var lettet for at det hadde gått såpass greit, og at faren ikke hadde involvert hele husholdet i valget. Noen gjorde det, og ville se prislister, og sammenligne, det gjorde ham alltid ille berørt å være vitne til, selv om han logisk sett godt forstod det. En begravelse var en stor utgift, nå når gravferdsstøtten var falt bort. Noen så på kista som en nødvendig bagatell, mens andre så på den som avdødes siste hjem, eller farkost, eller seng. Han husket godt en mor som mistet sitt tre måneder gamle jentebarn i krybbedød, og som la hånda på den vesle, førticentimeters lange kista og sa «Dette er vuggen din fra nå av, lille venn, her skal du sove for alltid, og jeg skal tenke på deg, nede i den lille vuggen din.»

– Det skal ikke være noe etterpå, sa faren. – Og ingen blomster.

– Av og til foreslår man pengegaver, sa Margido.

– Og hvem skal liksom få penger her? spurte faren med en plutselig hivende høy stemme, – Norsk selvmordsforening? Ornitologisk Forening? Bondelaget?

– Det var ikke slik ment, Lars, sa presten rolig. – Man kan vel like godt tenke seg ... Ungdomsklubben, eller ...

noen andre man kunne skjenke en pengegave til, i Yngves navn. I stedet for blomster.

Faren lente seg tilbake og pustet ut som etter en lang springmarsj, lot blikket gå opp til bjelkene i taket.

– Javel. Ja, ungdomsklubben var vel ingen dum idé. Selv om han sjelden var der, og ikke hadde så mange venner. Jeg gir egentlig blanke blaffen, men la dem gi noen kroner til ungdomsklubben. Skriv det. Er vi ferdig snart? Nå drikker vi kaffe, jeg orker ikke mer.

Kista som stod plassert på den grønne katafalken i midtskipet i Strinda kirke klokken halv ett, en og en halv time før begravelsen begynte, var en hvit Nordica, fraktet til kirka i bårebilen av fru Marstad. Både fru Marstad og fru Gabrielsen var armsterke kvinner, ellers ville Margido ha blitt nødt til å ansette en mann. Det var tungt arbeid å få kista på plass. Noen ganger måtte de være alle tre sammen, eller få kirketjeneren til å hjelpe seg.

Inne i kista lå en femtifire år gammel kvinne død av et astmaanfall. Hun etterlot seg en datter på tjueto år og to eksmenn som begge hadde vært involvert i forberedelsene til dagen.

Kirketjeneren drev og hjalp med lys og andre ting, og gikk ut og inn av sakristiet, mens Margido og fru Marstad bar inn stativer, kofferter fulle av flere lysestaker og blomstervaser. Kirkene hadde ikke noe av det som ble brukt til begravelser, enkelte kirker manglet til og med jordskuffe.

Blomsterbud kom stadig med buketter, kranser og dekorasjoner, som Margido vurderte én og én og til slutt samlet. Det var viktig å få en symmetri i oppstillingen på hver side av kista. Bårebukettene måtte danderes perfekt, og han likte gjerne også å legge en krans eller to på gulvet i forkant av kista. Han fylte de høye blomstervasene, og la alle trykte silkebånd pent utover så minneordene kunne leses fra benkeradene.

Bordet ved inngangen stod klart, det manglet bare å tenne talglyset. Lyset var kornblått, noe som var uvanlig, men datteren hennes ville det slik, det hadde vært yndlingsfargen til den avdøde kvinnen. En kondolanseprotokoll lå oppslått og klar, med en kulepenn lagt på skrå over det første, linjerte arket. Et innrammet foto av den avdøde viste henne i en friluftsjakke på en steinete strand, i hånda holdt hun en grå trerot som viste en påfallende likhet med en svane.

Hun lo, og håret hennes løftet seg i sjøbrisen. Den grå treroten var nå sentrum for den største dekorasjonen på båren hennes, omkranset av granbar, reinlav, Erica som lignet røsslyng siden det var umulig å få tak i fin røsslyng i desember, og kongler i ulike strørrelser. Dekorasjonen var sjeldent vakker, og annerledes, Margido hadde beundret den da han plasserte den.

Ved siden av bildet lå stabelen av sanghefter som Margido skulle dele ut når folk begynte å ankomme. Det viste det samme bildet av kvinnen på forsiden. Ved enden av bordet stod gaveurnen som skulle ta imot pengegaver. Fru Marstad hadde skrevet et kort og plassert foran, med teksten «Takk for din gave til Astma- og allergiforeningen. På vegne av familien.».

– Herre, du har vært en bolig for oss fra slekt til slekt. Før fjellene ble født, før jorden og verden ble til, ja, fra evighet og til evighet er du, Gud. Du lar menneskene bli til støv igjen og sier «Vend tilbake, menneskebarn!». For tusen år er i dine øyne som dagen i går da den fór forbi, eller som en nattevakt. Lær oss å telle våre dager, så vi kan få visdom i hjertet!

Margido lyttet til ordene som en velkjent bølge i øret, uten at de traff ham. Det eneste som traff ham lenger, av det som ble forkynt, var enten fraværet eller tilstedeværelsen av inderlighet i hver enkelt prests stemme. Han satt og tenkte på alt han skulle rekke når han kom tilbake til kontoret. Fru Marstad var allerede dratt tilbake, og hadde overlatt ham navnelistene for blomsterhilsener i tilfelle noen av de som kom i siste liten hadde med buketter. Det var uhyre viktig, en av de aller viktigste oppgavene, at alle som ga en blomsterhilsen fikk navnet ført opp på en liste. Kortene ville han senere samle i en minnemappe og gi til de pårørende. Han ville deretter forsyne familien med ferdig trykte takkekort. Han visste at familien alltid gransket denne navnelisten og minnemappen nøye, sammen med kondolanseprotokollen; begge deler ble symboler på hvor elsket og betydningsfull deres avdøde hadde vært, og det hjalp dem i sorgen. Også når de fikk høre: «Det var en nydelig begravelse, virkelig nydelig.»

Og det var hans jobb å gjøre den *nydelig*. Hans og presten. Men mest hans.

Da han skrudde på mobilen etter jordfestelsen, lå det en beskjed fra Selma Vanvik om at han *vær-så-snill* måtte ringe henne.

Han la telefonen i passasjersetet og åpnet vinduet og lot råkald vinterluft strømme inn, han ville plutselig kveles av de sterke blomsterluktene som hang igjen i bilen, han ville nesten brekke seg. Ingen avskårne blomster fant veien inn i hans to-roms blokkleilighet på Flatåsen. På den lille verandaen hadde han bare en sypress i en keramikk-krukke.

Men den var god å se ut på om vinteren når snøen lå på den. En knøttliten utsikt som var hans egen, og tilstrekkelig. Han behøvde slett ikke å se Korsfjorden fra vinduet sitt. Rett ovenfor seg hadde han en ny boligblokk, en betongflate tettpakket med vinduer med sine gardiner og planter og dingeldangel som hang til pynt, noen med ansikter og bevegelser bak, nesten alle med elektriske adventsstaker nå, på rad og rekke, med liten variasjon i utformingen, små pyramider bygget av syv lyspunkter med det midterste høyest. Symmetri. Byliv. Så langt fra det egentlige som det var mulig å komme, akkurat slik han ville ha det.

Han kunne godt ha kjøpt seg et hus. Han hadde penger nok, men hva skulle han med et hus. Et hus ville bare ha fått ham til å begynne å innbille seg ting. I det siste var han imidlertid begynt å tenke ganske mye på en god badstue. Å kunne sitte i hete og fukt, og svette ut dagens arbeid, dagens lukter, alle tårene han måtte se renne, all fortvilelse og vantro. Og i den lille leiligheten hans var det ikke plass til å innrede badstue. Men kanskje han kunne kjøpe en ny leilighet, en splitter ny en med plass til badstue, eller kanskje den allerede hadde en. En leilighet med livsløpsstandard, med brede døråpninger og alt på ett plan uten dørterskler, man visste aldri når det som ventet, faktisk skjedde. Og heis. Et godt bad. Både langt nok badekar, og romslig dusjkabinett, med gode, litt ruglete keramikkfliser i bunnen, kanskje lys skifer.

Selma Vanvik hadde ikke godtatt at Margido var ute av verden, etter begravelsen av mannen hennes som døde av prostatakreft.

Han kjørte mot Fossegrenda for å hente en modell

Natur lutet til Yngve Kotum. Han burde ringe henne tilbake, det var normal høflighet, men han gjorde det ikke. Det var over en uke siden han var der sist, han burde ha skjønt at hun snart ville ta kontakt igjen.

Kakene på fatet, de klirrende kaffekoppene, den flaskegrønne fløyelssofaen, de dunete rynkene hennes under øynene og under haken ned mot blusen, lukt av tung dameparfyme som helst passet i en annen sammenheng.

Nyslåtte enker på samme alder som han selv, det var ikke uvanlig. De åpnet seg for ham i sorgen. Blusset gjennom tårene. De var forberedt, og basket seg i oppmerksomheten og sympatien. Hadde tatt en stor del av sorgen på forskudd, selv om mange mente at det ikke var mulig, men for kvinner var det fullt mulig. For menn kom døden alltid som en bombe. Selv mens kvinnene deres langsomt visnet vekk foran øynene på dem, stakk de hodet i sanden og fikk sjokk når de ble alene tilbake. Men kvinner visste. Selma hadde visst. Og hun ønsket Margido allerede ved første besøk hjertelig velkommen inn, med leppestiftrødt smil, og denne parfymen. Betrodde seg om alt, bak et alibi av sorg. Fortalte ham ting hun *aldri hadde fortalt til noen*, som hun sa, ikke engang til døtrene. Om det nitriste ekteskapet, om hemmeligholdt økonomi, drikking, andre kvinner, mens han satt der og bare ville ha komponert en dødsannonse og få valgt en kiste.

– Du er min sjelesørger, hadde hun sagt. – Jeg vil ikke bruke en prest til slikt. Jeg er ateist, nemlig. Tror du på Gud?

Hun slengte ordet *ateist* ut av seg som om det var et politisk parti hun stemte på, eller en butikk hun foretrakk fremfor andre.

– Jeg er nok ingen sjelesørger i den forstand, sa han.

– Men jeg vil gjøre mitt ytterste for at begravelsen av din mann skal bli så …

– Du må ordne opp for meg. Arve lot meg ikke få slippe til med noe, jeg aner ikke engang hva en selvangivelse er, skal det komme regninger hit i hans navn? Hva gjør jeg så det ikke skal skje? Jeg er ganske hjelpeløs, skal jeg si deg, Margido!

– Dette skal gå helt fint. Vi har en legeerklæring, og da melder vi fra til tingretten. Og så får folkeregisteret og trygdekontoret vite det, og du må selv snakke med banken. Og dere har jo felles barn som kan hjelpe deg.

– Felles? Selvsagt er de felles. Men jeg vil jo ikke snakke med *dem* om alt dette. De er jo vant til at alt blir ordnet av … oss. Av ham.

– En advokat da, kanskje?

Hun svarte ikke. Hun krysset i stedet beina og bøyde seg frem over bordet og stirret ned i kaffekoppen hans, fikk et skuffet uttrykk i ansiktet da hun oppdaget at den fremdeles var nesten full.

Tre ganger etter begravelsen hadde hun tryglet ham om å komme på besøk, og han hadde sagt ja. Han visste ikke annet å si, hun var jo egentlig en nyslått enke, en kvinne i sorg, et menneske underlagt hans profesjon, en kvinne han måtte behandle med sympati.

Nei, han ville ikke ringe. Hun fikk heller ringe på nytt, eller forhåpentligvis gi opp. Han visste ikke hva hun ville ham, selv om han skjønte det. Men han kjente ikke til det. Han hadde aldri hatt et forhold til en kvinne, hatt en kvinne, det hadde bare aldri falt seg slik, og det var latterlig å begynne nå, i hans alder, kun med en liten sypress på verandaen, og en drøm om en badstue. Samtidig var han motvillig smigret over den oppmerksomheten hun viste ham, at hun tiltrodde ham en slik allmakt; at alle problemer ville forsvinne bare han involverte seg fullt og helt, tok for seg av kakefatet, la seg på sofaen og tok seg en lur, slik hun hadde foreslått den siste gangen han var der, fordi han så sliten ut. Og da han sa adjø, hadde hun gitt ham en klem, en usømmelig klem, slik han så det. Hun hadde lent seg overdrevent tungt inn mot ham og i tillegg pirket ham i nakkehåret. Hårfestet hans gikk langt nedenfor den hårlengden han foretrakk å holde, og nakkehåret vokste fortere enn håret på selve hodet. Fjorten dager etter at han var hos frisøren fikk han alltid to render av krøllete hår på hver side av nakkevirvlene. Han forsøkte å huske å barbere dem bort, men av og til glemte han dem, akkurat som hårene i nesa og i ørene. Disse nakkehårene hadde hun tvinnet fingrene inn i, ganske hardhendt, mens hun klemte ham, og hans eneste instinkt hadde vært å komme seg derfra på høfligst mulig måte.

Inne på lageret hentet han en kiste av modell Natur lutet, samt teppe, pute, skjorte og likduk. Han fikk buksert alt bak i bilen og dekket med et teppe. Med Citroënen gikk alt kjappere, en bårebil med kors på taket kunne ikke kjøre på gult lys eller kappe svingene. Han ringte fru Marstad for å spørre om hun husket at det var hun som skulle hente alt utstyret fra Strinda etterpå, og hun svarte bekreftende, om enn med en litt irritert undertone, og sa at fru Gabrielsen var på vei for å møte ham til likstellet av Yngve Kotum. Det var dumt av ham, tenkte han etterpå, fru Marstad husket alltid alt. Hva var det som gikk av ham, hvor kom denne uroen fra? Det var nok dette med Selma Vanvik som fikk ham ut av balanse. Hvor lang tid måtte det egentlig gå før han kunne slippe å være medlidende høflig lenger? Han tvang tankene over i praktisk retning. To sanghefter til neste dag skulle trykkes ferdig etter stellet av Kotums sønn, og før båreandakten.

Fru Gabrielsen ankom samtidig med ham.

Inne på kjølerommet sjekket og dobbeltsjekket de navn, fødselsdato og dødsdag, før de trillet ut båren med det svarte plastinnpakkete liket. Selv om det var innlysende for Margido hvem som lå her, var det rutine. Og rutiner fulgte han alltid til punkt og prikke, det ga ham en stor frihet å følge rutiner. Det frigjorde andre tanker.

– Faren nektet obduksjon, sa Margido, som forklaringen på at liket ikke lå her nyvasket og pent igjensydd fra patologen.

De trakk på seg plasthansker og gjennomsiktige plastforklær de knyttet i korsryggen. Man måtte knytte forsiktig, ellers røyk de tynne plaststrimlene.

De pakket ut liket. Luktene steg opp mot dem, og begge begynte automatisk å puste gjennom munnen.

– Stakkars foreldre, sa fru Gabrielsen. – Var det de som fant ham?

– Ja.

Fru Gabrielsen trakk underbuksene av gutten, åpnet den medbrakte beholderen for spesialavfall og puttet underbuksene ned i den. Margido fikk fjernet tauet fra halsen hans. De lirket vekk det utsølte plasttrekket og erstattet det med papir. Deretter vendte de liket over på siden og fikk det til å ligge stabilt, før Margido vætet gaskluten i vannet og begynte å vaske. Fru Gabrielsen vasket gutten på resten av kroppen.

Han gjorde jobben omhyggelig og grundig. Alle måtte begraves eller kremeres så rene som han greide å få dem. De etterlatte skulle slippe å bli minnet på hva en kropp skiller seg av med, etter at all muskelautomatikk opphører.

Da gutten var ren nedentil, fikk han satt inn en propp av surret gasbind som skulle hindre videre lekkasje. Deretter begynte han å jobbe med guttens tunge. Han stakk fingrene dypt ned i halsen og forsøkte å trykke tungeroten tilbake. Han lyktes delvis, før han festet hakebindet. Han forsøkte å lukke øyelokkene, men øyeeplene bulte såpass at lokkene bare tøyde seg trefjerdedels over dem. Han smurte ansiktet hans inn med en nesten hvitbrun krem som dempet det blå litt, spesielt på leppene. Han kammet håret hans til siden, det ble sikkert feil, men det var aldri enkelt å vite hvordan unggutter pleide å ha frisyren.

– Vi beholder hakebindet på, til i kveld, sa Margido. – Familien skal se ham klokka seks.

De tok tak i gutten for å løfte ham over i kista. Margido tok tak øverst. Et luftstøt skjøt opp av guttens strupe i det samme, men Margido var forberedt, og hadde vendt ansiktet sitt vekk. Han fulgte automatisk alle obligatoriske smittevernsregler, selv om gutten sikkert ikke bar smitte av noe slag lenger. Men et lik kunne overføre dråpesmitte etter sin død. For alt Margido visste, kunne gule stafylokokker fremdeles slumre i halsen på ham. Dette var i tillegg et bare ett døgn gammelt lik.

Sammen fikk de likskjorten på ham. De kalde hendene ble foldet på brystet oppå likduken. På høyre hånd bar han en signetring, høyst sannsynlig en konfirmasjonsgave. Håret ble kammet, og den hvite silkeduken brettet sammen og lagt på puta ved siden av ansiktet. Posen med skruene til kistelokket la fru Gabrielsen i kistas fotende, og sammen plasserte de lokket løst på, før de trillet kista tilbake til kjølerommet.

Der var det nesten fullt. Yngve Kotum var den niende, og rommet hadde bare plass til ti. Margido hadde lovet å få ham hentet senest i morgen kveld, og fraktet til bårehuset ved Byneset kirke hvor kista skulle stå frem til begravelsen.

Halv seks var han tilbake. Han parkerte og ble sittende litt i setet uten å skru av motoren. Tvert imot bøyde han seg frem og satte varmeapparatet på fullt et lite øyeblikk. Den varme tørre lufta drev innover hendene hans. Ferdigmiddagen, varmet opp på tekjøkkenet på kontoret mens han leste korrektur på de to sangheftene, hadde ikke fylt magen hans tilstrekkelig, han kjente han var litt sulten. Eller ... ikke akkurat sulten, mer hul. Kvelden lå bekmørkt stille utenfor bilvinduene, det var godt å sitte her, en varm øy, bilen som en tett kapsel om ham. Selma Vanvik hadde ikke ringt på nytt, kunne han bare finne en slags fred ved nettopp det. Det hadde snødd i hele ettermiddag, det var sikkert kommet tredve centimeter nysnø. Snart ville han ligge tilbakelent i reclineren sin på stua og skotte ut på snøen på verandaen, de bittesmå og tettvokste sypressgreinene dekorert med hvitt.

Hendene hans var blitt varme utenpå, men ikke inni. Han gned dem mot hverandre, trakk pusten dypt inn og slapp den sakte ut, før han kvalte motoren.

– La oss be. Himmelske Far, vi overgir oss i din sterke hånd og takker deg for hva du ga gjennom Yngve som nå er gått bort. Styrk og trøst dem som sitter i sorg og savn. Hjelp oss å leve i samfunn med deg, så vi en gang kan fare herfra i fred, ved Jesus Kristus, din Sønn, vår Herre. Amen. La oss høre Herrens ord.

Han løftet blikket mot den lille forsamlingen av mennesker som stod spredt ved kistas fotende. Før de kom hadde han trillet kista inn i kapellet, tent de hvite talglysene, tatt av kistelokket og fjernet hakebindet. En langstilket rød rose var nå viklet inn i de foldede hendene på den døde gutten, og moren hadde ikke vist noe av gårsdagens hysteri ved sitt første møte med sin sønn iført likskjorte. Da hun kom inn i kapellet, gikk hun mot kisten med en stor vantro i ansiktet, mens hun stirret ufravendt på guttens hode mot den hvite silken. Hun berørte begge øyelokk med stive fingre, måtte kjenne på dødens urørlighet som for å kunne tro på den.

Margido hadde stått stille og ventet på reaksjonen. Disse øyeblikkene hatet han intenst, han hadde aldri kontroll på dem, mennesker reagerte så forskjellig. Noen ikke i det hele tatt, andre voldsomt, og kanskje irrasjonelt, med latter, eller uforståelige kommentarer, og raseri, ofte raseri, ved plutselige dødsfall.

Men hun hadde bare lagt hånda si over guttens panne, som for å varme den. Likkulda fra kjølerommet var vond å kjenne på for mange, men hun hadde latt hånda ligge der en god stund, uten å si noe, uten å gråte, hun bare skalv svakt. Søstrene hans stod der og klamret seg til hverandre, røde og skinnende i ansiktene. Faren og farens søster stod begge stive som stokker med uttrykksløse ansikt, antagelig var de oppdratt slik, tenkte Margido, og innen han var begynt på båreandakten, hadde guttens mor satt seg på en av stolene inne ved veggen. Hun satt der alene, med bøyd nakke.

– Herren er min hyrde, jeg mangler ingen ting. Han lar meg ligge i grønne enger; han fører meg til vann der jeg finner hvile, og gir meg ny kraft. Han leder meg på de rette stier for sitt navns skyld. Selv om jeg går i dødsskyggens dal, frykter jeg ikke for noe vondt. For du er med meg. Din kjepp og din stav, de trøster meg ...

Innen han var fremme ved Velsignelsen, var det kommet en stor taushet inn i rommet, en fred. Ingen gråt lenger, de var falt inn i seg selv, med egne øyne hadde de sett ham ligge der død, han som levde og fantes bare dagen i forveien, tilgjengelig, med stemme og bevegelser, liv. Det var som om døden satte et slags stempel på dem, all forstillelse ble skjøvet til side.

– Vår Herre Jesu Kristi nåde, Guds kjærlighet og Den Hellige Ånds samfunn være med dere alle.

Margido la ansiktsduken over guttens ansikt, før han og faren fikk plassert lokket på kista. Lokket føyde seg presist ned, slik det alltid gjorde.

– Vil dere hjelpe til med å skru det fast?

Han lot blikket gli fra ansikt til ansikt. Moren satt fremdeles sammensunket på stolen inne ved veggen, og reagerte ikke på spørsmålet. Farens øyne lå mot gulvet, kanskje han stod og tenkte vagt på all snøen som var kommet, og håpet at naboen ikke brøytet for ham, så han slapp å dra seg i hus når han kom hjem. Men søstrene nikket og tok imot to skruer hver, han viste dem hvordan de skulle på skrått inn og ned. Det var aldeles stille i rommet mens de utførte denne handlingen. Lysene brant som små urørlige søyler, og med en slags likegyldighet som av og til kunne provosere Margido voldsomt.

Da han etterpå alene trillet kista tilbake til kjølerommet, var også en tiende båre kommet på plass der inne, kjølerommet var fullt.

Han blåste ut lysene og spyttet på fingrene og klemte omhyggelig hver veke. Lukt av nyutblåste lys var nesten den verste han visste, verre til og med enn lukt av avskårne blomster. Men den løgnen han smakte i munnen, ble svakere for hver gang, for hver båreandakt han gjennomførte.

De trodde alltid at han mente det han sa, hvorfor skulle de mistenke ham for noe annet. Og nok en gang formante han seg selv om at effekten av ordene hans var den samme, om han trodde på dem selv, eller ei. Han lå ikke i grønne enger. Men det var jo egentlig ingen løgn, nettopp fordi han ikke trodde på alle disse besvergelsene lenger. Dette resonnementet pleide å berolige ham. Det var bare ord.

Likevel smakte han den, ennå.

Han satt der han satt kvelden før, da telefonen ringte i elleve-tida. Han tenkte det samme han tenkte da, håper det er et gammelt menneske død i sin seng og ikke en trafikkulykke. Uansett hadde han ikke kapasitet til en ny i dag eller de første to dagene, og ville henvise til et av de større byråene. Han hadde spist ostesmørbrød stekt i stekepanne med lokk over, han hadde dusjet, han hadde barbert seg i nakken og brukt den lille batteridrevne klippemaskinen i ørene og i neseborene og tatt på seg morgenkåpe, han hadde sett et naturprogram om jervbestanden i norske høyfjell, han hadde bladd litt på måfå i dagens avis.

Han hadde allerede telefonnummeret til et alternativt byrå parat i hodet da han på tredje ring trykket inn den lille knappen med silhuetten av et grønt telefonrør.

Det var eldstebror Tor. Bonden på Neshov. Margido la en hånd på armlenet av stolen og klemte. Det var utenkelig at han skulle ringe hit, og her satt han likevel med stemmen hans på øret. Det var jul snart, var dette noe moren hadde funnet på, rakk han å tenke, før storebroren sa:

– Det er mor. Hun er innlagt.

– For hva?

– Slag.

– Alvorlig?

– Er visst det. Men hun dør ikke i natt, sier de. Hvis hun ikke får et nytt slag, da.

– Ringer du fra St. Olavs?

– Ja.

– Da ... ja, da kommer jeg.

– Vi venter her vi, da.

– Vi?

– Far sitter her òg.

– Hvorfor det?

– Han hjalp til med å få henne i bilen. Jeg kunne ikke vente på ambulanse. Og så ble han med.

– Skal han være der hele natta?

– Vi kjører jo bare en bil. Men jeg har arbeid hjemme. Jeg har ei purke jeg ...

– Har dere gris nå?

– Ja.

– Få ham med deg hjem. Så drar jeg til mor.

– Javel.

– Det kan du vel.

– Ja, sa jeg jo.

– Kan du ringe meg da? Når dere er kommet hjem? Da drar jeg nedover.

– Ja.

– Har du fått tak i ... Erlend?

– Ikke ennå. Jeg har ikke nummeret.

– Utenlandsopplysningen har det nok.

– Vi vet jo ikke hvor han …

– Jeg fikk et kort for noen år siden, poststemplet København.

– Gjorde du? sa Tor.

– Ja. Ring utenlandsopplysningen.

– Du er flinkere til sånt, Margido. Kan ikke du gjøre det.

– Javel. Men ring meg når dere er kommet hjem. Selv om det blir midt på natta.

Han ble sittende med telefonen i fanget. Tankene hans drev for vær og vind, og føttene var dovnet da telefonen på nytt ringte og han så at viserne på veggklokka viste ti over tolv.

– DETTE BLIR BARE så lekkert! Fy søren!

– Det er ikke pent å si. Folk heter jo det. Dere fjellaper kan jo ikke engang ...

– Da sier vi for *helvede*. Med D. For din skyld, da vet du. Med tanke på din sarte sjel. Hold denne, lille venn.

Det var egentlig en Guds lykke at byrået hadde sendt ham denne unge tosken til å gjøre ferdig vindusutstillingen sammen med. En unggutt blottet for kreativt mot til å presse gjennom egne ideer eller endringer. Han var fra Jylland. Men han var søt, da, med deilig, mørkt og nesten kvinnelig dun på overleppen, og en svært tydelig amorbue. Øreflippene hadde også dette mørke, litt støvete dunet. Han hadde i tillegg tatt av seg yttergenseren og arbeidet i en trang, honninggul T-skjorte, og med lave hoftebukser som viste et bredt parti av den svarte pelsspissen som pekte frekt og freidig ned i retning godsakene. Korsryggen hans var fuktig av svette, huden gyllen som crème brûlée. Alt dette var gode plusspoeng på skalaen, og spesielt det at han lød hver minste kommando og ikke hang seg opp i noe annet enn kraftuttrykkene, enda han var lærling og skulle lære ved å stille spørsmål om intensjonen bak absolutt alt.

Dette vinduet hadde han komponert ferdig i hodet, i mørket på soverommet med Krumme snorkende ved siden av seg, og han visste det ville bli perfekt. Han var jo dessverre blitt nødt til å lage fysiske skisser for innehaveren, og det ødela gjennomføringsgleden en smule, men det var ingen vei utenom, ikke minst fordi innehaveren selv måtte plukke ut de smykkene som skulle med. Helst ville han ha laget det ferdig alene med en stor duk som dekket glasset og skjermet for innsyn, uten andre til stede inne i forretningen, for deretter å avduke vinduet i all sin prakt med spente mennesker ventende i snøen på fortauet. De ville gispet i unison beundring når han slapp duken ned, og hevet champagneglassene mot ham i jublende anerkjennelse. Det var en drøm han kunne degge for i timevis i fantasien, alltid foran ferdigstillelsen av et nytt vindu.

Nå satt det imidlertid to vektere og passet på verdiene der inne. Drakk sur kaffe og smugrøykte ut gjennom en bakdør, mens de glante på alt som foregikk i vinduet ut mot den lille sidegaten av Strøget. Det ble aldri slik han fantaserte om. Og selv var han bare ett menneske, dessverre utrustet med bare to armer, og derfor også avhengig av en assistent.

– Og så bare litt over en uke igjen til jul. At de gidder, sa unggutten, og løftet rullen av aluminiumsfolie høyt til værs slik han hadde fått beskjed om; en bred bølge av reflekterende lys rant fra hendene hans, der han stod som en furten Atlas med verden holdt over hodet.

– Det er jo de beste dagene! En gullsmed får alle mennene som kommer i siste liten for å handle gave til sin kone. Menn fulle av dårlig samvittighet for hele årets overtidsarbeid og utallige sidesprang, de flår opp kortene sine og kjører dem gjennom på så skyhøye beløp at de nesten krøller seg av friksjonsvarme! Ja, ikke bare til konene, men til elskerinnene også, *spesielt* til elskerinnene! Dessuten kan denne stå også over jul, det var nettopp det de likte ved den. I alle fall en liten stund, ut januar, kanskje. Det er jo ikke rødt i sikte her. Ikke en engel, ikke en nisse. Ikke et snødryss, ikke en julesløyfe. Lytt og lær. Det er snart nyttår, ikke sant? Dette er nærmest et nyttårsvindu! Og et nytt *års* vindu! Man burde virkelig takke Carlsberg for å ha promotert den gode smak!

En tankbil fra Carlsberg hadde rygget inn i gullsmedforretningen to dager tidligere og lagt hele juleutstillingen i ruiner. Flere diamantringer og et smaragdarmånd var forsvunnet i kaoset etterpå. Han hadde fått dekoren som en hastejobb. Den gamle juleutstillingen ville de ikke ha kopiert så nært opptil jul. Han fikk godt betalt også, nettopp fordi det hastet, enda desember nærmest var dødtid for ham, siden alle ville ha vinduene ferdig senest i midten av november.

Han bygget det opp i sølv, gull og glass. Han hadde fått skaffet ulike heng i diamantslipt krystall. Stjerner, spyd, dråper, hjerter. Disse hang fra taket i ulike lengder fra usynlige snører, med presise spotlys som fikk dem til å eksplodere av farger i fasettmønster bare de beveget seg den minste lille millimeter. De var slipt som prismer, men på en mye mer intrikat måte enn vanlige glassprismer, og signaliserte *klasse*. Sideveggene i vinduet var dekket av sølvduker, en gullduk lå i bunnen, med trappetrinn av glass og speilflater i terrasserte hyller. Bak glasset stod torsoer av utstillingsdukker surret inn i aluminiumsfolie, unntatt på strategiske steder. Hodene beholdt han på, uten parykker, men armene var fjernet. Og aluminiumsfolien var surret rundt torsoene slik at på én var ørene fri for folie; der kunne man nyte synet av et par øredobber, på en annen var halsen fri, og den bar en bred klave av sølv med perler langs kanten. I hele den høyre enden av vinduet stod en sprikende, jevn vifte av sølvarmer, tolv i tallet, med ringer på alle fingre, og armbånd. Det var enkelt, men pirrende effektfullt, som om en horde med kvinner strakte armene opp av et hull i gulvet og vinket sultent på hvitt gull og diamanter. Ideen fikk han etter å ha sett en utstilling med korpuskunst på Galerie Metal. I bakgrunnen ville han ha hengende lange slør av folie, som skulle kaste lyset, han ville oppnå effekten som av en lysbombe, med en kjerne av intens glans og glitter, som i et isslott. Helt inne ved vindusruten, foran de oppstrakte sølvarmene, ville han plassere to halvfulle champagneglass, ei nesten tømt flaske Bollinger champagne, litt istykkerrevet gavepapir og bånd som når noen nettopp har pakket opp en gave, en liten åpnet eske med en solid karats diamantring, og en liten stringtruse i råsilke, liksom henkastet foran champagneflaska. Rødvin gikk ikke, den ville i løpet av få dager fordunste i glassene og etterlate inntørkete ringer, og champagne passet alltid til kostbare smykker. Han hadde ikke fortalt innehaveren om denne trusen, men dette var København, mannen ville elske den implisitte assosiasjonen til en takknemlig kvinnes gjengjeldelse.

Han arbeidet med en slags varm og langstrakt lykke inni seg. En lykke som av og til fikk pusten til å hekte seg opp, og adrenalinet til å skyte små støt ut i mellomgulvet. Han åpnet champagneflaska og satte den til munnen.

– Og jeg da?

Huff, denne kvalmende jyske dialekten. Minnet nesten om trøndersk. *Og jæ da?*

Han rapet bobler og sa: – Du er lærling. Og denne flaska skal være en del av dekorasjonen. Den skal derfor bære mitt spytt, mitt DNA, mitt stempel.

Ikke et smil fra guttungen. Fullkomment bortkastet med honninggul magehud hvis man ikke eide humor, tenkte han.

Han stod med den lille champagnerusen i kroppen og betraktet det ferdige vinduet utenfra. Han frøs ikke, tross de fem minusgradene og at han stod her svett, uten ytterklær, eller kanskje han frøs, men det var helt uinteressant akkurat nå. Vinduet skilte seg ut i rekken av butikkvinduer som en puls, et lysstøt inn i den mørke kvelden, en visuell magnet, et fysisk, kvadratisk kjøpepress. Og lykken kom som kastet på ham igjen, tanken på gaven han fikk i morges av Krumme, førjulsgaven, som han kanskje skulle innvie i kveld.

Han sprang inn igjen. – Den sitter som et skudd. For søren.

– Fint. Da går jeg.

– Engang en ret forvoven Jyde, med hagel på en trønder ville skyde, men fik hans pande ei isønder. Nei, der skal kugle til en trønder. Har du hørt den?

– Trønder? Hva er det?

– Det skulle jeg grundig ha vist deg, hvis jeg ikke var blitt en monogam mann med kondomallergi. God jul, skatt. Håper du får noe du virkelig ønsker deg. Opp bakfra.

Gutten trakk på seg genseren. Da han avdekket hodet gjennom halslinningen med håret ukledelig presset inn mot skallen av statisk elektrisitet, sa han: – Jeg slipper ikke så gamle pinner som deg opp i meg. Jeg kan mygle.

Erlend lo høyt. – Ser man det! Ser man det! Du har det *s'gu* i deg likevel! Det bør du dyrke! Før du selv mygler. Prematurt.

– Hva faen mener du?

– Hva *fææn* jeg mener? God jul! Og et pumpende godt nyttår, du!

Sommer var også deilig. Sommeren hadde en letthet i seg, med mye blottlagt hud, dogg mot glass, latter i blå netter, svette armhuler, nakne tær i sandalene, lukt av tang som alltid minnet ham om våt befrielse. Og våren var skjønn. Våren med alt som var i ferd med å glippe og avdekke, begynne på ny, helt annerledes denne gang, kanskje for første gang, hva visste man vel, man var jo bare et menneske som aldri sluttet å håpe. Og høsten. Det nest beste. Den skarpe lufta, bladene på bakken som var så vakre at det ikke var til å fatte at de ikke var håndlaget, varm sjokolade med kremtopp, høy himmel, forventning. Men vinteren var det aller beste. Og midt i vinteren lå jula, på aller øverste hylle, funklende.

Han gikk hjemover mot Gråbrødretorv med hendene dypt i lommene av saueskinnsjakken, langs de julepyntete gatene, trærne med elektriske lyspunkter drysset over seg som i en Disneyfilm, himmelen dypsvart med ekte stjernedekor som faktisk bleknet mot den kunstige. Det var et surr av mennesker langs Strøget. Jula avtegnet seg i ansiktene på dem. Selvsagt også travelheten og stresset, men også skjønnheten, og alle de hemmelige gledene de bar med seg. Overraskelsene gjemt innerst i skapet, helt bakerst, måltidene man omhyggelig planla, som ritualer, pynten og vellysten og overdådigheten. For ham var jula årets innerste kjerne, det alt strålte symmetrisk ut ifra, lukket i den andre enden av St. Hans.

Han var blitt våt på beina, men det gjorde ingen verdens ting. Han ville i jacuzzien, med et glass champagne på kanten, det øyeblikk han trådte inn i leiligheten og fikk låst døra bak seg, han mente de hadde en fire–fem flasker Bollinger liggende. En hestedrosje skled tett forbi, med nissekledde barn i vognen bak som satt høytidelig med fakler i hendene. Det var noe som skulle foregå et sted, noe foregikk alltid i København, alle steder, på samme tid, uten at man visste om det, uten at det var mulig å vite om det, denne byen rommet tusen ganger mer enn hva ett enkelt menneske greide å ta innover seg. Han ville aldri flytte herfra, aldri, det københavnske var blitt hjemmet hans, det var kongens by, kongenes by, hans og Krummes. Han trakk luft ned i lungene, smakte på kulda i den, åpnet øynene mot alle lysene og bevegelsene og kjente en plutselig kåthet. I morgen ville han bake brød, til førjulsfesten om tre dager. Mørkt rugbrød han pakket inn i tett plast og la i kjøleskapet, for så å skjære opp i løvtynne, fuktige skiver hvis noen ville ha brød og sild til nattmat. Og han ville gjøre ferdig mørdeigen i sandkakeformene til epledesserten, slik at de bare var å fylle og steke rett før gjestene kom. Krumme hadde sikkert husket å hente treet, det som skulle stå på takterrassen dekorert med ett hundre lyspunkter og julekurver i gull og rødt, fylt av kunstig snø, i tilfelle det ble regn. Og med en Georg Jensen-stjerne i toppen, intet mindre. På treet innendørs skulle de ha levende lys. Bare femten stykker til sammen, det holdt i massevis, når man måtte følge med at de ikke tippet og antente granbaret og la jula i aske.

Juletoget skramlet forbi. Akkurat det kunne han leve

foruten. Tog og jul, hva hadde vel det med hverandre å gjøre. Det var et forstyrrende og ødeleggende element midt i helheten, som en uestetisk tilbudsplakat i et ellers lekkert vindu. Godt påkledde småbarnsfamilier og turister satt om bord i toget og virret lamt med hodene i alle retninger, mens de ble befraktet på denne tåpelige måten fra Kongens Nytorv til juletreet på Rådhuspladsen.

Han stakk innom Madam Celle og kjøpte sjokoladerøstet kaffe, og trakk inn luktene fra hyllene mens den unge jenta ventet foran kaffekvernen, med posen i gullpapir parat. Den hvinende, travle lyden minnet ham plutselig om kaffekvernen på samvirkelaget på Spongdal, da han som liten fikk lov av moren å holde posen under tuten. Han husket tyngden av varm, nykvernet kaffe som vokste i hånda hans, og metallstrengen inne i pappremsen langs kanten som han bøyde to ganger for deretter å klemme inn endene og slik lukke posen tett igjen. Da skrøt moren av ham, og strøk ham fort over håret før hun la kaffeposen ned i kurva si.

Han begynte å snakke med jenta for å skyve minnet ut av hodet, og hun småpratet villig vekk, blant annet om en ny karamellrøstet kaffe de hadde fått inn, selvsagt for at han skulle få lyst til å kjøpe den, men han orket ikke å høre lyden av den kvernen en gang til. Sammen med vekslepengene fikk han et plastbeger med varm gløgg.

– God jul, sa hun og smilte. Bak kaffeluktene kjente han en svak ange av sigar; noen satt og røykte på bakrommet, kanskje kjæresten hennes som ventet på stengetid.

Han nippet til gløggen mens han gikk videre. Da begeret var tømt, pillet han mandelbiter og rosiner opp fra bunnen med fingrene, og tenkte på Krummes gave. Nei forresten, han ville ikke innvie det i kveld, da ville han være alene. Han ville nyte det, uten å snakke, eller være noen. På Amagertorv ble han et øyeblikk stående og beundre lyset, verdens største kalenderlys, som uendelig langsomt brant ned. Det var ikke så høyt lenger; da nissen tente det første desember hadde det vært seks meter høyt og over en halv meter tvers over, han og Krumme hadde stått her og sett på det, hånd i hånd, som barn, fulle av lammesadel og rødvin etter et besøk på Bagatellen.

Krumme møtte ham i heisen, på vei ut etter sigarer.

– Du kunne jo bare ha ringt meg! sa Erlend, bøyde seg fort ned og tok øreflippen hans i munnen noen sekunder, og suttet litt. Krumme hadde tykke og gode flipper, myke som fløyel, og alltid varme.

– Jeg ville ikke forstyrre kunstneren. Ble det uendelig flott? Slik du tenkte det ville bli? sa Krumme.

– Bedre. Du må bli med og se i morgen. Skynd deg, da. Jeg vil bade.

– Skal du ha noe, lille mus?

– Nei. Jeg har kjøpt kaffe.

Å komme inn i leiligheten etter en lang dag ute i den store verden, var som å iføre seg en ham, en myk pels som favnet kropp og tanke. Krummes planlagte måltid lå vakkert dandert på kjøkkenbenken, lammekjøttbitene glinset mot den svarte steinplaten, grønnsakene var allerede strimlet, risen målt opp, chilien renset for frø, korianderen hakket til en grønn saus med tydelige groper etter kniven, kokosmelken slått over fra boksen til en mugge for å romtemperes. To vinflasker var åpnet og stod og hygget seg på benken ved stekeovnen. Han fant ei flaske Bollinger i det ene kjøleskapet, viklet forsiktig av strengen og trakk korken ut i én langsom glidebevegelse for å unngå oversvømmelse og kullsyretap. Et lite gufs av hvit røyk sev ut av tuten. Han gikk inn i stua etter et glass. Gasspeisen brant, og en musikk lå og duvet i lufta, så lav at han ikke helt hørte hva det var, men antagelig var det Brahms. Krumme elsket å spille Brahms når han laget mat, han sa det minnet ham om barndommens søndagsmiddager i herskapsvillaen på Klampenborg.

I badevannet, med glasset i hånda, begynte han å tenke på Krummes julegaveønske nummer én, og lo høyt. Hvis Krumme plutselig stod der og spurte hva han lo av, ville han fortelle om den jyske prinsen som var redd for å mygle. Krumme ønsket seg en Matrix-frakk. En svart, fotsid skinnfrakk med innsvinget midje. Erlend var alltid like forbløffet og litt misunnelig over hvor liten selvinnsikt Krumme eide hva angikk eget utseende. Krumme med Matrix-frakk, det ville bli som å dandere en stram skinnmuffe over en badeball, lufta inni ballen ville tyte ut i alle retninger. Mannen var én sekstito høy, med ukjent matchvekt, og naken lignet han en svær kule på to pinner, med en mindre kule som balanserte på toppen. Hvis man satte to fyrstikker på en kongle, med en hasselnøtt på toppen, hadde man Krumme. Likevel skrøt han selv over å ha samme høyde som Robert Redford og Tom Cruise.

Han lukket øynene og drakk glasset til bunns. Suset fra dysene og det boblende vannet gjorde ham døsig. Han tvang øynene åpne og betraktet fiskene som svømte i saltvannsakvariet som strakk seg i hele baderommets lengde. De to turkise var de vakreste, det var Tristan og Isolde, han fylte glasset og skålte mot dem. Selvsagt skulle Krumme få frakken sin, han ville hente den i overmorgen hos lærskredderen som antagelig hadde gjennomført sitt livs tilpasningsbragd etter nøyaktige mål i smug hentet fra Krummes andre klær. Men synet ... Tanken på dette alene var for ham nok til å glede seg sinnssykt til julaften.

– Vil du leke?

– Der er du jo, skatt. Nei, jeg er for trøtt ...

– Da setter jeg meg heller her.

Krumme sank ned i den hvite ørelappstolen i hjørnet ved palmene og trakk sokkene av seg, før han spredte tærne mot varmen i gulvflisene.

– Hent deg et glass, det er litt igjen, sa Erlend. – Og hvis du henter ennå ei flaske vil jeg kanskje leke likevel. Å! Jeg glemte å se etter treet! Har du hentet det?

– Selvsagt. Det står på terrassen.

– Ikke pyntet, vel? Det vil jeg gjøre!

– Selvsagt skal du få pynte det. Men kan du ikke skru av den helvetes atlanterhavsorkanen, det er jo ikke ørens lyd å få her inne. Og så henter jeg boblene.

Han kom naken tilbake, massivt gyngende i sin kulerunde kropp, med et glass og en ny flaske. Han satte seg i den andre enden av karet og vann skvulpet over. Han ble straks blank av svette i ansiktet.

– Dette er lykken. Skjenk begeret fullt, sa han og strakte glasset mot Erlend.

De fniste, nippet til champagnen med hevet hake og lukkede øyne. Krumme ville høre alt om vinduet og fikk i stedet høre alt om den jyske festbremsen. Vinduet måtte han heller få se med egne øyne.

– Det er umulig å beskrive, sa Erlend. – Når jobber du i morgen?

– Fra fem og utover. Og som om vi ikke hadde nok, måtte vi stanse den reportasjen om jul på Amalienborg, sa Krumme.

– Hvorfor i alle dager?

– Dronningen skulle godkjenne den, og tror du for faen ikke hun ville ha nappet ut et bilde, det var for privat, mente hun. Og da må selvsagt alt gjøres om, layouten, og ting i teksten også.

– Hva var galt med det bildet, da?

– En dør som står åpen i bakgrunnen inn til et kjøkken, og noe som henger bakpå en stol. Den døra skulle vært lukket. Alt er fotograf-idiotens skyld.

Han drakk en dyp slurk av glasset. Erlend stirret på ham, og ropte: – Men hva henger på stolen? Si det, da! Herregud så ufattelig irriterende du kan være av og til, Krumme!

– En jakke. En brun jakke.

– Men hva ...

– Jeg aner ikke. Jeg aner virkelig ikke. Kanskje en elskers gjenglemte yttertøy.

– Sikkert! Med den eddiksure, bortskjemte greven av en mann. Vin. Det er alt han bryr seg om. Vin og druer og franske slott.

– Vel ikke det verste å bry seg om. Skål!

– Og la oss snakke om festen! Jeg gleder meg sånn, Krumme! Bordet, vi begynner med det i overmorgen, ikke sant? Da har vi en hel dag på det, før blomstene blir levert. Og apropos bord! Vi har ennå ikke sett sjokoladebordene!

– Jeg har sett dem. Vi hadde jo en svær reportasje fra Kongelig Dansk annen lørdag i advent, det husker du da.

– På bilder, ja. Du har jo ikke vært der. Sendte bare en fotograf. Jeg vil lukte dem, Krumme! Den ene bordplaten er av hundre kilo ren sjokolade, dekket med fat av sjokolade dekorert som musselmalt porselen!

– Jeg vet det.

– Jeg vet at du vet det! Ikke vær dum! Men vi går dit i morgen. Først mitt vindu, deretter Kongelig Dansk. Det er en god rekkefølge ...

– Kom hit.

– Hvorfor det? Begjærer du kroppen min?

– Ja.

– Ops. Vannet stiger.

Etter å ha elsket til badegulvet fløt av vann, tent tre lys på adventsstaken, sammen laget middagen og spist den, oppdaget Erlend kassen ute ved garderoben. Han gjenkjente den med en gang. I fjor hadde han sverget for seg selv at han ville finne den i god tid og gi til søppelkjørerne, deretter lyge til Krumme og si at den var forsvunnet, antagelig frekt stjålet, fra kjellerboden. Selv om boden var forsynt med en svær hengelås. Eller ... han hadde vel ikke akkurat planlagt i detalj hva han hadde tenkt å si til Krumme, men nå stod altså kassen her. Det var for sent.

– Vi skal ikke ha den fremme, det kan du bare glemme, sa han til Krumme som lå dandert i sofaen med slåbroken åpen foran magen. Navlen hans lignet et sammenklemt øye.

Krumme sukket. – Det sier du hvert år.

– Jeg hater den dritten! Jeg hiver hele kassen ut av vinduet! Nå i dette sekund!

– Det gjør du ikke. Julekrybben skal stå der den har stått i elleve år. At det går an å være så utakknemlig. Det var en gave fra meg til deg. En kjærlighetsgave.

– Det sier *du* hvert år, sa Erlend, og gikk med harde

skritt til barskapet og sjenket seg en raus konjakk som han tømte i en slurk før han skjenket i til Krumme, pluss en ny til seg selv. – Det hjelper ikke at det var en kjærlighetsgave når jeg hater den inderlig og intenst!

– Jeg begriper ikke hvorfor.

– Den er bare stygg. Den skitne stallen, de fargeløse klærne, fattigdommen! Og at den idiotiske lille drittungen ligger i matfatet til et esel, med en stjerne hengende over hodet er bare toppen av latterlighet! Løgn og forstillelse! Det er heslig!

– Det er faktisk ikke laget slik for å irritere deg. Josef og Maria eide null niks, og stallen var ikke smakfullt interiørdekorert på forhånd med tanke på at Frelseren skulle fødes der.

– Ja, hadde den enda vært det. De grusomme klærne på den faren ...

– En fattig tømmermann fra Nasaret, lille mus. Ha nå litt forståelse for historien bak, og tradisjonen, før du ...

– Jeg avskyr den historien og den tradisjonen. Og de tre kongene! Jeg mener ... de er konger! Jeg har lest et sted at de var rike!

– Kanskje du har lest det i Bibelen. Det står visst litt om dem der.

– Men de var rike! De kledde seg sikkert i purpur og silke og hermelin! Mens i vår krybbe står de der i simpel bomull! I umake farger og stygge kroner som det er umulig å få pusset. De blir svartere for hvert år. Nei! Jeg vil absolutt ikke ha den fremme! Den ødelegger helheten! Den ødelegger julestemningen min!

– Jeg kjøpte den i Oslo, hvis du ikke har glemt det. Den er norsk. Derfor hater du den.

– Nordmenn elsker det pisset. De sitter og glaner på

fattigdommen og nyter sin selvgode nøkternhet, skammer seg over å le høyt, skammer seg hvis de nyter god mat, hvis de dyrker litt overflod og livsglede.

– Jeg tror kanskje det er en hel del nordmenn som ikke tenker akkurat slik. Du, for eksempel.

– Jeg er dansk. Blitt dansk.

– Men du forteller meg aldri noe.

– Det er ingenting å fortelle. Jeg er meg. Jeg er her. Sammen med deg. Så enkelt er det. Og krybben skal ikke opp.

– Det skal den. Jeg elsker den. Den er så enkel og vakker. Akkurat som julens budskap.

Erlend gapskrattet. – Det der sier du bare for å erte meg! Som om du er religiøs? Hvis du ikke har glemt det så feirer vi altså jul her i huset, og ikke kristmesse. Jul er en hedensk høytid, som handler om ferskt dyreblod og sol som snur og ikke dårlig kledde småbarnsforeldre fra Midtøsten!

– Men likevel.

– Da får du sette den på gjestetoalettet. Så kan gjestene våre sitte der og drite og stirre Josef i øynene og være takknemlige for at de slapp å bli far til jordas frelser.

– Ikke akkurat hele jordens, tror jeg. I andre steder av verden tror de mer på andre kjekke gutter. Muhammed og Buddha og ...

– Ikke snakk deg bort! Den skal på *lokumet*!

– Den skal stå der den alltid pleier. Kom nå og sett deg her sammen med meg, lille mus.

– Nei. Jeg vil ha treet på terrassen på plass. På fot. Og lysene på. Og kurvene.

– Nå? Akkurat nå?

Han trampet med en fot i gulvet. – Nå! I dette sekund!

Krumme trillet seg ut av sofaen, knyttet slåbroken tett

sammen, hentet sko til dem begge og gikk lydig ut på terrassen for å gjenopprette status quo.

Og da treet en god stund og mange konjakkglass senere stod midt på den seksti kvadratmeter store takterrassen med tente lys og gullkurver fylt av kunstig snø, sank de begge to ned i sofaen og beundret treet gjennom skyveglassdørene.

– Jeg elsker deg, hvisket Krumme. – Du skaper magi rundt deg, du tømmer deg for skjønnhet til glede for alle.

– Det var pent sagt. Men det er nok bare egoistisk. Jeg gjør det ikke for andres del, bare for min egen. Og litt for deg.

– Jeg fryser, sa Krumme og la hodet på skulderen hans. – Det er nesten null grader ute, og jeg har jobbet som en kroppsarbeider bare iført en silkeslåbrok.

– Det er tross alt en Armani. Det varmer vel litt. Nå setter jeg på kaffen. Å drikke nesten ei hel flaske konjakk uten kaffe til, betyr at vi er alkoholikere. Her, legg ullpleddet rundt deg.

– Det er greit, sa Krumme. – Den kan få stå på gjestetoalettet. Og jeg vil ha fløte i kaffen.

Butikkeieren hadde latt dametrusen ligge. Han hadde ikke bare latt den ligge, men roste den i tillegg opp i skyene og kalte Erlend et geni. Krumme ventet utenfor med en sigar, og stirret med store kuleøyne på de viftende kvinnearmene som stakk opp ingensteds fra.

– Jeg fikk faktisk lyst til å kjøpe noe, sa han da Erlend kom ut igjen.

– Jeg ønsker meg ikke noe her, annet enn dekoren. De prismene. Men de er ikke til salgs.

– Swarovski?

– Selvsagt.

– Du skal hygge deg i kveld, da, skjønner jeg. Alene.

– Det skal jeg. Det var en vidunderlig gave, Krumme. Jeg gleder meg sinnssykt til å innvie den.

– Og det kommer mere. Men det har julenissen allerede tatt hånd om.

– Nå går vi og ser på bordene. Og rekker vi en tur i Tivoli før du må opp i avisa?

De hadde vært i Tivoli fem ganger allerede, siden Julemarkedet åpnet. Han visste det var barnslig, men det var ingenting å gjøre med. Han ville gå i graven som barnslig, og testamentere alle sine Disneyfilmer til FNs Sikkerhetsråd. Litt mer Disney, og verden ville bli et fredeligere sted. Og ingen kunne bli annet enn lykkelig av å gå gjennom Nissekøbing hvor hundre og femti mekaniske nisser pakket gaver, vinket, gikk på ski og gjorde andre pussigheter. De befant seg midt i et juleventyr, og Erlend hadde lest at det var benyttet fire hundre og femti tusen lyspærer til all dekoren i år, og to hundre og tjuefire spotlys på Det Gyldne Tårn, som i glidende overganger skiftet farge for å symbolisere de ulike årstidene. Og de små landsbyene! Han halte Krumme med seg, selv om de ville få altfor kort tid til å spise godt etterpå.

– Orienten! Den har vi ikke sett ennå! sa han.

Det første som møtte dem var krybbespillet, og Erlend jublet: – Slik skal det være! Ikke noe gørre greier i nitriste klær! Se på de kongene, du!

Frelserens gavebærere satt på fire meter høye kameler i metall, Erlend klappet i hendene mens han hoppet opp og ned. Også Jesusbarnet var ufattelig vakkert, og i ekte størrelse.

– Du tror jo ikke på slike julekrybber, sa Krumme og kløp ham bak, godt oppunder sauepelsen.

– Jeg tror litt. Akkurat nå. Men ikke hjemme.

De rakk ikke å spise annet enn en sildesalat, med øl og små, frosne glass med rød Aalborg til, mens de snakket om sjokoladebordene på Kongelig Dansk og hvem som ville få spise dem etter jul.

– Fattige barn i Afrika, sa Erlend. – Tenk så forbauset de ville ha blitt om noe slikt ble plassert foran dem.

– Eller fattige barn i Danmark.

– De ville ikke bli fullt så forbauset. De har sikkert sett bilder i avisen din. Og se om du finner ut noe om den jakken på stolen. Det kan jo like godt være Henriks elsker, tenk for en skandale! Noe så sinnssykt spennende! Du *må* bare finne ut av det! Når er du hjemme?

– Etter at du har gjort unna julevasken på skattene dine.

– Det hadde jeg glemt, sa Erlend.

– Løgner. Det hadde du ikke. Det er det eneste du sitter her og tenker på.

– Overhodet ikke. Jeg satt faktisk og lurte på om julekrybben vår kanskje kunne la seg sprite opp med noen metallkameler.

Men Krumme hadde selvsagt rett. Å bli alene foran glasskapet var alt han tenkte på.

Han lukket seg inn og låste omhyggelig bak seg. Skulle han bake først, slik han egentlig hadde planlagt dagen i forveien? Nei, han ville ikke ned med hendene i klissete brøddeig nå, han hadde mer enn nok tid til både brød og mørdeig i sandkakeformer i morgen. Han skrudde av mobilen og koblet inn lydløs svarer på fasttelefonen. Han vred knappen for gasspeisen på fullt og ble stående et øyeblikk og betrakte blå flammer slå opp rundt evighetskubber og bli til et eggeplommegult og illusorisk peisbål. Da han aller først kom til København, hadde han verken peis eller ovn, og savnet det intenst. Han fikk en venn til å filme peisen sin på video i tre timer, og videoen satte han på om kveldene. Det var utrolig virkningsfullt, med knitrelyd og det hele, det var som om han kjente strålevarmen mot huden. Eneste ulempe var at han ikke kunne se på TV mens peisen brant.

Helst ville han hatt ekte peis, og ikke gasspeis, nå når han ikke bodde kummerlig og ensomt på hybel lenger, men brannforskriftene i huset forbød det. Det hindret ham ikke i å kjøpe ekte trekubber og legge i en vedkurv av pusset stål til venstre for gasspeisen. Illusjonen ble dermed perfekt, så perfekt at en middagsgjest en kveld hadde forsøkt å kaste et fullt askebeger inn på peisen, med det resultat at alle sigarettstumpene traff det brannsikre glasset og haglet til alle kanter, i en storm av aske.

Synet av flammene beroliget ham, satte ting på plass. Den tomme leiligheten rundt ham, den gode dagen bak ham, jula foran. Var det mulig å bli lykkeligere enn dette? Og burde han ikke selvfølgelig og egentlig skamme seg? De fattige barna i Afrika uten sjokoladebord, alle krigene Krumme visste alt om, og av og til ville diskutere. Elendigheten.

Han orket ikke å tenke på det, vite om det! Han ble stadig forbløffet over mennesker som frivillig lot seg synke ned i det aller verste og gjorde det til sin livsoppgave å fortelle andre hvor dårlig det stod til med verden. Ble den bedre av det? Innbitte mennesker som vasset rundt i gatene med plakater rablet fulle av et eller annet med mange svarte utropstegn etter, trodde de virkelig at de utrettet noe? Burde de ikke heller gå hjem og tenne levende lys for sine barn, bake brød og synge en sang sammen med dem, være glade? I stedet for at barna opplevde sinte og indignerte foreldre som prakket på dem tunge og politisk korrekte bøker og forlangte at de satte seg inn i saker og ting, og på den måten drev sine barn ut i narkomanien, som ren flukt fra politisk agitasjon i sitt eget hjem.

Du mangler evnen til solidaritet med de svakeste, pleide Krumme å si, og kunne av og til bli irritert på ham for akkurat det. En gang hadde Krumme kalt ham overfladisk, men de ordene hadde han blitt nødt til å bite i seg etter fem dagers taushet og elskovsnekt. Dessuten visste ikke Krumme. Han forstod ikke. Og det var ikke Krummes feil. Pokker òg at han ikke hadde fått kastet den helvetes julekrybben i tide.

Nei, dette gikk ikke. Tankene forstyrret. Han måtte ikke tenke. Han ville være ren inni seg når han begynte. Alkohol var antagelig løsningen. En tankedesinfiserende vodka med lime, for eksempel. Han satte på U2 og vandret bedagelig inn i kjøkkenet, det var alltid som om han så det første gang når han var alene i leiligheten og snart skulle drikke seg til en liten rus og gledet seg til noe. Han elsket dette kjøkkenet, det sinnssykt kostbare tyske kjøkkenet med sin tyngde og presishet i dørene, det var som å åpne og lukke Mercedes-dører. Han elsket terraskapet med jungelen av urtekrukker og ruglete glass som alltid lyste neongrønt med dogg på innsiden, vinstativet med sine runde og blodrøde skygger, de lange benkene, den innebygde kaffemaskinen, designerstolene rundt det lille frokostbordet akkurat stort nok til et par oppslåtte aviser, to kopper kaffe og croissanter med ekte smør og fransk brie. Et kjøkken på størrelse med en gjennomsnittlig dansk stue. Luksus. Luksus! Hvorfor var så mange opptatt av at man skulle skamme seg over det?

Forbannede satans julekrybbe. Skulle han bare pælme den fra terrassen? Ta krangelen som ville følge?

Det irriterte ham igjen at han var så urolig, han hadde jo gledet seg til å komme hjem, dette lignet ikke ham. Han skyndte seg å mikse en vodka og lime i et romslig glass og lyttet til isbitene som knakk som Sydpolen utsatt for drivhuseffekt. Akkurat det hadde han lest om i smug, uten å ville innrømme ovenfor Krumme at det opptok ham. København lå så nær havet, rene Venezia, hva om flodbølger veltet inn over Langelinje og hele byen og alle butikkvinduene plutselig lå under vann. Det var noe som angikk ham direkte og personlig. Det var inderlig grusomt å tenke på, han så seg selv vasse til knes i vann, iført ukledelige gummistøvler, med armene fulle av vakre ting som ikke måtte bli våte, han hadde helt sluttet å bruke dekorspray med freongass.

Han hentet frem gaven. Nippet til drinken med venstre hånd og løftet lokket av den mørke esken. Bono tøyde stemmen til bristepunktet inne i stua, og der lå det hele: en mårhårsbørste med glasshåndtak, en polérklut reivet som rundt et lite barn, hvite bomullshansker, den lille boka med instruksjoner om vedlikehold og rengjøring, og fløyelsposen med enkeltvise, diamantslipte krystaller ment for dekor rundt figurene. Han trodde ikke han ville bruke dem til akkurat det. Nei, ikke dekorere med dem. Han ville beholde dem i fløyelsposen, og slå dem ut i hånda når han trengte til å se den fylt av lyspunkter, som glitterdrysset fra en magisk fe, ment for ham, og ham alene.

Glasset dogget. Det nyttet ikke å ha på hanskene og samtidig drikke. Han hentet et sugerør og stakk ned i glasset, bar glasset inn på bordet, trakk på seg hanskene og svingte opp skapdørene til skattene. Ett hundre og tre Swarovski-figurer. Han trakk pusten og mumlet noen kjæleord han ikke engang selv hørte hva var, før han begynte å flytte dem ut på spisebordet like ved. Små, perfekte vidundere bare noen centimeter høye. Miniatyrer av alt fra svaner til ballettsko. Man kunne studere dem i forstørrelsesglass, noe han hadde gjort mange ganger, og ikke finne en eneste lyte. De var magiske, de var fylt av drømmer og higen, de var besettende i sin skjønnhet fordi hvis man eide dem nyttet det ikke å bli skremt noensinne av tanken på en dag å dø, fordi man hadde eid det utsøkte, hadde opplevd det utsøkte, vært der.

Tidligere hadde han brukt stygge latexhansker kjøpt på apoteket når han håndterte figurene. Tenk at Swarovski hadde laget et spesielt rensesett for samlerne sine, slik at man skulle unngå smakløst provisoriske løsninger. Og tenk at Krumme hadde kjøpt det til ham.

Han fikk plutselig avsindig lyst på en sigarett, enda han nesten ikke røykte, men han skjønte at lysten kom over ham bare fordi han åpenbart ikke kunne røyke med hanskene på, tjæren ville sette flekker som olje. Han fikk alltid lyst til å gjøre det han ikke kunne, stengsler gjorde ham kvalm av frustrasjon. Da alle figurene stod på spisebordet, tok han hanskene av og hentet en sigarett fra dispenseren i barskapet. Han inhalerte til det svimlet for ham, og tømte drinken. Nå måtte han jo uansett vaske i skapet, og det gikk ikke med hvite bomullshansker.

Han forstod ikke hvor støvet på glasshyllene kom fra, skapet var praktisk talt lufttett. Det var et lysegrått, pudderfint støv. Under- og overlysene i skapet gjorde ham oppmerksom på hvert minste støvgrann, og linjer etter pusseskinnet. Han pusset alle fem glasshyller både på undersiden og oversiden, innimellom mikset han en ny drink og skiftet fra U2 til Chopin. Det kom alltid en høytid over ham når han skulle begynne å håndtere figurene i siste og dekorative fase. Skapet skulle komponeres på nytt hver gang. Og nå var det jul, juleornamentene måtte på øverste hylle, prydplassen.

For sikkerhets skyld tok han en ny sigarett og røykte ferdig før han tok hanskene på seg og lot blikket gli over skattene på spisebordet. Det dypblå speilet ville han sette til høyre på øverste hylle. Ja. Med den tre centimeter høye figuren av en innpakket julegave, med sløyfe og det hele. Selve gaveesken ble illudert av en massiv krystallterning med fire fasettslipte hjørner, noe som kastet lyset inn i sentrum av kuben. Krystallsløyfen på toppen sendte lys i alle retninger rundt seg, og ned på speilet. Han holdt figuren mellom tommel og pekefinger og pusset den omhyggelig med mårhårsbørsten, og satte den på plass. Deretter renset han stjernene og danderte dem rundt.

Han fikk ikke puste. Han gikk mange skritt bakover og betraktet begynnelsen på det nye skapet. Han kjente han fikk tårer i øynene. Han elsket Swarovski-samlingen sin slik noen sikkert elsket barn og kjæledyr, men antagelig var hans kjærlighet sterkest, renest, og uten motstand. Og ennå var han knapt begynt. Han hadde mange hyller å fylle. Han var kunstner nå, selv om han ikke hadde laget figurene selv. Display var alt! Til og med Brahms og Chopin ville fremstått som tanketomme fjols hvis fortolkerne deres, musikerne, ikke greide å stille ut notene deres pietetsfullt og kreativt. Og Munchs malerier hengt opp i en trang borettslagsleilighet uten belysning, det ville selvsagt i en stor grad ødelegge styrken i bildene. Og tenk at så mange trodde at vakker display kom av seg selv! De forstod ikke at det måtte ligge dypfølt kjærlighet og innsikt bak. Ta for eksempel dagens billedkunstnere, som tok for gitt at display var en del av pakken, at display kom på et sølvbrett uten at noen hadde tenkt det ut på forhånd. De forlangte uten å blunke flere hundre kvadrat vegg, og stod der og gren på nesa hvis veggen ikke var stor nok. Bortskjemte skittunger. Og det skar ham i hjertet å tenke på alle de Swarovski-miniatyrene som var kjøpt på impuls i en eller annen flyplassbutikk og forært vekk til mennesker som ikke satte pris på dem. Og der stod figurene rundt omkring i verden, på stygge trehyller, i mørket alene, ved siden av en simpel nipsgjenstand eller et eller annet grelt innrammet fotografi av en klissete familiescene, de stod der små og unnselige og støvet ned i kjærlighetsløse omgivelser. De ble ikke *sett*, og var ikke blant sine egne. Krumme hadde en gang for lenge siden snakket med ham om Opplysningstiden, han husket ikke et kvidder av det Krumme hadde sagt, for det eneste han hadde tenkt på gjennom hele samtalens forløp, var alle verdens Swarovski-figurer eid av uopplyste mennesker som ikke innså at slike figurer trengte opplys gjennom glassplaten de stod på.

Dyrene og fuglene skulle få stå på en helt egen hylle slik de pleide, men flakongene og skrinene måtte på øverste hylle. Og den fire centimeter høye champagneflaska, med to glass bare litt over en centimeter høye. Og flaskeåpneren: et krystallmirakel ikke lenger enn en halv lillefingernegl! Han måtte ha mer å drikke. Han gikk på do med det samme, og oppdaget på vei tilbake til stua at svareren blinket. Venner som ganske sikkert ville snakke om festen, om de skulle ta med noe, kaker eller drikke eller musikk, samt fortelle ham hvor mye de gledet seg.

De ville bli seksten til bords, stemningen ville nå taket som vanlig, heldigvis var drikkevarer innkjøpt og stod i kasser på soverommet, men det var fremdeles mye å gjøre. Det var Krumme som tok seg av grovarbeidet og hovedretten, mens han selv skulle sette spissen på det hele. Pynten, desserten, det som tok tid, det som løftet måltidet fra simpel bespisning og opp til en høyere sfære. I fryseren hadde han flere brett med isbiter nå, med et ferskt mynteblad innfrosset i hver isbit. Han brukte kokt, avkjølt vann fordi det ble klarere, og isbitene var til velkomstdrinken, en avart av dry martini, siden dry martini ikke skulle ha isbit, og for å gjøre den spesiell fikk hvert glass noen dråper blå Curaçao. Isblått og grønt. Kanskje noe sølv også, tenkte han plutselig, hva med å surre litt aluminiumsfolie rundt stetten av hvert glass? Surre den på en litt skjødesløs popart-måte? Han styrtet inn i kjøkkenet, rev av en strimmel folie og snurret den rundt et tilfeldig hverdagsglass med stett. Selv om glasset var tomt, så han at det fungerte perfekt. Ett skritt nærmere en vellykket aften. Han trakk pusten helt ned i magen, gikk inn i stua, tok glasset i hånda og ga seg til å se på treet på terrassen. Det snødde forsiktig, langt der borte kunne han se flyene på vei til og fra Kastrup, de blinkende røde og grønne lysene. Det var meldt minusgrader, noe han knapt våget håpe på. Snø og jul hørte sammen, men han syntes alltid det var for mye å forvente i denne byen, i dette landet. Og resten av året savnet han det heller ikke. Men julesnøen, den slapp ham aldri. Den optimale juleingrediens. Den som kunne dekke over og skjule, og gjøre selv mangelen på julestemning uviktig, men være noe symbolsk og riktig og viktig bare i egenskap av seg selv, til tross for at det ikke var annet enn frosset vann, som Krumme pleide å si. Stjernefrosset, pleide Erlend å korrigere ham med. Det var ikke tilfeldig at vann frøs til symmetriske stjerner, det var naturen som ønsket å glede menneskene. Til og med vann ønsket å bli vakrere enn en simpel kule, og søkte dråpeformen. Å, Krumme i Matrix-frakk, han kunne ikke vente, hvordan skulle han makte å holde på forventningen av dette synet, fremdeles i flere dager!

Han kuttet Chopin midt i vals nummer 7 og satte på en pianokonsert av Mozart for å skape litt mer drama og konsentrasjon. Nå skulle skapet fylles. Alt børstes og bli skinnende julerent. Skapet skulle bli en strålende lysfontene skapt av en mann med hvite hansker og lykke i blodet. Han var i gang med hyllen for dyr og fugler og skulle løfte enhjørningen på plass, da den glapp fra hanskene og falt i gulvet. Med et skrik sank han ned på huk og løftet den opp til seg. Hornet i pannen var borte, men ellers var den hel. Den var hel, men bare som en hest. Det magiske ved den lå igjen på parketten. Han pillet opp det knøttlille, spiralvridde hornet og slo straks fra seg tanken om å ty til en dråpe superlim. Det ville være juks. Han kjente tårene komme. Og så akkurat denne, av alle figurene! Det var en av de første Krumme ga ham, og han husket ennå alt Krumme hadde fortalt ham om enhjørningen, fabeldyret som var symbol på jomfruelighet, og som bare kunne fanges når den søkte hvile i en jomfrus skjød. Og nå var den blitt en hest, en vilkårlig hest som ikke var symbol på noe annet enn simpel og ordinær virilitet. På soverommet hadde de også et digert halvsurrealistisk maleri av en enhjørning. Krumme kalte den mirakeldyret.

Han satte den ødelagte enhjørningen helt bakerst, bak de andre dyrene. Han la hornet forsiktig ved siden av, han fikk seg ikke til å kaste det, for hvordan kastet man noe slikt som dette? Ut fra en terrasse eller i en søppelbøtte, det var utenkelig.

Alt var på plass i skapet da Krumme kom hjem, og Erlend lå sovende i sofaen med hanskene på. Krumme dro dem forsiktig av ham, ved å gripe i tuppen av hver finger. Han foldet dem sammen, la kluten, hanskene og børsten tilbake i skrinet, beundret skapet et kort øyeblikk, han så ikke særlig forskjell, unntatt kanskje på øverste hylle, med julestjerner samlet på et blått speil, det var visst han som hadde kjøpt de fleste, som gaver. Han gikk og hentet seg ei flaske vann fra kjøleskapet, lukket dørene inn til stua og lyttet til beskjedene på svareren og lagret dem, de var alle fra gjestene som skulle komme, om de skulle ha med kaker eller drikke, og hvor mye de gledet seg. Han lagret dem så Erlend kunne ta stilling til dem i morgen, det var han som tok seg av detaljene, det var han som tok hånd om infrastrukturen i vennenettverket. Selv ville han ha vært lykkelig med bare å leve alene med dette barnet av en mann, denne talismanen av livsfryd, uten å møte et eneste annet menneske, unntatt på jobben, hvor han uansett var en annen enn Krumme. Der het han Carl Thomsen og var sjef. At Erlend, i fryd over at brødsmule het *krumme* på dansk, hadde gitt ham dette navnet, hadde vært starten på kjærligheten, en kjærlighet som aldri ville slutte; hvis den sluttet ville den ha sluttet for lenge siden, nå var han trygg og sikker i sin sak, det var de to. Han fryktet aldri noe, lenger.

Det var sent, han var sliten. Han visste ikke mer om jakken bakpå stolen i bakgrunnen, han fikk dikte opp en historie. Han ordnet seg på badet, slukket alle lys, og fikk deretter med seg en drømmeforvirret Erlend som snakket om det Swarovski-sjakkspillet med krystallbrikker som han ønsket seg så fanatisk, og som Krumme allerede hadde kjøpt, det hadde kostet nærmere tolv tusen kroner, men det var verdt hver krone å se Erlends utagerende ekstase når han pakket det opp. Han fikk kledd av ham og puttet ham under dyna, la seg deretter tett inntil, med nesa mot Erlends skulder, den var glatt og varm og hans.

Erlend våknet i fem-tida neste morgen. Han var tung i kroppen, som om han lå der og bar på noe vondt han ennå ikke husket. Lyset i sprekken mellom gardinene var grått, og vitnet ikke om snø. Han visste nøyaktig hvordan gardinlys skulle se ut hvis det var snø utenfor. Da husket han hvordan han lot som om han sov da Krumme kom hjem, og hvordan han hadde vaset om dette sjakkspillet for n'te gang bare for å slippe å fortelle Krumme om enhjørningen.

Han listet seg frem fra dynene, stolpret over det iskalde gulvet siden han hadde påført Krumme norske vaner med å sove for åpent vindu, og lukket seg ut i varmen i gangen.

Glasskapet stod der uten lys, han tente det ikke. Men treet på terrassen lyste.

Det regnet stilt og rett ned, fra stålgrå skyer. Snøen i kurvene lå der på kunstig trass. Han gikk naken gjennom stuene, gjennom kjøkkenet, til badet. Han kjente hvordan fotbladene klasket jevnt og rytmisk mot gulvene. Parkett. Terracottafliser. Skifer. På badet ble han stående foran det ene speilet og betrakte ansiktet sitt. Snart en gammel mann, førti år om tre måneder. Hva ville han ha gjort om han ikke hadde truffet Krumme.

Allerede når man rundet tredve som enslig homse, ble man lett en patetisk homse, det var altså særdeles lenge siden han kunne ha blitt en patetisk homse forever og alltid. Takke himmelen for at han møtte Krumme i slutten av tyveårene. Men selv om han hadde Krumme, var tanken på å bli førti år ikke god. Det var absolutt på tide å begynne å lyge på alderen. Men det betød samtidig at han ble nødt til å vinke farvel til et heidundrandes førtiårskalas, og det hadde han jo allerede begynt å planlegge. Men det gikk jo selvsagt an å stoppe på førti.

Han var begynt å få litt mage, han strøk den. Den var myk som en brøddeig. Overarmshuden var også blitt slapp. Gikk det an å tro på dette han stadig hørte, at han hadde en deilig kropp? Hvorfor var kjærlighet alltid avhengig av gjentatte løgner?

Han gikk tilbake til skyvedørene mot terrassen og betraktet treet igjen, det var dette synet han måtte holde fast ved, og ikke disse andre fornemmelsene som kom drivende, gudene visste hvorfra. Men han greide ikke å stanse dem, de var umulig å stanse i denne flate og tidløse timen mellom natt og dag, han burde snakke med Krumme om det, kanskje vekke ham for å få trøst, uten å forklare hvorfor. Men i stedet åpnet han glassdøra og gikk ut på de våte og kalde terrasseflisene. Kulda mot fotbladene og regndråpene mot skuldrene fikk ham til å våkne, hente seg litt nærmere inn på trygg grunn, inn i normaliteten og gleden igjen. Krumme ville gi ham en ny enhjørning hvis han fortalte det, men han ville ikke fortelle det. Han visste ikke hvorfor, bare at det virket skummelt utenkelig. Han fikk kjøpe en ny selv, sette den på plass, og deretter glemme hvor mye den hadde betydd for ham, selv om bildet på soverommet stadig ville minne ham på det.

Ikke engang en sirene å høre. En sovende by. Det burde i det minste ha vært en sirene å høre, folk døde som fluer på denne tida av døgnet. Den jyske idioten var redd for å mygle, det var ikke lenger morsomt å tenke på. Det kjøret homser var avhengig av nå, fettsuging og lift og evig solarium, det kunne svimle for ham av redsel og lettelse når han tok det inn over seg. Utseendet var alt for homser i denne byen, mens han og Krumme hadde mer enn nok med bare å være lykkelige. De behøvde ikke engang å innrede etter homsete feng shui-prinsipper og bo som i et trendfengsel; de kjøpte og innredet etter lystprinsippet, og på en deilig utilsiktet måte passet alle ting sammen.

Så hvorfor var han så urolig, det kunne ikke bare være at han var blitt eier av en ekstra krystall-hest. Han ville inn i julegleden sin igjen! Dette var ikke til å holde ut! Han som var vant til å være lykkelig! Rett og slett forbasket bortskjemt med å være lykkelig!

Han hoppet inn på parketten og lukket døra til terrassen, tente alle lys i stuene og på kjøkkenet, hentet morgenkåpen og tøflene og ga kassen med julekrybben et spark med det samme han gikk forbi den i hallen, lukket mellomdørene for ikke å forstyrre Krumme, satte på en jule-CD og hentet mel og gjær og bakebolle frem på disken. Dean Martin sang lystig om Rudolph The Red-Nosed Reindeer da han fylte bollen med rug og hvetemel, urtesalt og en dash nellik, solsikkekjerner og litt linsefrø. Gjæren rørte han ut i lunkent vann sammen med brent sukker, det ville gi brødet en saftig mørkebrun lød. Iført latexhansker eltet han deig til han ble svett, morgenkåpen åpnet seg foran under anstrengelsene, og pikken svingte muntert i takt med armbevegelsene hans.

– O jul med din glede! ropte han høyt ut i rommet. Klokka var snart halv seks. Men et eller annet sted på jorda var det kveld, og absolutt på tide med bobler. Han dekket bakebollen med plast og rev av seg hanskene, åpnet ei iskald flaske Bollinger. Jim Reeves var i gang med Jingle Bells. Han gadd ikke finne et glass, men satte flaska for munnen og drakk dypt og lenge, til kullsyren sved i stykker i gane og svelg og tårene sprutet. Nå begynte det å hjelpe, dette var jaggu morgenstund med gull i munn! Han gjennomsøkte tre skap før han fant sandkakeformene, og smuldret mykt smør i mel, tilsatte litt kaldt vann og formet det til en *smidig* deig, som det alltid stod i oppskriftene. Deretter skulle deigen *hvile* litt i kjøleskapet, pleide det også å stå. Han fniste. *Hvile* før kraftinnsatsen da den skulle kappes i små biter og klemmes ned i formene. Han penslet dem omhyggelig, i alle riller og helt opp til kanten. Eartha Kitt var i gang med Santa Baby, han nynnet med og nippet til flasketuten. Santa Baby, det er meg, tenkte han. En sigarett, kanskje? Nei, han burde vel ikke overdrive. Derfor skulle han heller ikke gå inn i stua og fiske frem det lille krystallhornet, bare for å champagnesørge litt ekstra. Her skulle det bakes og stelles til julefest! Og denne ideen med folie rundt stetten av glassene var jo bare genial!

Da klokken var nærmere syv og brødene nesten var ferdigstekt, var han så stupende trøtt at han seriøst vurderte å vekke Krumme for å våke over brødene det siste kvarteret. Han slo planen fra seg, Krumme måtte få sove, han skulle på jobb, han hadde fast arbeid, han tjente sinnssykt mye, han var ikke kunstner, han var bare seg selv, en hardt arbeidende avismann. Men sandkakeformene behøvde han heldigvis ikke å steke, de skulle ikke i ovnen før de ble fylt med epleskiver og marengslokk, mens gjestene nøt middagen. Nå stod de på et brett nederst i kjøleskapet, klappet og klare og smidige. Flaska var tom, byen var våknet, avisa ville ligge utenfor døra hvis han gadd å kikke. Det var som om han hadde stjålet seg en ekstra liten dag midt mellom i går og i dag, en lomme av tid han hadde fylt med juleglede og hjemmebakst. På tross av den blytunge trøttheten han satt aldeles innhyllet i, var han svært fornøyd med seg selv. Krumme ville få nystekt brød til frokost, Erlend trodde nok ikke han ville bli enslig homse med det første, når han svingte opp med den slags gastronomiske husligheter på morgenkvisten.

Han hentet ut brødene og tømte flaska, listet seg inn i soverommet og fikk så vidt lagt hodet på puta før han sovnet.

Han våknet av at Krumme stod bøyd over ham, med telefonen i hånda, det var ganske lyst i rommet.

– Erlend, du må våkne. Er du våken?

– Vet ikke.

Krumme fant den venstre hånda hans, lukket fingrene hans rundt telefonrøret og hvisket: – Det er en nordmann. Han sier han er broren din. Jeg visste ikke engang at du hadde en bror.

ET OG ET HALVT DØGN før han for alvor ble nødt til å forholde seg til tanken på at hun ikke ville leve evig, skrittet han tilbake over gårdstunet og kjente hvordan det rumlet i magen. Han hørte klokkene fra Byneset kirke kalle til søndagsgudstjeneste. For ham betød klokkene frokost og hadde lite med Herrens ord å gjøre. Blått desemberlys lå over snødekte åser og svart fjord, det var klarvær, enkelte stjerner var synlige. Det ville ikke ha spilt noen rolle om det hadde snødd heller, han likte å sitte på traktoren og rydde rene hvite linjer bak seg, med skarpt skårne brøytekanter på hver side ned langs alleen av lønnetrær. Trærne stod som svarte oppstrakte hender mot himmelen, sirlig plantet med lik avstand, for så lenge siden at det var mulig å tenke seg at man ville gjøre *stas* på innkjørselen til Neshov, og signalisere en slags velstand og gjestfrihet. Han syntes alleen virket pinlig pompøs og løgnaktig, han skulle gjerne ha saget ned hvert bidige tre, men det var ikke han som bestemte.

Han hadde allerede vært timevis i grisefjøset, og nå ville han spise som vanlig før han gikk tilbake. Han hadde ei purke som kunne grise når som helst. Da oppdaget han at gardinene på morens soverom i andre etasje fremdeles var trukket for.

Hun pleide å stå opp når han gikk i fjøset klokka syv, for å gjøre klar frokosten til han kom inn igjen.

Det luktet ikke kaffe i yttergangen. Kjøkkenet var tomt og kaldt da han åpnet døra inn dit. Likevel lukket han den fort bak seg, som for å holde en verre kulde ute.

Den gamle vedkomfyren var ikke fyrt opp, ingen lyd kom fra radioen i enden av kjøkkenbenken under Coop-kalenderen. Bordet var ikke dekket, med eggeglass og te-skje slik det pleide å være på søndager, med en bit foldet dopapir ved siden av farens fat, siden faren alltid sølte eggeplomme på skjeggstubbene på haka. Kjøkkenet var plutselig bare et rom, som om han aldri hadde sett det før, pæren under komfyrvifta var det eneste som lyste, et lite trekantet lysskjær ment for kokeplater og kasseroller og kaffekjel og aktivitet. Hjertet hans var begynt å slå fortere. Han ble stående rådvill og kikke på vedkomfy-ren i stedet, og forsøkte å få dette til å rime på noe vis. Han oppdaget at han skalv på hendene da han fylte vann i kjelen på gammel grut og skar seg en brødskive han dekket med margarin og noen flak nøkkelost. Osten pakket han omhyggelig inn igjen. Da plastposen var snurret flere ganger rundt i enden, hentet han i tillegg en gummistrikk fra spikeren kaldenderen hang etter, og sur-ret strikken rundt plastposen før han la den tilbake i kjøleskapet. Han ventet på at kaffen skulle koke og for-søkte å la være å tenke særlig mye mens han lyttet til kokebruset som steg i styrke. Han slo kaffe i en kopp han grep på måfå inne i skapet, den var ikke hans, men en de nesten aldri brukte, med en rosa blomst i et slags rutete trykk. Gruten var ikke sunket ned, kaffen ble full av svarte prikker, men han tok likevel en slurk og regnet med at gruten ville synke. Han kjente på varmen fra koppen som strømmet inn i håndflaten. Han spiste brød-skiva stående ved benken, mens han gjennom vinduet betraktet kjøttmeisen som arbeidet på en klump spekk surret sammen med hyssing og festet til en lav grein på tuntreet. Spekklumpen hadde hengt der lenge. Den snurret rundt og rundt mens blåmeisen hang oppned og hakket på den, i det opphissete tempoet småfugl har for vane. En plankebit var festet til stammen like ovenfor. Der landet tre spurver og prikket nebbene i den tomme treplata. Den hadde vært tom lenge. Han lyttet opp mot andre etasje, men hørte ikke en lyd. Ikke en eneste lyd. Termometeret på utsiden av kjøkkenvinduet viste minus ni. I går var det to pluss. Bestefar Tallak hadde ført loggbok over været i seksti år, han pleide å sitte ved kjøkkenbordet om kveldene og notere, og etterpå holde spørrekonkurranse om været på gamle datoer, eller deklamere høyrøstet fra værloggene under krigen og de hete vårene og somrene etter at tyskerne var jaget som bikkjer fra landet.

Han hadde egentlig hatt planer om å fortsette selv, der bestefar Tallak slapp. Men da han ble borte, ble også gleden og den jublende gutteaktige iveren hans rundt all denne litt unødvendige informasjonen borte. Og det var litt sent å begynne med værlogg nå.

Den tanken hadde han forresten tenkt i årevis, at det var for sent. Nå tenkte han den enda en gang, og nå blandet tanken på værlogg seg med tanken på moren og gardinene, at hun ikke kunne vite hvordan været var, når gardinene fremdeles var trukket for.

Han skylte ned brødskiva med kaffen, den var stram og ram, smakte som lukt av kokende tjære. Dette var ingen søndag. Ikke stå slik ved kjøkkenbenken og hive i seg litt tilfeldig mat, og samtidig høre kirkeklokkene i det fjerne. Han skylte kaffekoppen og gikk på stive bein bort til den elektriske adventsstaken i vinduskarmen og vred den midterste og høyeste pæren mot høyre. Staken var aldri tent om natta, det kunne bli brann i sånt pynteskit, det var latterlig at den i det hele tatt stod der, men det var vel mest for nabogårdenes skyld, så de skulle innbille seg det var adventsstemning på Neshov.

Da han fikk staken til å lyse, ble det en slags tilforlatelig dag. I går var hun da helt fin. Klaget over litt hodepine, bare, og den sedvanlige giktverken i knærne hun aldri ville gå til legen med. Han gikk ut på tunet igjen, stanset, og kikket lenge på gardinene. De hang rett ned, rørte seg ikke, de var blå. Farens var også trukket for, men det angikk ingen. Hva den mannen drev med, var helt uinteressant, men Tor foretrakk å vite hvor han til enhver tid befant seg, så han slapp å gå seg på ham for ofte. Det holdt i lange baner å sitte til bords sammen med ham, ved måltidene. Men mannen måtte jo ha mat, som moren pleide å si. Måtte han det? Hvis hun bare sluttet å dekke på til ham ville han kanskje forsvinne.

Vinduet hennes var lukket igjen også, hun pleide ikke å ha det lukket, hun ville ha luft. Hadde hun lukket det fordi hun frøs? Hun pleide ikke å fryse heller, hun sa at trøndere frøs ikke, da var de i tilfelle lausunger fra flatbygdene sørpå. Skulle han gå opp til henne? Opp til rommet hennes og åpne døra. Gikk det an? Han fikk se til purka først. Sara. Det var det første kullet hennes.

Et ambulansehelikopter kom skrått og lavt innover fjorden. Med det samme ble han takknemlig for lyden, alt var bedre enn kirkeklokker. Da han oppdaget at helikopteret hadde kurs rett over gården, ble han likevel litt urolig. Kanskje var det et slags tegn. Nei, dette var tull, nå fikk han jaggu ta seg sammen. Bare fordi gardinene hennes ikke var trukket fra og kjøkkenet ikke var fylt av kaffelukt og radiolyd, og eggeglassene ikke stod der de skulle. Han kunne ikke godt gå rundt og tenke slik. Selv om hun var åtti år, var hun frisk og rask som vanlig, sikkert bare litt forkjølet. Han snudde seg brått og besluttsomt vekk fra vinduene, den ene ullsokken skled i treskoene og han snublet fremover så han nesten falt. Adrenalinet var et varmt hugg i magen med det samme.

– Faen, sa han, og hørte sin egen stemme, ullen og forpustet.

Helikopteret nærmet seg og den dunkende lyden ble til et brøl, lavt over trønderlåna og låven i retning St. Olavs hospital på den andre siden av fjellet. Det ble altfor mye lyd, altfor plutselig. Helikopterskroget hang som en skinnende kule under den uklare tallerkenen av roterende blader. Noen lå syke inne bak metallet, midt inne i all denne lyden, antagelig var det gråt og jammer der inne, og plastslanger og oksygenmasker og raske armbevegelser, akkurat som på TV. Det så han tydelig for seg mens han lukket døra godt bak seg og pustet inn den velkjente, stramme lukta fra grisefjøset. Nå var det bare å glemme alt som var på utsiden av døra, han bestemte seg for å glemme det, selv om han til vanlig glemte helt automatisk, uten å anstrenge seg. Han nikket flere ganger for seg selv, hun var bare litt forkjølet, klart hun måtte få lov til å ligge litt utpå så hun kom til hektene, dette var ikke mer å tenke på, her inne var det andre tanker som skulle beskjeftige ham.

Han gikk inn i vaskerommet, kjibbet av treskoene og trakk kjeledressen på seg, før han stappet føttene i gummistøvlene. Tankene gled fremdeles prøvende hit og dit, men holdt seg på innsida av døra nå, holdt seg her inne hvor luktene og lydene var hans og ingen andres.

Her hvor det aller viktigste foregikk, og det var han og dyrene som sørget for at tida og dagene rullet fremover. Han hadde lest i Nationen nettopp, at en bonde i Hardanger ikke fikk bygge seg grisefjøs fordi naboene ikke tålte lukta. Naboen var fruktdyrker og redd for at lukta satte seg på frukta. Og redd for at bonden ville gjødsle med grisemøkk og ødelegge hele epleidyllen.

Han skjønte epledyrkeren. Eplelukt var noe ganske annet enn grisemøkklukt. Enda den varme lukta i grisefjøset var noe han selv gledet seg til hver dag han våknet. Han likte vel lukter, tenkte han, og visste at lukter alltid betydde noe mer enn hvordan de rev i nesa og satte smak i munnen. Han så frem til å lukke seg inn i grishuslukta, være der og være viktig, være den ene for disse dyrene han hadde fått slik respekt for.

Han hadde ikke glemt melkekyrne sine. Men det var likevel utrolig hvor kjapt han hadde omstilt seg fra melkebonde til grisebonde, da de besluttet å selge melkekvoten på Neshov for fem år siden. Moren hadde lest i Nationen og Bondebladet om griserøkt, etter hvert leste hun alt hun kom over om det, og overbeviste ham smått om senn om at det var mindre arbeid. Hun minnet ham på at han var alene i fjøset, der kunne hun ikke hjelpe ham lenger, og gris var bedre for en enslig bonde enn melkekyr. Dessuten var han ikke rent lite oppgitt og frustrert over å være melkebonde, når Tine Meierier skjaltet og valtet med folks levebrød og skulle bestemme på literen hva kyrne skulle melke. Der var også han og moren helt enige. Det var vondt og meningsløst når de ble straffet økonomisk for at kyrne melket mer enn forventet, som om den gode melka var noe som strømmet ut av dem på pur faenskap.

Og i dag var han ganske imponert over seg selv, hvor

elegant hadde hadde taklet den overgangen, at han ble *grishusknøl*, selv om Prøysens gamle vise for så vidt ga ham oppreisning allerede før han fikk begynt. Og for pengene de fikk for melkekvoten bygde de om fjøset, kjøpte en gammel pickup-presse, og livdyr. Men hva savnet han med melkekyrne? Jo, for han savnet en god del, men ikke nok til at han ville tilbake til den hverdagen. Han savnet for eksempel ikke maset med grovfôret hver morgen og kveld. Klatre ned i siloen og dirigere kloa på plass, løfte slegga og dundre siloklørne ned i den tettpakkete massen av gjæret gress, heise hele hivet opp, selv klatre opp fra siloen igjen, og styre silotaljen langs skinna og bort over hullet i høyloftgulvet hvor fôrutleggeren ventet to etasjer nede. Morgen og kveld, sommer som vinter, selv om han slapp morgenfôringen sommerstid da kyrne gikk ute, da skulle de bare ha litt kraftfôr før melkinga.

Bitende kaldt eller svettende varmt. Stupende mørke eller sol i strimer gjennom gluggene. Morgen og kveld, hver evig evinnelige dag, hverdag som helligdag, syttende mai eller julaften, dyrene stod der og stod der uansett hva som skjedde på kloden som snurret rundt, uansett om det mennesket de var prisgitt egentlig ikke orket å komme til dem, men likevel måtte. De stod der og ventet. Og kyrne hadde ventet med usvikelig tillit til at lasset med grovfôr skulle komme deisende gjennom et hull i taket og lande i fôrutleggeren, hvor de som stod nærmest, kunne strekke hals og rive til seg en munnfull. Så var det til å sope gulvet etterpå, under skinna. Deretter ned i fjøset og få alt gresset på plass og gå mellom de glupske hodene som strakte seg mot maten. Jovisst var fôrutleggeren en arbeidsbesparende innretning han i starten, som ung bonde, hadde frydet seg over, etter å ha gått med trillebår i årevis, men maset med å hente porsjonen med grovfôr fra siloen ... Til å begynne med, etter at melkekyrne var slaktet, i én eneste stor og vond transport til Eidsmo slakteri, var fraværet av dette arbeidet noe han pleide å holde fast ved, som en trøst. Griser skulle bare ha kraftfôr, og halm til å rote rundt i, og noen never rødbrun torvjord morgen og kveld. Siloene stod tomme nå. Selv ville han ha leid dem bort til en av nabogårdene, latt andre få nytte av kapasiteten og tjent noen kroner, men moren ville ikke ha rennet og maset med det.

Det han heller ikke savnet, var melkinga. Egentlig ikke melkinga i seg selv, det å se frisk melk sprute langs plastrørene i taket fra hver enkelt ku, men maset med vask og renhold. Et forbasket mas. Tine Meierier satt der visst og håndtalte bakterier, slik så han dem av og til for seg. *Jasså, bonden på Neshov har slurvet med vaskekluten i kveld. Jasså, bonden på Neshov har hatt ei ku med mastitt og innbilt seg at han kunne lure med melka hennes før hun er ferdig med penicillinkuren sin ...*

Han skjønte jo at folk ville ha ren melk, det ville han selv når han åpnet en kartong. Men det hersens klisset og stresset. Han likte ikke å vaske jur, hadde aldri likt å vaske jur. Det satt i ham dette, at det var kvinnfolkarbeid, selv om han hadde vasket jur siden han var smågutt og hjalp moren, og fikk vite at en slik liten femte spene som noen kyr hadde ekstra og som ikke ga melk, het Marispene. Moren visste ikke hvorfor, ga ham ingen forklaring. Han hadde hatt ei jente i klassen som het Mari, og betraktet henne ofte i smug, som om hun ville ha visst det, om han hadde spurt.

Men det var mange ting han savnet med kyrne. Ikke minst det å komme inn til dem, på samme måte som inn til grisene nå. Inn i luktene og lydene av kyrne. De burende strupelydene fra ungoksene, de utålmodig skingrende rautene, de varme kalvemunnene som søg seg fast i fingrene hans, tillitsfulle og forslukne. Og øynene til de eldste melkekyrne, han likte så godt måten de møtte ham på, vidåpne og blankbrune under panneluggen; kjakene var varme og strie å ta på, han gikk alltid en runde og var bortom dem alle etter melkingen, før han begynte med arbeidet på vaskerommet. Han kjente slik på det at han ville gi dem noe tilbake, så mye som de selv ga. De stod der og visste ikke annet, stod der og på en måte øste av sitt stupide overskudd, selv om han ikke trodde de var dumme. Det skjedde av og til at enkelte kyr på sommerbeite ville inn dit kalvene gikk, og finne sin egen. Kua var vettskremt ved tanken på strømgjerdet, men likevel tok hun sats og gjøv på, sprengte seg vei gjennom gjerdet så stolper og streng skvatt. Det imponerte ham at kua satte egen skrekk til side på det viset, at morsinstinktene var så sterke at hun var villig til å gå gjennom ild og vann. Ville hans egen mor kunne gjort noe slikt da han var liten, om noen ville ta ham fra henne? Jo, det ville hun nok, men hadde aldri behøvd. Og nå hadde hun ham, hele tida. Og når han tenkte på kua ... Mange ville vel si at instinkter ikke var følelser, men likevel. Det rørte ham på en underlig måte, selv om han fikk en masse prakk med å få kua tilbake og å ordne gjerdet. En slik målrettet fryktløshet, han ble litt motvillig imponert over det, og det gjorde at han ikke fikk seg til å tenke på dem som rett ut dumme.

Det var forresten også noe han savnet, det å se dem ute på sommeren. De store og jevne kroppene som hvilte så inderlig i seg selv. De små langbeinte og rufsepelsete kalvene, de kvadratiske og skinnende kvigene, munnene og tungene som jobbet mot bakken, kurompene som viftet og viftet i et evig driv for å holde fluene unna, den sakte gangen fremover mot grønnere og lengre gresstuster.

Nå var han aldri inne i et kufjøs lenger. Han gikk ikke på nabogårdene, kjente ingen så godt at han kunne få komme inn, for å se og prate. Han ville gjerne gått langs fôrbrettene med kuhoder langs begge sider, sparket til dem litt silogress, sett dem spise og stampe, sett dem drikke med stort velbehag og slenge tunga fra munnvik til munnvik, sett dem stikke hodene mot hverandre, for å terge litt, eller bare kjenne nærheten av en annen skapning. Han ville ha tatt på dem, og snakket med dem. Det ville han.

Men han ville ikke hatt alt arbeidet med dem.

Griser var noe ganske annet enn kyr. Griser var kloke på en helt annen måte enn kyr, det måtte han bare innrømme. Noen griser var klokere enn andre. Men ingen var dumme. Absolutt ingen. Han var blitt glad i disse dyrene som var så ulike kyrne på alle vis. Og det lå ingen motsetning i å være glad i dem, og samtidig slakte dem. I gamle dager hadde alle gris på gården som ble slaktet til jul. Men moren hadde fortalt hvordan noen av nabogårdene hadde byttet gris, fordi de hadde bare en, og alltid ble så urimelig glad i denne ene. Og for å slippe å ete den, lot de det gå konkurranse i å fôre opp den feiteste grisen, slik at naboen ikke skulle si at det var skrantent med mat på den gården de fikk grisen fra. De siste ukene før slakteren kom og utførte jobben, ble grisene sprengfôret med havreboller og andre godsaker.

Det var den gang grisene skulle ha fett på seg. Nå ville folk se rødt kjøtt når de handlet, og forlangte griser som var rene bodybuildere. Kjøttprosenten ble nøye målt på slakteriet. Og var kjøttprosenten for lav, sank prisen som Gaulosen ved ebbe sjø.

Han gikk inn i fjøset og bort til fødebingen til Sara. Et kort øyeblikk ble han stående rett opp og ned med armene hengende slapt langs siden, og en voksende fornemmelse i halsen han vagt gjenkjente som begynnelsen på en gammel gråt. Det var blodsøl overalt på halmen i fødebingen. Tre levende unger lå og kavet bak ryggen på henne og ville komme seg rundt til pattene, fire døde unger lå fremfor henne, tre opprevet i buken, den fjerde i nakken. Rødt tøt ut. En ny unge skled ut av henne.

Han sprang tilbake samme vei han var kommet, fikk skrudd av taklyset og rev med seg en spade. Purka var livsfarlig nå. Angsten gjorde henne til rovdyr, et lynkjapt rovdyr som ikke ville godta hans hjelp, det var umulig å våge seg inn i fødebingen nå, om hun kjente ham aldri så godt. I halvmørket fikk han ved hjelp av spaden vippet de levende ungene til seg og fikk dem inn i fødekassen, han måtte gjøre det lynraskt, og samtidig varsomt så han ikke skadet dem. Den nye ungen fikk samme behandling, og han skrudde på varmelampa over den sprellende lille haugen nyfødte. Og med taklyset av ble det litt mindre for purka å være redd for, færre bevegelser, færre trusler.

De døde ungene skjøv han til seg og fikk slengt ut i fôrgangen. Purka vred på seg, gryntet.

– Så så, du er så flink, Sara. Rolig nå. Så så ... Du er så flink at.

En ny unge skled ut, de tynne beina veivet seg ut av fosterposen, den gapte og lukket munnen igjen, glippet med øynene mot det røde lyset fra varmelampa. Han fikk tak i den og plasserte den sammen med de andre. Han ventet litt, men hun var ferdig nå. Fem levende smågris. Men det kunne blitt ni unger, bra til å være et førstekull.

Det kunne blitt ni, om han hadde vært her litt før, og ikke stått som en tomsing og glant på gardiner. Og hadde ikke det helikopteret nesten sneiet hustakene.

Sara pustet tungt, og de blå, trillrunde øynene lyste av noe alle ville kalt fortvilelse hvis øynene hadde sittet i ansiktet på et menneske. Men han kalte det fortvilelse. Og kanskje avmakt. Som om noe annet og fremmed hadde tatt bolig i henne, og som om hun skjønte det selv. Det var jo det første kullet hennes. Hun hadde alltid vært litt nervøs av seg, han skulle ha fulgt den første innskytelsen, med ikke å sette henne i avl. Men hun var så flott ellers, og hadde gode linjer. Med god klaring fra det svære hodet bøyde han seg over kanten og gned juret hennes hardt, flere ganger att og frem, slik han ofte hadde gjort de siste dagene, for å sette i gang melkeproduksjon, minne kroppen og instinktene hennes på hva det var hun skulle i gang med. Han tok ikke blikket fra hodet hennes, og lyttet til lydene hun laget, alle sansene hans var på vakt mens han gned juret. Etter en stund rettet han ryggen og møtte blikket til gjellpurka i nabobingen som lå og hvilte. Hun møtte blikket hans i halvmørket, øynene hennes glinset. Hun het Siri, og han hvisket navnet hennes:

– Siri ... Huff Siri. Men bare ligg du. Alt ordner seg.

Siri var den klokeste av de ni avlspurkene han hadde nå. Hun bar på det tredje kullet sitt. Han hadde lært henne ting, ved hjelp av godbiter og kosesnakk. Hun løftet trynet mot ham, været i lufta.

– Ja. Fire døde unger. Sånn ville ikke du gjort, Siri. Om så helikopteret landet på taket her. Du er flink. Flink og fin. Det er du. Flink og fin. Nå skal jeg ta dem med meg ut. Slikt vil vi ikke ha liggende her og slenge.

Han hentet en tom smågrisfôrsekk og puttet de små kadavrene oppi. Perfekte små grisunger, skimrende sølvrosa og reine, med ørsmå våtblanke nesetruter. Faen òg, han skulle vel ha holdt seg til melkekyr og ikke blitt grisebonde. Heller vaske jur og bakse med silotalje sent og tidlig enn å oppleve slikt som dette. Noe så inderlig utgjort.

De slappe og blodige grisungene veide nesten ingenting i nevene hans.

Han rettet ryggen og kikket ned på Sara. Hun satt midt i den tomme bingen med hengende hode og dirrende ører, med blod om kjeften og litt nedetter halsen. Tenk å være så full av angstridd kjærlighet for at noe skulle tilstøte ungene at hun like godt tok på seg jobben selv.

– Du ble redd. Det ble jeg òg. Skulle tro det var krig sånn som de helikopterne driver på.

Han skyndte seg ut med kadaverne og hentet kosten, og bøyd innover bingene fikk han sopt den noenlunde rein for blodig halm. Etterpå hentet han ren halm og ei bøtte sagflis og strødde i bingen. Den ville trekke til seg fukt og lukt. Han stakk hånda inn i fødekassen han selv hadde snekret av en gammel dynamittkasse. Jo, det var en god varme, selv om den bare kom ovenfra. Han hadde ikke hatt råd til å legge varmegulv. Å bygge om fjøset hadde hovedsakelig bestått i å rive opp båsene og sette inn binger.

De nyfødte ungene yret tett inntil hverandre, lette etter spener med små ynkelige strupelyder. Han måtte få mat i dem. Og han måtte få purka med på det. Men han kunne ikke ringe dyrlegen, ingen måtte komme hit nå som alt på utsiden av fjøsdøra var feil, og han ikke engang kunne be dyrlegen inn i kjøkkenet på en kaffekopp. Han bar fôrsekken med seg ut i vaskerommet og slengte den i hjørnet. Det hadde vært bløtt i bingen, og væske var begynt å sive gjennom gråpapiret i bunnen av sekken. Han skylte støvlene under kaldtvannspruten og steg ut av dem og inn i treskoene, men ga seg ikke tid til å ta av kjeledressen. Hvis hun var nede, og bemerket at han kom inn i huset i fjøsklær, fikk han heller la være å svare, eller si at en av ungpurkene hadde revet seg opp litt, han måtte ha noe å desinfisere med.

En lysning lå på himmelen mot sør. Gardinene var fremdeles fortrukket. Han gikk inn i huset og hørte i det samme faren hoste i langgangen oppe, trinnene hans var på vei mot trappa ned. Hostet lød som vanlig oppjaget og usikkert, slik han hostet for å varsle at han kom.

Tor gikk inn i kjøkkenet, det var tomt, men nå var han forberedt. Han gikk til nederste hylle i matskapet hvor han trodde det kanskje måtte stå noe gammelt på en flaske, og kavet med hånda inn bak TV-kanner og blomstervaser og lukket fingrene rundt ulike flasker som han lettet på, for å kjenne om de inneholdt noe. Moren kastet aldri tomflasker, i tilfelle hun en dag ville bruke dem til safting. Hun kastet aldri noen form for emballasje som kunne brukes, skapene var fulle av stabler med rømmebegre og plastbokser, og renvaskete hermetikkbokser med papiret fjernet, som hun surret aluminiumsfolie og ulltråd rundt og satte avleggere fra potteplanter i.

Der var det noe. Han trakk frem en halv sherryflaske, med en god skvett på bunnen. Korken satt bom fast, og striper av gult sukkerkliss lå rundt tuten. Han måtte lukte på den, sjekke at den virkelig inneholdt sherry, en gang fant han en likørflaske med motorolje i skapet. Han holdt flasketuten under varmt vann et øyeblikk, og vred på nytt, korken slapp, og han trakk inn lukt av sherry, et voldsomt og krydret støt av lukt som vippet ham litt av pinnen. Han lukket øynene et kort øyeblikk og kjente smaken av sherry mot ganen. Spytt flommet i munnen, døra bak ham gikk opp. Han satte korken i tuten og vendte seg mot døra og beveget seg mot den. Til og med gjennom sin egen grisfjøslukt kjente han eimen fra faren, av uvasket kropp, harskt hår, og en søtlig gebissånde. Han brød seg ikke om å gjemme flaska bak seg.

– Mor di, sa faren og flyttet seg til siden.

– Ja?

Tor stanset et kort øyeblikk uten å se på mannen.

– Hun ligger, sa faren.

– Har du ... hørt henne?

– Ja. Hørt henne hoste litt.

Sara satt fremdeles på rumpa, blod og etterbyrd hadde sevet ut og klisset til skinkene hennes. Halmstrå klebet seg til det våte. Ørene hang slapt, men blikket var det samme, blått og avmektig. Hun virket sliten og forvirret. Han kjente plutselig en voldsom medynk med henne, hjelpeløsheten, nederlaget.

– Ungene dine må ha mat, du må roe deg nå, og ligge, hvisket han.

Han hentet litt kraftfôr i en øse og slo sherryen oppi, rørte rundt med fingrene og ga henne ned i bingen. Hun snuste, før hun begynte å ete, sakte først, deretter fortere.

– Det var godt. Det var godt, ja, tenker jeg. Rolig nå, må du roe deg ned, så går det over, det er fine unger, skjønner du, fine unger, roe seg helt ned nå. Men det blir nok ikke flere unger på deg, nei, blir nok ikke det ...

Han skyndte seg over i smågrishjørnet mens øynene

hennes ble tyngre og hun trakk pusten dypt og skjelvende. I brystlomma hadde han den lille avbitertanga klar.

Han løftet frem den første, holdt den godt fast mellom knærne og tvang munnen åpen, før han kjapt klipte ned de åtte svarttennene. De var spisse som nåler, og det var bare å glemme at Sara ville godta et slikt torturredskap på pattene sine, om så han hadde gitt henne ei helflaske hetvin. Han la ungen tilbake, løftet nestemann frem fra kassen og lot den gjennomgå samme behandling. Det var heldigvis bare én råne, da sparte han i alle fall noen kroner på kastrering.

Han strakte seg frem og begynte å gni henne på juret igjen, hun begynte å legge seg ned, vri seg til på siden, ørsken og forvirret, men instinktene slo likevel igjennom nå da sherryen fikk lagt et slør over angsten.

Han la ungene inntil. Sara ble liggende og stirre stivt fremfor seg, uten å løfte på hodet. Det var i alle fall mange nok patter, hun hadde ni til overs. Ungene kavet seg imellom, det var alltid knuffing de første dagene, før rangordningen dem imellom var etablert, og de alle hadde fått hver sin private spene ingen andre måtte røre.

Der var alle på plass, så han, melka slapp, og i ti hektiske sekunder søg ungene for harde livet slik de skulle, lenger enn ti sekunder strømmet ikke melka. Han slapp pusten ut av lungene, enda han ikke visste at pusten hadde hengt i toppen av halsen helt siden hun la seg forskriftsmessig overende. Han fikk ungene tilbake i fødekassen før de begynte å virre rundt hodet hennes. Så fikk han se hvordan det gikk neste gang, om instinktene slo inn i riktig ende av skalaen. Når de var så små, trengte ungene mat en gang i timen, det ville bli et malabarisk leven hvis han ble nødt til å drive på slik hver gang, og mer sherry visste han ikke om fantes i kjøkkenskapet.

Han fikk håpe at Luftambulansen fikk rolige dager, i alle fall hvis de fraktet pasienter rett over Neshov. Hvis purka bare kom seg gjennom de første timene nå, uten å gå til angrep igjen, ville de leve opp. Telledatoen for gris var første januar, det var ikke til å tenke på å sende ei nygriset purke til nødslakt.

Det var en velsignelse å stå og se ungene falle til ro under det røde, varme lyset. Han skrevet over og ut i fôrgangen, løftet opp den tomme flaska, stakk så vidt tungespissen bortpå korka han hadde puttet i brystlomma. Fjøset var rolig nå, lydene og luktene og bevegelsene utgjorde en samstemt forutsigbarhet, en hvile han lot seg falle inn i, i noen lettkjøpte sekunder av hetvinssmak.

Han gikk inn til Siri. Hun lå, men gryntet på den spørrende og litt gurglende måten hun hadde for vane, da han satte seg på huk foran henne. Han begynte å klø den strie busta, det hadde vært underlig å venne seg til å ta på disse dyrene. De myke kyrne, og nå denne nakne huden med glisne hvite hårstrå.

– Har ikke noe godt med til deg. Har fått litt annet å tenke på.

Hun dyttet trynet mot lommene i kjeledressen. Men han hadde fremdeles flaska i hånda, og trakk av korken og lot henne lukte på den.

– Sherry. Slikt trenger ikke du.

Den flate og våte tryneplaten hennes var på størrelse med et tefat. Hun vred på den, og luktet, før hun plutselig ville ete korka.

Han måtte smile litt, likevel, og trakk den til seg. – Nei. Den skal du ikke ha i magen. Skal heller få noe annet godt av meg neste gang, du. Nå må jeg gå inn. Det er det jeg må. Finne ut av dette.

Kroppen hennes var et svært fjell som vokste foran ham, i stadig brattere oppoverbakker. Kunne han bare ha sittet her. Han la armen innover henne. Det romsterte av liv under mageskinnet. Om et par dager var det hennes tur. Hun var alt i gang med å dra sammen halm til et bol. Når grisene fikk gå løse i bingen og romstere som de ville, dukket instinktene opp. Med ekstra halm, som han alltid ga dem ei stund før grisingen, strevde og jobbet de med dette bolet. Det fascinerte og imponerte ham. Og bolet var høyest i den enden hvor de la rumpa. Han trodde det måtte komme av at uhumskheter lettere rant vekk på det viset. Alt handlet jo om å overleve, og å få avkom til å leve opp. Andre gang hun griset fikk hun femten unger, og alle levde opp. Det var jenta si, det. Han skjøv trynet hennes unna lommene, plukket noen halmrusk fra det ene neseboret hennes med det samme. Hun virket ikke særlig urolig ennå, det ble nok ingen grising på henne i dag, trodde han. Like før de skulle til, tømte de blæra på voldsomt vis også, det hadde hun heller ikke gjort ennå. Da ble det så vått i bingen at han måtte skynde seg å vaske og hente tørr halm før ungene kom. Å være grisebonde var ikke noe man drev på med en liten stund etter Nitimen og før Dagsrevyen. Han leverte to hundre slaktegris i året og var alene om alt arbeidet her inne bak fjøsdøra, og da måtte dyrene ligge i hodet hans til alle tider på døgnet. I tillegg skulle de ha det bra, bedre enn bra, det var med dyp avsky han leste i avisene om bønder som vanskjøttet fjøsarbeidet. Han ga blanke blaffen i om de skyldte på nerveproblemer og annet visvas, han hatet uttrykket personlig tragedie, de hadde å komme seg i fjøset til dyrene sine, så kunne de heller få nervesammenbrudd mellom midnatt og syv om morgenen.

Men selv måtte han reise seg og glemme dyrene en liten stund, det var det *han* måtte. Han lente bakhodet mot stålrøret og lukket øynene, lyttet til pusten hennes. Han var sulten, han var kvalm, han hadde lyst på kokt egg, lyst å kappe toppen av det og lytte til høymesse på P1 på full styrke slik de pleide for å dekke over mangel på samtale når faren satt der og gned seg i skjeggstubbene med dopapiret sitt. Alt var bedre enn disse gardinene. Når hadde han vært der inne sist? Det måtte være da de ennå hadde melkekyr og en lampe kortsluttet på rommet hennes og en elektriker kom for å se på ledningsnettet. Den store skuvsenga, dyna hennes med et mørkt åkle over, hodeputa som stakk opp i enden, skrukkete etter å ha båret et hode gjennom mange netter, det lille nattbordet med heklet brikke og et tomt brillehus og et vannglass gebisset antagelig hadde ligget i, kommoden med duken og lysestaken, og speilet over. Elektrikeren hadde klirret med verktøy og et slags måleapparat, mens han selv hadde stått der og pratet på tomgang og tatt inn alle detaljer fra dette rommet han ikke hadde vært inne i, ikke siden han var liten gutt. Klesskapet, med en knøttliten messingnøkkel i hullet. Fylt av kjoler og kjoleforklær hvor han kjente hver farge, hvert mønster. Men skuffene i kommoden, hva inneholdt de? Undertøy, antagelig, han hadde da sett underbuksene hennes på tørkesnora, romslige og hvite. Han hadde også sett henne træ ny strikk inn i dem, om kveldene på kjøkkenet, hørt henne beklage seg over hvor fort buksestrikken ble sprø nå for tida, etter bare noen omganger i vasken. Hun pleide å feste strikken til en sikkerhetsnål før hun lot nålen åle seg gjennom sømmen hele veien rundt linningen.

En fillerye på gulvet, jo, han var forberedt på den også. Han mente den var grå og rød, i striper. Han skulle ikke bli overrasket over noe, nå når han måtte opp dit. Hadde hun noensinne ligget syk? Han åpnet øynene og tenkte etter. Siri dyttet og dyttet.

– Har ikke noe. Rolig nå.

Nei. Forkjølet og sånn, men ikke syk. Han hadde lest i avisa at mødre med mange unger var sjeldnere syke enn enslige kvinner. Måtte man, så greide man. Og selv om moren ikke akkurat hadde mange småunger lenger, hadde hun den samme innstillingen til plikter og arbeid. Det handlet om å ta seg sammen, ikke legge seg for. Moren la seg aldri for. Hun hadde stabbet rundt med nesa i en lommeduk og gjort det hun skulle, stekt lungemos og kokt poteter, renset fisk, kokt syltetøy, strøket håndklær, vasket over gulvene, ryddet av bordet, skylt kaffekjelen, beveget seg rundt i huset selv om nese og øyne rant. Hun hadde aldri ligget. Hun hadde omgangssyke en gang, men da hadde hun oppholdt seg på badet, hadde ikke lagt seg til sengs da heller. Han og faren måtte bruke den gamle utedoen i noen dager, og vaske seg på kjøkkenet. Det eneste han kom på var da bestefar Tallak døde og hun låste seg inne på soverommet sitt i to dager, men det var tyve år siden nå.

Han kom seg på føttene. Siri fulgte ham med blikket. Han bøyde seg ned til henne og dro den ene øreflappen mellom fingrene. Sara snorket høyt i nabobingen. De nyfødte ungene måtte ha mat igjen snart, han var nødt til å gå inn i huset, og opp.

Faren satt ved kjøkkenbordet. Han så ut av vinduet da Tor kom inn. Han hadde en kaffekopp foran seg, men ingen mat. Han var ikke i stand til å skjære seg en brødskive som andre folk, han ville ha sultet i hjel foran brødboksen hvis ingen laget mat til ham. Han hadde ikke fyrt opp heller, satt her bare og glante og ventet. Tor sank på huk foran vedkomfyren og åpnet luka. Det lå klart der inne. Moren hadde gjort klart til opptenning kvelden før, med småpinner og bark, en tom dorull og sammentvinnet avispapir helt nederst. To store kubber i kors lå på toppen. Synet av den omhyggelig planlagte haugen med papir og kvast fikk et voldsomt raseri opp i ham, men han greide å la være å reise seg, han snudde ikke ansiktet mot bordet engang, eller sa noe, bare hoppet rett inn i det velkjente tankespinnet om å legge hendene rundt den skitne, gamle halsen og klemme. Han skulle alltids greie å berøre halshuden hans når det var befrielse som ventet etterpå. Eller med en pute om natta. Da slapp han til og med å ta på ham. Han visste hvordan han ville stå helt oppe ved hodegjerdet, nesten klemt inn mot veggen, så farens kavende armer og hender ikke ville få fatt i ham. Han satte en fyrstikk til kvastet, lukket luka og satte den på fullt trekk. Så helte han en kopp kaffe i en ren kopp. Det kom altfor mye grut, kjelen var nesten tom og det dampet ikke av den, men det fikk bare være, han behøvde en kopp å holde seg fast i.

Rommet luktet svakt av kropp og pust, velkjente lukter. Det var isende kaldt her inne.

– Jeg trekker fra gardinene for deg, sa han, og satte kaffekoppen på kommoden. – Og jeg har med kaffe.

Lyset utenfra var altfor svakt og ubrukelig, det bare sev inn i rommet som gammel grøt og la seg i halsen på ham.

– Mor ... Han gikk nærmere senga. – Vil du ha kaffe?

– Litt rar i dag.

– Skal jeg ringe etter lege?

– Tullball.

– Det er ni minus ute. Klarvær.

Hun svarte ikke. Han vred leselampen over senga hennes litt vekk før han tente den, så ikke lyset skulle skjære henne i øynene.

Bare hodet hennes stakk opp over dynekant og åkle, armer og hender var skjult. Øynene var lukket. Han kunne ikke huske å ha sett henne på denne måten før, liggende. Det var rart. Hun virket brått så liten. Og det grå håret var blottet, hun brukte alltid skaut knyttet i nakken, enten et brunt med røde striper, eller et ensfarget mørkegrønt. Håret var så tynt at han tydelig kunne se hodebunnen hennes gjennom håret, den var blank og gulaktig.

– Har du ... feber?

Et slikt spørsmål hadde han aldri stilt moren, det var hun som hadde spurt slik, da han var liten unge med meslinger og røde hunder. Han hadde aldri visst hva han skulle svare henne da, det var jo hennes jobb å putte termometeret i bakenden på ham med en klatt vaselin på tuppen, og å lese det av. Hvis hun sa at termometeret viste over trettisju og en halv, hadde han svart: «Jeg har visst feber, ja.» Men det var umulig å kjenne på forhånd, om man hadde det. Virkeligheten ble bare en annen, og man godtok den umiddelbart og hadde allerede glemt hvordan det var å ikke ha feber. Som guttunge likte han å ha feber, han hadde knapt noensinne hatt feber i voksen alder, men han husket hvor fritt og likegyldig alt hadde vært, og at drømmene kom selv om han holdt øynene åpne.

Hun åpnet øynene. De møtte hans. Til sin voldsomme lettelse så han ingen sykdom i dem, eller redsel for sykdom, eller smerte. Ikke feber heller, for da ville de ha vært blanke, det visste han fra dyrene. Han så bare alminnelighet i blikket hennes, og kanskje en litt spørrende undring. Hun lukket øynene igjen. Hun rørte ikke på seg ellers. De årete, blå øyelokkene var det eneste som beveget seg, han fikk lyst til å riste i henne. Ikke kunne han ta på henne heller, stryke hånda over kinnet hennes, bare for sin egen del.

– Har du vondt noe sted?

– Nei, svarte hun, slik han hadde ventet. Men han likte ikke stemmen hennes, han gjorde ikke det, det var noe flatt og luftig i den.

– Vil du ikke ... Vil du ikke stå opp, mor?

– Nei. Kanskje siden. Er trøtt.

– Influensa, kanskje.

Hun svarte ikke, eller åpnet øynene, han flyttet kaffekoppen over på nattbordet. Kanskje hun sov igjen, allerede.

– Sara har griset. Ni unger, hvisket han, skrudde av leselampen og lukket seg stille ut av rommet. På utsiden av døra ble han stående en god stund. Det knaket litt i veggene, det var kulda som la seg rundt huset, ryddet seg vei for gårsdagens plussgrader i treverket, ellers var det stille. Tredje søndag i advent, tenkte han, og det var en rar tanke som han straks grep forbauset fatt i, som om jul betydde noe, de pleide å spise en ribbebit på julaften, kokt laks første dags jul, rester annendag, et rødt lys på bordet, røde husholdningsservietter, han og faren med hvert sitt ene glass pils til maten, det var alt. Et skuespill de gjennomførte. I fjor hadde han fått Arne på Trønderkorn til å kjøpe ei halv flaske akevitt til seg. Den hadde han hatt ute i fjøset og drukket sammen med kaldt vann fra springen på vaskerommet. Han hadde skyldt på ei skral purke for å kunne gå tilbake i fjøset etter maten, moren hadde lagt seg da han kom inn igjen, og merket ingenting, det hadde vært en god stund sammen med dyrene og i rusen, en voldsom rus, han hadde grått og grått, det var det han tenkte på helt plutselig her han stod, at det var tredje søndag i advent i dag, og han hadde grått så forferdelig, uten at han visste hvorfor, men han ville ringe Arne i morgen og be om det samme, han måtte ringe ham uansett, fôrsiloen var nesten tom.

Faren satt på samme sted. Albuene hans var tynne spisser gjennom strikkejakken og mot bordplaten, han hadde visst tenkt å bli sittende der og vente på at en frokost landet pladask foran ham. Han hugget ikke ved på søndager, eller drev med ting på låven. På søndager pleide de derfor å fyre opp allerede fra morgenen av på den stua hvor TVen stod, og hadde faren sittende unna vei der inne, med aviser og bøker om krigen. Selv pleide han og moren å sitte i kjøkkenet og prate, eller han ordnet med permene sine inne på kontoret, for å komme litt ajour med papirarbeidet og den helsikes KSL-mappen med alle sine intrikate skjema.

Han visste at faren lurte nå, hadde hørt at han hadde vært oppe. Tor hentet frem brød og margarin, skar to skiver, fant osten i kjøleskapet og tvinnet av gummistrikken, høvlet av litt ost, la skivene på et fat og smalt fatet ned foran faren. Så gikk han inn i stua og fyrte opp. Innen han kom tilbake fra fjøset ville faren forhåpentligvis ha gått inn dit, så det gikk an å få sitte i fred her ute.

Sara sov fremdeles. Ungene var urolige. Han sjekket hver og én av dem, at de pustet og reagerte, at alle lemmer virket normale. Noen hadde flekker av fosterhinne på huden ennå, de lignet klare flak av tørket lim, han rev dem forsiktig av. Det var godt og varmt inne i kassen, og ungene var perfekte, fem perfekte unger, slik måtte han tenke, og på akevitten han skulle glede seg til, og at moren var på beina igjen i morgen, kanskje allerede i kveld. Hun måtte jo på do, det måtte hun jo, og da ville hun oppdage at hun slett ikke var syk, bare litt rar.

Han bøyde seg ned i bingen og begynte å gni henne hardt og bestemt på juret. Hun glippet med øynene. Hvite, stri vipper over blått.

– Nå må du til igjen. Gjøre jobben din. Ungene er sultne, vet du. Kan ikke ligge her og dra deg hele dagen!

Han gikk over i smågrishjørnet og hentet frem ungene. Purka pustet tyngre med det samme den første ungen hogg rundt en spene, men hun ble liggende. Han kunne se hvordan blikket hennes søkte rundt i halvmørket, som for å speide etter truende bevegelser.

Han lo litt. – Hadde du glemt at du har fått unger. Huff ja, den fylla. Må du ligge fint, da, til du husker det!

Ungene kranglet og knuffet og kravlet seg til rette. Som rosa og blanke små pølser ble de liggende side ved side mot den skittengrå buken og dytte og puffe mot spenene. Der slapp melken, og alle fem sugde som besatt, som om de sugde med hele den vesle kroppen i de ti hektiske sekundene. Nok en gang kjente han på lettelsen. Enda et måltid, enda en porsjon livgivende næring som flyttet dem alle et skritt vekk fra katastrofen. Purka løftet på hodet, han lot henne gjøre det. Hun ville se på dem, men orket ikke å rulle seg opp. Han løftet fire av ungene inn i fødekassen, og holdt den femte frem mot henne. Han stod parat og visste han risikerte ungens liv, men hun snuste bare ivrig et par sekunder før hun nærmest avmektig slapp hodet ned igjen.

– Flink, Sara, hvisket han. – Du er flink, du. Fine unger har du fått. Fine, ja, de er så fine at, og du er flink.

Han la ungen inn til de fire andre, den var mett og doven i hendene hans, og kravlet seg tett inntil søsknene under den røde varmelampa. Han lot purka sovne der hun lå.

Nå hadde han skåret med seg en brødskive til Sara og funnet to kokte poteter i kjøleskapet. En gris som bare åt kraftfôr gikk gjennom ild og vann for å få smaken av litt potet og brød i kjeften. Han hadde lært henne å sitte pent og stampe med høyre fot før hun fikk noe, men han brød seg ikke med det nå, barnediger som hun var. Hun ville helst ligge, derfor ga han henne godsakene med det samme han gikk inn til henne. Hun gryntet velbehagelig, hun hadde et utall ulike lyder som han visste nøyaktig hva betydde. Han klødde henne litt bak øret før han gikk ut i vaskerommet, fikk av seg kjeledress og støvler og gikk inn i huset igjen.

Faren hadde flyttet seg inn i stua, han skjønte hva som var forventet av ham, for husfredens skyld. Skjønt, husfred. Fred var ikke nødvendigvis det samme som at ingen snakket sammen. Han ville gjerne ha snakket med moren, hatt henne der. Han gikk opp til henne igjen, uten noe i hendene denne gang. Han burde få i henne noe mat, noe varmt, spørre hva hun ville ha, om hun hadde lyst på noe, en suppe kanskje, han kunne vel finne en pose og greie å følge instruksjonene på baksiden. Han banket ikke først. Det gjorde han forrige gang, men hun hadde ikke svart likevel. Han stiltret seg inn, det var litt lysere i rommet nå, ikke lyst, men tilstrekkelig til at han så hun lå som før. Hun åpnet øynene.
– Går det bedre? spurte han.
Hun smilte svakt, han smilte bredt tilbake.

– Ulikt deg, dette! sa han og ville spøke.

– Fælt, sa hun. – Er bare så slapp.

– Sikkert at jeg ikke skal ringe legen? De kommer jo hjem til folk, når man …

– Nei. Det går over.

– Vil du ikke på … Skal jeg hjelpe deg å …

– Nei.

– Jeg setter på panelovnen litt. Så du ikke fryser fordervet. Og så går jeg ned og lager litt suppe til deg.

Hun svarte ikke, han tok det som et ja.

Pulveret skulle røres ut i en liter vann. Svensk ertesuppe stod det på posen. Han lurte litt på det, hva som var svensk med den. Han skrudde platen på fullt. Kasserollen var litt liten, han måtte røre forsiktig. Han hadde lukket døra inn til stua. Faren behøvde ikke se at han stod her og rørte i en kasserolle. Det ble et tynt, gult skvip. Han skrudde på radioen mens han ventet på at den skulle koke opp og deretter småkoke, som det stod på posen. Han smakte på den med en teskje, den smakte av ingenting, det var vel det som var det svenske med den. Han saltet den kraftig, og klippet opp noen skiver trønderfår og slapp oppi, før han smakte på nytt. Nå var den bedre.

Hun ville ikke ha. Han holdt kruset med dampende suppe foran henne, og skjeen.

– Nei, sa hun igjen.

– Du kan vel smake på kokkekunstene mine.

– Nei. Vil sove.

Rommet stinket av gammel panelovn, slik det luktet i huset på høsten når de skrudde på den vesle panelovnen inne på badet etter en lang sommer. Støv som ble svidd ved høy varme.

Da kvelden kom, og han var i gang med det ordinære kveldsstellet i fjøset, virket Sara atskillig roligere. Mat skulle hun ikke ha stort av de første dagene, men hun drakk grådig av vannet. Han satte inn en ekstra bøtte også.

– Bakfull? spurte han.

Først da fjøset var rolig etter mating og rengjøring i bingene, la han ungene inntil henne igjen, etter at han hadde gitt dem flytende jerntilskudd. Han hadde tro på at dette skulle gå nå, og da kunne de like godt få den lille dosen jern som trengtes. Ungene skrek og bar seg over å bli tviholdt. Ingen kunne skrike som griser, som om hver lille bagatell av ubehag gjaldt livet.

Han satte seg til på kjøkkenet slik at han så TV-skjermen gjennom stuedøra uten å sitte der inne. Faren pleide å legge seg i ni-tida, som oftest tidsnok til TV2-nyhetene. Det gjorde han denne kvelden også, og Tor flyttet seg inn i stua. Lukta av faren hang igjen. Han satt og sniffet ut i lufta da han plutselig kom på at da hadde ikke faren dusjet og skiftet i går kveld. Han kjente hvordan hjertet begynte å hamre igjen med det samme, for det betydde at moren måtte ha vært skral allerede dagen før. Hver lørdag kveld la hun frem rene klær og håndkle på badet. Antagelig mest for sin egen del, for å slippe lukta ved matbordet. Men det hadde hun altså ikke gjort i går.

Han stirret på skjermen uten å få med seg noe. Allerede i går hadde ting vært feil, uten at han hadde merket det spor. Var han blitt blind og døv?

Han gikk ut i kjøkkenet og fant en ren kasserolle. Faren hadde spist opp ertesuppen, den skitne kasserollen stod fremdeles på komfyren, og en dyptallerken med skje stod på kjøkkenbordet. Supperestene var tørket inn til et slags gult, tørt skum. Han satte den skitne kasserollen i vasken og fylte den med kaldt vann, og skylte av tallerkenen. Alt dette gjorde han for moren, tenkte han, og ikke faren, det var det viktig å holde fast ved. Selv hadde han ikke spist noe siden skivene til frokost, det var rart, han var ikke sulten, han som alltid var sulten og aldri syntes han ble mett. Han varmet melk og lette etter honning, men fant ingen. Han tok en skje sirup i melken og rørte rundt.

Det var kaldt oppe i gangen, men varmen fra rommet hennes falt mot ham da han åpnet døra. Og en lukt, en svakt søtlig lukt han bestemte seg for ikke å ense. Han tente leselampen og satte melken på nattbordet, trakk for gardinene og skrudde ovnen litt ned. Hun lå og fulgte ham med blikket da han kom mot henne, over fillerya som hadde hatt akkurat de fargene han hadde ment at han husket.

– Hvordan går det?

– Bedre.

– Da får du bevise det, med å drikke litt varm melk.

Han ante ikke hvordan han falt inn i denne myndige rollen, slik snakket han ikke til henne, sa aldri hva hun skulle gjøre.

– Javel, sa hun.

Hun lå for flatt med hodet, han hadde ikke tatt med skje denne gang. Hun gjorde ikke mine til å sette seg opp i senga, eller komme frem med hendene. De lå under åkleet som før. I noen forvirrede sekunder holdt han koppen i lufta over ansiktet hennes, før han skjønte han ble nødt til å løfte hodet hennes med den ene hånda.

Skallen hennes var en perfekt kule å holde i, med varmt og litt fuktig hår som gjorde at hånda hans gled litt. Håret var helt flatt på baksiden, i hånda, det stakk ut mellom fingrene hans. Den var så liten denne kulen, han holdt den forbløffet i hånda mens han betraktet munnen hennes spisse seg og lage en supelyd mot melken. Hun skalv i nakkemusklene. Etter to små slurker ble kulen tung og rolig i hånda hans, og han slapp den forsiktig.

– Sånn, hvisket hun.

– Ikke mer?

– Nei.

Han ble liggende våken lenge da han la seg etter å ha fått melk i de fem ungene igjen. Han var dødstrøtt, likevel lå han og stirret opp i mørket og malte rundt på dagen. Det virket som om det var en uke siden han stod opp. Han måtte ringe legen, samme hva hun sa. Og da han hadde bestemt seg for det, sovnet han.

Han stakk inn til henne før han gikk i fjøset. Han åpnet vinduet og luftet litt. Det var overskyet og ikke særlig kaldt lenger. Det ville komme snø i dag.

– Er det deg?

Han tente lampen. – Ja.

– Du ringer ikke legen.

– Jo.

– Er bedre i dag.

– Skal du stå opp, da?

– Ikke ennå. Men du ringer ikke.

– Du er syk.

– Ikke så syk.

– Vil du ha noe?

– Siden. Litt kaffe. Når du har vært i fjøset.

Han lukket vinduet og gikk ned i kjøkkenet og fyrte opp. Faren lå ennå, som vanlig. Ingen grunn for ham til å stå opp.

Lettelsen over at moren ville ha kaffe, fikk ham til å bestemme seg for å stole på Sara. Etter å ha gnidd henne hardt på juret, åpnet han fødekassen nederst. Lyset stod på, hun kunne se ungene. Fra nå av var det klar bane både for mor og barn. Hun stolpret noen skritt mot kassen, var en kolossal kropp på fire korte bein, mens hun laget de karakteristiske gryntene ei purke lager for å kalle til mat. Hun la seg ned på forbeina. Haugen med unger begynte å kave og hvine, de klatret over hverandre for å komme moren i møte. Hun slapp bakkroppen ned, deretter vred hun juret frem. Han hadde spaden parat og fulgte hver bevegelse hun gjorde, lyttet til hver lyd fra henne som tydet på at hun ville bli ful igjen. Hun måtte bare prøve seg, så skulle hun få se hvem som var sterkest. Hun løftet trynet inn i svermen av rosa ungekropper og gryntet overstadig. Så lå ungene på juret, puffet og dultet og akkederte med hverandre.

Da ungene var mette, surret de litt rundt hodet til purka. Han fulgte hver bevegelse, men ingenting tydet på at hun ville gjøre dem noe. Hun inspiserte dem alle grundig, vippet dem overende og snuste til de fikk sprellet seg på beina igjen. Han forlot henne og gikk inn til Siri.

– Faren over, sa han. – Og hvordan går det med deg? Skal du også til snart? Så jeg har noe å holde på med her ute i fjøset når jula setter inn? Blir kjedelig ellers.

Hun gryntet tilfreds, og han ga henne en brødskorpe han hadde i den ene lommen.

Han gjorde resten av runden kjappere enn ellers, og var raus på halmen og torven og fôret. Han ga hver avlspurke et rufs bak øret, inkludert Sura, som i dag var surere enn vanlig og plirte mot ham med vassblå, mistenksomme øyne. Men store kull ga hun, fremdeles etter det femte, og føttene på henne var i orden, ingen grunn til at hun ble salami ennå. Og de avvente smågrisene var det alltid moro å gjøre rent rundt, der de nafset i kjeledressen hans og knuffet seg imellom, som hundevalper, livsglade og yre, enda de bare var omgitt av stålrør og hardt gulv. Han ville ta med seg sin egen kaffekopp opp, tenkte han, og noen brødskiver, og spise frokost sammen med henne. Han måtte til samvirkelaget på Spongdal også, og få handlet litt. Honning, melk og middag. Han ville bestemme selv hva de skulle ha, og hva han greide å lage. Overraske henne. Klart hun kunne legge seg syk noen dager når det var nødvendig, himmelen falt ikke ned av den grunn, han greide brasene inne òg, han. Hun var jo ingen ungdom lenger og måtte da kunne gi fra seg ansvaret en sjelden gang.

Det var ikke mye brød igjen, han fant et nytt i fryseren ute i gangen og la inn på kjøkkenbenken. Han fikk til fire små skiver og en skalk av det gamle. Faren fikk vente til det nye tinet, han hørte ham oppe på do. Han kokte ny kaffe og satte på radioen. De snakket om julemat. Det han hadde fjøset fullt av. Han hadde levert tredve slaktegris i begynnelsen av desember, og dette kjøttet snakket de om, det evinnelige jammeret om å få sprø svor, som om det var noen sak. Utfordringen lå i å *ale* frem denne svoren over fettlaget som ikke skulle være for tykt, og ikke i å få det sprøtt! Han hadde aldri spist seig svor i sitt liv, og moren stod da aldri på hodet for å greie å få den sprø. Udugelige byfolk. Gassflamme, snakket de om nå, det var ikke til å fatte. Moren kommenterte hver jul slike nymotens nykker, og hevdet at det bare var å legge ribba med svoren ned i kjøleskapet to dager på forhånd, dampe den under folie i varm ovn, deretter ta folien av og steke vanlig. Han trakk et brett ut av den heklete holderen på veggen og satte på kopper og fat. Han møtte faren ute i gangen. Faren stirret på brettet et kort sekund før han stolpret inn i kjøkkenet.

– Gå og vask deg, du stinker, sa Tor før han sparket kjøkkendøra hardt igjen bak seg.

– Vil du ikke sette deg opp?

– Tror ikke det.

– God kaffe, mor. Det skal vel bli fint.

– Ikke for varm?

– Den er nå nykokt, da.

– Litt kaldtvann oppi.

Han tok koppen med ut på badet, og husket med det samme de manglende rene klærne på laugardagen. Han ville ikke nevne det for moren, ikke nevne noe om han. Heller ikke tenke på den søtlige lukta på rommet hennes, ikke spørre, hun hadde ikke vært ute av senga siden lørdag kveld da hun la seg, og nå var det mandag. Han stakk tuppen av pekefingeren i kaffen for å sjekket temperaturen, men den harde huden stengte for både kulde og varme. I stedet stakk han tungespissen ned i kaffen. Jo, den var drikkende.

– Sånn, sa han.

Han løftet den trillrunde skallen opp i hånda, og hun drakk en god slurk.

– Godt.

– Og en liten brødskive.

– Jeg tror ikke …

– Joda. Ellers ringer jeg legen! sa han og lo litt. Han ville gjerne fortalt henne om Sara, hvor fint det hadde gått, men det var for sent nå, uten å samtidig utbrodere nederlaget seieren var tuftet på.

Hun spiste tilsammen tre tygg av brødskiva han holdt inn i munnen hennes, noe slikt hadde han aldri gjort før, med mennesker. Han hadde tatt gomme på den, han visste hun var glad i det, med litt ekstra kanel på.

– Ikke så sulten om morgenen, sa hun og lukket øynene.

Han betraktet strupehodet hennes midt i rynkene, det vippet opp og ned når hun svelget, han smilte uten at hun så det, han smilte av måten det vippet på, og det at han aldri hadde lagt merke til det før, hatt anledning til å studere det usett før. Han smilte, enda hun ikke hadde kommentert det omtenksomme valget hans av pålegg.

Det ble igjen en brødskive med trønderfår. Han puttet den i lomma. Heller Sara enn faren.

– Hva har du lyst på til middag? spurte han.

– Huff … middag.

– Melsiloen min begynner å bli tom, jeg tar meg en tur i løpet av noen dager, sa han inn i røret mens han med høyre hånd rettet ut en binders. Han grudde seg litt til dette med akevitten, han likte ikke at folk skulle snakke om det, men Arne var en grei kar, og selvsagt skulle han på Polet før jul. Han lurte på om det holdt med en halvflaske.

– Det holder i massevis, svarte Tor. – Og så skal jeg ha smågrisfôr.

Han ville komme og hente fôret selv, unnet dem ikke frakttillegget, som var det samme uansett hvor langt unna de måtte kjøre for å levere det.

Han tok traktoren til butikken. Diesel kunne han trekke fra på skatten. Den gamle hvite Volvo stasjonsvognen brukte han sjelden, den stod inne på låven, med full tank så han slapp å kaste bort penger på kondensfjerner. Ble fort kondens på innsiden av tanken hvis den ikke var full når været vekslet mellom tøvær og kulde.

Han ble gående og stampe mellom reolene og tenke på denne middagen. Han stod lenge foran kjøttdisken. Innholdet i fryseren hjemme visste han lite om, annet enn brødene, når moren ba ham hente et nytt. Og han visste dagene hun bakte dem, tre i slengen, gode dager, med gode lukter. Han plukket med seg en blodpudding. Sirup hadde de nok av, og poteter. Det var best med stekte poteter til blodpudding, men da skulle man vel koke dem først. Han ante ikke hvor lenge poteter kokte, han fikk fyre opp inne i stua med en gang han kom hjem. Han måtte være alene på kjøkkenet for å greie alt dette.

På vei til kassen passerte han stablene med juleøl og hadde plukket med seg to flasker før han fikk sukk for seg. Og da han ble stående bak noen ungdommer i kø før han fikk betalt, havnet en eske dadler og en marsipangris i handlekurven også. Han var nesten lattermild over egen ekstravaganse da han trakk lommeboka opp av baklommen og ga fra seg Coop-kortet og en tohundrelapp til Britt som satt i kassen. Men han lo ikke høyt, bare jattet med henne om vær og vind og antagelig snø. For dette var tull, hva skulle han med kostbare dadler og marsipan. Moren ville være oppe og i sving innen Dagsrevyen.

Han stanset traktoren ved postkassen ved starten av alleen og plukket med seg Nationen og en stor, hvit konvolutt uten vindu. Han åpnet den med én gang han kom opp i førerhuset. Julekort fra Gilde Bøndernes, med et ekte lite bilde, det så ut som om det var håndtegnet, det var i alle fall signert, selv om signaturen var uleselig. Det var nok verdt noen kroner, dette bildet her, ikke verst julegave, enda han leverte all slakt til Eidsmo. Men han var jo medlem av Gilde Bøndernes for sikkerhets skyld. Fra Eidsmo hadde han fått en konfekteske. Kong Haakon. Ikke den største, men likevel. Fra Norsvin fikk han skjærefjøl i år. Med tegning av en gris på, innbrent i treverket. Moren hadde allerede tatt den i bruk og laget dype hakk og striper i den, det var dårlig og bløtt tre, furu, nyttet ikke å skjære med kniv på furu, bare til pynt. Men hvem var det vel som pyntet med skjærefjøler.

Fra førerhuset prøvde han å få øye på faren innenfor kjøkkenvinduet, men det var umulig å se for speilingene. For sikkerhets skyld puttet han dadler og marsipan og ølflasker godt inni parkasen før han gikk inn fjøsdøra og rett på vaskerommet og satte alt fra seg på benken. Det var dørgende stille inne i fjøset. Han visste hvordan de stod og lyttet nå, og ventet. Men de fikk vente litt til. Stillhet var uansett et godt tegn, selv om den var fylt av forventning. Likevel gløttet han så vidt på døra uten å vise seg, bare for å sjekke Siri. Hun lå rolig i halmbolet sitt, med halvlukkete øyne. Men plutselig fikk han det for seg at det kunne skje igjen, også med Siri, til og med med Siri. Han måtte ha sherry i huset, kanskje moren også hadde lyst på, det kunne være en slags gave hvis han ikke fikk bruk for den i fjøset, selv om de selvsagt ikke pleide å ha gaver til jul, voksne menneskene.

Han hentet posen med honning og blodpudding, avis

og julekort i førerhuset og skrittet inn. Det ville begynne å snø snart. Han håpet det kom mye. Han ville gjerne brøyte. Faren satt ved kjøkkenbordet, ved vinduet. Det nå halvfrosne brødet på kjøkkenbenken var ikke rørt, plastposen ikke engang åpnet.

Inne på kontoret, med døra lukket godt bak seg, ringte han til Arne på Trønderkorn igjen.

– Forresten, sa han, – jeg trenger noe sherry også. Jeg kan godt ta to halvflasker, men billigste sort, trenger ikke å være noe fisefint.

Arne svarte at det var greit, og spurte om han hadde hørt det.

– Hørt hva?

Sønnen til Lars Kotum hadde hengt seg, i går. Yngve. De hadde nettopp fått vite det.

– Å faen. Det er for jævlig.

Eneste sønnen, sa Arne, men han hadde heldigvis en datter som gikk på Ås.

– Og så nå like før jul, sa han, og hørte selv med det samme hvilken klisjé det var, som om livets bakside hadde større sjanser for å bli usynlig nå, i alt dette synlige føleriet.

Det hadde vært noe med en jente, sa Arne, men mer visste ingen. Og så sa han: – Det er visst bror din som skal ha den.

– Ha hva?

– Begravelsen. Og alt sånt som skal ordnes. Det er visst bror din.

– Jaha. Sier du det.

Han fyrte opp inne i stua og gikk i fjøset. Han hadde ikke øljekk på vaskerommet, så langt var det aldri kommet, han brukte en tollekniv. Han dro på seg kjeledressen mellom første og andre flaske, og støvlene. Ølet var varmt. Han tok med en tom fôrsekk og marsipangrisen og lukket seg inn til Siri etter at han hadde konstatert ren familieidyll inne hos Sara, la sekken på gulvet og satte seg rett ned på den. Siri nufset trynet inn mot skulderen hans. Et slikt gigantisk dyr med kjeften full av barberbladskarpe tenner kunne ha drept ham om hun ville, derfor lå det en voldsom og barnslig trygghet i det å kunne stole fullt og fast på henne.

– Vent litt, sa han, og tømte flaska. Hun været mot munnen hans da han rapet lenge, først en lang rap, deretter mange små. Han åpnet den røde pappesken og brøt hodet av grisen, ga henne. Hun åt med en klissvåt, støyende tygging. Det skulle litt mot til å ta livet sitt, og så attpåtil ved å henge seg. Ikke få puste. Eller kanskje det var en god måte, hva visste vel han. Men hvis man først hadde bestemt seg, og i tillegg funnet et godt tau man kunne stole på. Det letteste var vel tabletter, å dø i rus. Han hadde sett ham noen ganger, på sykkel på vei til Gaulosen, med kikkert rundt halsen og et slags sammenslått stativ på bagasjebrettet. Sikkert til å sette kikkerten på, så den stod stødig. Folk på samvirkelaget hadde jo snakket om dette, at sønnen til Kotum ikke ville drive på gården, at det ikke var tak i ham, at han heller ville glane på spurver med kikkert. Rart i grunnen at ikke Britt hadde visst at han hadde hengt seg, da han var der og handlet. Men det stod vel om minutter det, nå. Før strekkoder kom i annen rekke, og trakteren ble fylt med nytt vann og filterkaffe. De rev sikkert plastlokket av en boks med pepperkaker også, og mesket seg med julestemning og død og jattende sympati.

– Men han har en datter på Ås, sa han høyt, – det er

da enda noe. For det er viktig det, skjønner du Siri min, at noen bryr seg om gården så ikke alt går rett i dass.

Han ga henne begge fremføttene, og smakte litt selv. Ølet satt som en tykk hete i fingrene hans, han måtte studere dem grundig for å se om de hang skikkelig fast. Dette ville gå fort over. En brå og sterk og kortvarig pilsrus. Det var en stund siden sist nå. Tomflaskene kastet han i utedoen forrige gang, det fikk han gjøre nå også, selv om ingen kom inn hit. Han ga henne hele resten av grisen i én jafs, mens han klødde henne grundig bak ørene.

– Flinke jenta mi, hvisket han. – Premiegrisen. Bedre enn all verdens marsipan.

Han lukket faren vekk ved hjelp av døra, mannen hadde fremdeles ikke tatt seg mat. Han fikk vel få litt poteter og blodmat, han orket ikke to sjuklinger på gården, det tok altfor lang tid for et menneske å sulte i hjel. Han skrelte potetene og la dem i vann, kokte opp, og var stadig borte og løftet lokket og prikket i dem med en gaffel, mens han hørte på P1 og Norgesglasset som kvernet i vei om alt som angikk jul og lykke. Rusen var nesten borte allerede, og han lurte på hvordan stemningen var på Kotum. Det ble vel laget mat der òg, mat var gode greier å ty til, både å lage og spise. Det var begynt å snø, brede fete flak som dalte rett ned. De fikk dale en stund til før han hektet freseren bakpå traktoren. Og han ville ikke fortelle moren om gutten, ikke før hun var på føttene igjen og burde vite alt. Uansett ville han ikke nevne Margido, om hun så tok stiften.

Potetene var fremdeles harde i midten da de begynte å smuldre utenpå og gjorde kokevannet uklart. Han slo vannet av og delte hver potet i to, tok godt med margarin i stekepannen. Blodpuddingen skar han opp i skiver og la parat på benken, og hentet frem sirupen. Han kjente han var sulten. Han ville spise selv først, deretter gå opp til moren og la faren få ta det som var igjen. Han kjente vel luktene der inne nå, og hørte skrammelet fra komfyren.

Det var rosiner i blodpuddingen.

– Dette er godt kan du tro. Blodpudding med sirup, og stekte poteter. Og det er rosiner i blodpuddingen!

– Har du ...

– Klart det.

– ... kjøpt den?

– Ja.

– Men vi har da ...

– Kunne ikke begynne å rote rundt i den fryseren. Der er det du som er sjefen. Så det blir jaggu kjøpemat til du kommer deg på beina! Blir kostbart, dette!

– Huff.

– Slapp av, jeg tøyset bare. Vil du ikke sette deg opp. Holde gaffelen selv?

– Nei.

Hun var blekere enn da de drakk kaffe sammen etter fjøset i dag tidlig. Blekere, og med noe mørkt og innsunket under øynene. Hun så gammel ut. Han tenkte egentlig aldri på henne som gammel. Hun spiste to biter blodpudding og tre biter stekt potet, hun fikk sirup på haken, han gikk og hentet dopapir. Da han tørket henne, var hun allerede sovnet. Han hadde med saft også, den rakk hun ikke å drikke.

– Bare ta deg en liten middagslur, du, hvisket han.

Faren hadde spist opp resten av maten. Han kunne vel i hvert fall ha spurt. Om den var ment for ham. Tor så ikke verken skittent fat eller kniv og gaffel, mannen måtte ha spist med fingrene, direkte fra stekepannen. Han satt inne i stua igjen, med døra på gløtt, Tor hørte et lite kremt, et kremt ment for å lage lyd, og ikke for å renske halsen. Han lukket døra hardt igjen før han vasket opp. Han ble så ren på hendene når han vasket opp. De evigsvarte rendene rundt neglene ble grå, og hard hud ble myk. Det var godt å holde hendene i varmen også. Hvor lenge var det siden han hadde tatt seg et bad? De stod bare i den ene enden av karet og dusjet. Han kunne vel ta seg et bad en dag. Selv om det gikk veldig mye varmt vann med til slikt. Og med disse strømprisene.

Da han gikk i fjøset igjen, skar han med seg skalken av brødet og en ekstra skive og smuldret på fuglebrettet. Stammen gjorde en bøy på seg rett over brettet, brødet ville ikke snø ned.

Siri var urolig. Hun trampet rundt i bingen og småskvettet, bet litt i metallrørene, og kom ikke imot ham som vanlig.

– Jasså, du ...

Han hentet kosten og sopet sammen den våte halmen, hentet ny. Etterpå ga han Sara mer mat. Alle fem unger sov under det røde lyset. De skinte, var små blanke tuer av søvn. Til å begynne med hadde han ikke kunnet se seg mett på disse grisungene, hadde løftet og holdt på med dem støtt. Han forstod godt folk som holdt gris som kjæledyr, selskapsraser som forble like smånette og kvikke og ikke vokste til føttene knakk. Til og med enkelte grisebønder holdt seg med selskapsgris, en råne, så purkene kom i brunst. Selv brukte han rånespray, mye enklere. Dessuten smittet purkene hverandre med brunst. Antagelig av ren misunnelse.

Det kunne gå en god stund ennå før Siri var i gang. Han ryddet og kostet på fôrrommet, gjorde klar for nye sekker. Sherryen ville han ikke få før etter Siri hadde griset. Men han fant nok bruk for den en dag, den kunne like godt stå her ute og ikke der inne. Så fikk han tenke over saken med å bruke den ene flaska som gave, når julaften nærmet seg. Kunne gi den til henne når faren hadde lagt seg. Sitte ved kjøkkenbordet med ribbe i magen og skåle i sherry og se ut på julesnøen, og moren kunne fortelle om gamle dager på Byneset, om husmannsliv og bryllupsskikker og overtro. Og hun ble heller aldri lei av å snakke om krigsårene, om tyskernes gigantiske planer for verdens største krigshavn på Øysand, med tre hundre tusen innbyggere som skulle bo i terrassehus i Gaulosen og på Byneslandet. Moren likte å spekulere i hvordan det ville ha sett ut her i dag, hvis tyskerne vunnet krigen. De skulle bygge flyplass, og firefelts motorvei fra Øysand til Berlin, moren pleide å le så hun ristet når hun mintes de stormannsgale planene. Og så var hun så opptatt av disse trærne tyskerne plantet. At de fremdeles levde, her oppe mot polarsirkelen. At de slo rot der tyskerne måtte gi tapt.

Han brøytet grundig og lenge, enda det snødde fremdeles. Det gjorde ikke ham noe at han snart måtte gjøre det på nytt. Det var en lett og luftig snø som bygget kjapt i høyden. Han lurte på hvem som brøytet på Kotum. Sikkert en av de nærmeste naboene, Lars Kotum selv orket vel ikke det i i dag. Han fikk kjøpe Adresseavisa i morgen og se om det stod dødsannonse.

Han var oppe og så til henne da traktoren var parkert. Hun sov fremdeles. Hun ville sikkert ikke ha kaffe. Han forsøkte ikke å vekke henne, hun sov så godt. Han ble sittende litt ved kjøkkenvinduet og høre på radioen, før han gikk ut til Siri, som ikke var i gang nå heller. Hun var dessuten ikke avhengig av ham, dette kunne hun, han gikk inn igjen. Fuglene hadde oppdaget brødet, og gråspurv satt på brettet selv om det etter hvert ble mørkt. Utelampen lyste. Han tok en økt på kontoret. Gikk gjennom mappene og noterte seg det som gjenstod å gjøre. Snart et nytt inntektsår. Gjøre opp status for det gamle. Finne ut hvilke av avlspurkene som skulle til slakting etter telledatoen. Kjøttprisene på purkene lå bare noen kroner under prisen på slaktedyr, så det var ingen vits i å bale med dem hvis kullene sank.

Han så Dagsrevyen gjennom åpen dør før han gikk i fjøset og tok kveldsøkta. Moren sov fremdeles. Han likte det ikke. Siri lå i bolet. Det kunne ikke være lenge til nå. Da han var ferdig med runden, satt han lenge på huk foran henne og godsnakket.

– Denne sherryen er oppskrytt. Tror nok du får bruke naturmetoden, og ikke bli kjøtteter med det første.

Hun holdt blikket hans. Han forsøkte å lese i øynene hennes. Hva tenkte hun om dette hun skulle gjennom nå. Hva tenkte hun om å være den hun var. Visste hun at hun var en gris. Drømte hun når hun sov. Om hva? Det lå aldri svar i Siris blikk, bare forventning, og av og til skarp forbauselse. Jeg vet egentlig ingenting om henne, tenkte han, vet ikke hvem hun er, hva hun er. Og likevel kunne han stole på henne. Et bånd. En kanal. Mellom dem. Som han ikke visste hva kom av. Han syntes ikke hun var stygg. Alle andre ville sagt hun var stygg. Byfolk ville vel kaldt henne et monster. Men hun var ei perfekt purke. Akkurat slik skulle ei purke se ut, akkurat slik. Men av og til kom det over ham at dette ikke var riktig, å holde dem her inne i dette fjøset, de var levende og fortjente å være det, men det var når han hadde drukket og så seg selv som dem.

– Du får passe på føttene dine så du får leve lenge i landet, sa han. – Nå må jeg gå inn. Kommer tilbake senere i kveld.

Han ble nødt til å vekke henne nå.

Hun lot seg ikke vekke. Han rusket i henne. Satte leselampen rett mot ansiktet på puta. Han dro opp den ene armen hennes. Den var full av avføring. Han slapp den og rygget vekk fra senga. Hun rørte på seg, åpnet øynene, stirret rett på ham.

– Ga ... Ga ...

– Hva sier du? Mor!

– Ga ...

Holdt hun på å kveles? Den høyre munnviken hennes hang plutselig rett ned, hele ansiktet var skjevt.

– Si noe! Si noe, mor!

Hun åpnet munnen. Det kom ikke en lyd. Munnen var et blankt hull han stirret inn i og ventet på at skulle fylles med ord, men det forble tomt.

Volvoen tente på første omdreining. Han kjørte opp foran bislaget, satte varmeapparatet på fullt. Han sprang gjennom kjøkkenet og inn i stua og rev til seg de to sofapleddene.

– Mor di? spurte faren og klemte de spisse knærne mot hverandre i lenestolen, løftet haken. – Er hun blitt syk?

– Ja! Du må hjelpe meg med å få henne ned trappa! Hun må på sykehus! Men bare ... vent litt, jeg skal rope.

Det ene pleddet la han i hele baksetets lengde.

Han holdt et håndkle under springen på badet. Dette ville han ikke.

Han løftet åkleet og dyna av henne. Hun lå i avføring fra livet og ned til knærne. Han tenkte at han ville slå bensin over madrassen og brenne den bak låven, så hun slapp å bry seg mer om den når hun kom hjem fra sykehuset. Han kunne ikke ta av henne nattkjolen og underbuksen, kunne ikke. Han visste ikke hvor han skulle vaske, han kom ikke til, det ble med å gni litt rundt utenpå klærne. Han vasket hendene og armene hennes, de var tunge og uten muskler, vilje. Øynene hennes stod bulende og blanke ut av skallen, og den skjeve munnen åpnet og lukket seg i ett sett. Han måtte få pleddet rundt henne, men uten å søle det til.

– Kom! brølte han, enda han ikke hadde tenkt at faren skulle se eller vite dette om henne.

Han holdt henne under armene og fikk dratt henne over kanten av skuvsenga og ut på gulvet. Faren viklet pleddet rundt henne. Hun hang som en dødt dyr etter hendene hans, ikke engang hodet holdt hun oppe, også det hang sidelengs. Det flate håret i nakken. Hun siklet. Faren tok føttene hennes og gikk baklengs ned trappa, han greide vel egentlig ikke å gå slik, han var stiv i leddene, men de fikk henne ned. Det var verre å få henne inn i bilen. Tor måtte krabbe inn på motsatt side og dra henne inn. Da han senket hodet hennes mot enden av setet, ynket hun seg.

– Hva? Er det vondt? spurte han.

Han løftet hodet hennes. Hun ble roligere. Faren kom rundt.

– Jeg kan sitte her, sa han. – Holde det oppe.

Han husket å lukke ytterdøra før de kjørte.

Farens ansikt i speilet. Der hadde det aldri vært før. Faren med morens hode i fanget, det var helt feil, han ville kaste opp. Det stinket i bilen.

Det var nesten ikke trafikk. Han kjørte om Flakk. På sykehuset ble han forvirret av alt byggearbeidet, men fant ordet Akutt på et skilt og kjørte rett opp til en fullt opplyst rampe. Han sprang ut av bilen og opp rampen og ropte inn i lyset at noen måtte komme og hjelpe dem. De kom. Springende, med en båre på hjul. Han prøvde å forklare at hun hadde gjort på seg, men det var visst ikke viktig for dem å høre etter. De så på ansiktet hennes og snakket til henne. Og det var som om de skjønte alt, visste. Han skjønte det vel han også, men han hadde lest at folk kunne bli helt bra av slikt. Bare man kom fort nok til behandling. Og hun var jo så frisk ellers. Det sa han til dem også: – Hun er helt frisk ellers.

Lyset fra neonrørene var det samme som i fjøset hans, men fargene var annerledes. Her var alt hvitt og grønt. Faren satt på en pinnestol. På bordet lå en stabel ukeblader med lodne, slitte hjørner som stod skrått til værs. Ved siden av dem stod en rød julestjerne og en messinglysestake med et rødt lys. Flere av bladene var falt av julestjernen. En kvinne i hvit uniform hadde kommet med kaffe i plastkrus til dem, uten sukkerbiter. Faren sa:

– Ble hun sånn … helt plutselig?

– Ja.

Det luktet vondt her. Lukter som skjulte og løy. Altfor rent, det var altfor rent her. Ubegripelig rent. Meningsløst. Folk kunne bli syke av å ha det så rent, miste motstandskraften av det. Det var ikke naturlig.

Legen kom etter et stykke tid han ikke helt hadde oversikt over.

– Hun har hatt slag, sa legen.

– Står hun det over?

– Nå tar vi først denne natten, og den tror jeg fint hun skal greie, så får vi se. Hun er stelt og ren og fin nå, dere kan komme inn til henne, men hun er ikke ved bevissthet. Og hvis det er flere pårørende som skal varsles, er det en telefon her.

– Må jeg det? Er hun så syk, altså?

– Ja, det er hun. Og hun er et gammelt menneske, vet du.

Nei, ville han si, det er hun ikke, det vet jeg ikke, men han bare nikket til svar, og var takknemlig fordi de hadde vasket henne.

Etter at han hadde snakket med Margido stod han lenge og ventet på sin egen beslutning. Han slo til slutt nummeret til Opplysningen, han ringte henne så sjelden, nummeret var umulig å huske, det stod notert ned på kanten av skrivebordsunderlaget hans på kontoret. Nummeret til mobilen hennes, hun hadde ikke fasttelefon, påstod at hun ikke var hjemme ofte nok til at det ville lønne seg.

– Jeg skulle gjerne hatt nummeret til Torunn ... Breiseth.

Det var vondt at hun het det. Like vondt ennå. Men forståelig.

Den mekaniske kvinnestemmen ga ham muligheten til å bli satt rett over, og han trykket på 1. Hun svarte etter ett ring, med glad stemme, svarte med navnet sitt.

– Det er meg. Jeg ringer bare for å si at mor ... nei ... farmoren din har fått slag. Det er ikke sikkert hun står det over, sier de. Jeg tenkte kanskje ... at du ville se henne. Du får finne ut av det selv. Jeg ville bare fortelle deg det.

DEL 2

OM FEMOGTJUE MINUTTER var hun ferdig med siste foredrag før jul. Armbåndsuret lå øverst på det skrå lesebrettet, det lille spotlyset var rettet mot papirene fulle av stikkord. Egentlig behøvde hun ikke et eneste av disse papirene, dette foredraget kunne hun utenat. Likevel lå det en trygghet i å ha dem der, pluss at de hjalp henne med å beregne tida.

– Det er der mange misforstår, fortsatte hun. – De tror at kjeftbruk skaper en lydig hund! Nå snakker jeg selvsagt om ferske hundeeiere og schæferfolk, ikke slike som dere, som vet bedre.

Hun smilte mot de sekstifem oppmøtte medlemmene fra Asker og Bærum Retrieverklubb. De skrattet høyt, til henne og til hverandre. Schæferfolk var beryktet. Når de drev med dressur og brukshundtrening, brølte de av sine lungers fulle kraft til bikkja, om så den stod bare to meter unna.

– En hund vil bare én eneste ting, og det er å finne sin plass i flokken, gjøre det riktige, slik at den passer inn. Da blir den trygg. Og en trygg hund lærer fortere enn en redd hund. Redsel gjør at det bare ... blokkerer seg i hodet på den, og all motivasjon forsvinner. Til og med ting den har lært og kan, forsvinner når hunden blir redd, når det brøles at den skal gjøre ditt og gjør datt.

Og det enda med en hund som i utgangspunktet virkelig ønsker å gjøre nettopp det som forventes av den! I vill tilstand, og i ulveflokken, er hver eneste hund utrolig forutsigbar. Forutsigbarheten gjør flokken sterk. En enkelt hund i flokken skal aldri overraske de andre på noe som helst vis. Hver og en skal kjenne typen adferd fra enhver annen i gruppen. Og det at hver kjenner sin egen plass på rangstigen, gjør at enkeltindividene som *flokk* overlever. Å underkaste seg den som står over, blir et spørsmål om liv og død. Ta for eksempel en hund som kommer inn i en ny familie, la oss si at den er åtte uker gammel. Den vil passe inn, ønsker å forstå hvor den befinner seg i hierarkiet i denne nye flokken. Men hunden er ikke synsk! Den trenger rett og slett info! Og den infoen er det menneskenes plikt å gi den, den greier ikke å skaffe seg den infoen selv. Jeg jobbet nettopp med en familie hvor en valp knurret til den yngste sønnen i huset. Hunden ville gjerne og ofte opp i fanget på denne gutten, for å sove der, og hvis gutten da rørte det minste på seg, etter at hunden hadde lagt seg godt til rette, knurret den. Familien hadde også en eldre hund, men valpen innrettet seg flott under gammelhunden og var blid og vanlig mot den andre gutten i familien, og kvinnen og mannen. De var ganske fortvilet. Det var en boxerhann, dette, skulle bli en svær hund, da gikk det ikke an å godta denne adferden, selv om hunden bare var liten ennå.

Hun tok en slurk vann, det var lunkent. Og hun holdt blikket til de fem hun hadde plukket seg ut for øyekontakt. De satt spredt i hele rommets bredde og lengde. Det var et knep hun hadde lært seg, det skapte nærhet, og fikk dem til å tro at hun snakket så engasjert som hun gjorde, fordi det var første gang hun lot seg rive med i så stor grad som dette, at de som publikum var unike, at de var de første hun fortalte dette til.

Og nå satt de på nåler og ventet på fortsettelsen. En valp som knurrer til en av ungene, det var en problemstilling hver eneste en av dem levende kunne forestille seg. Hun vred poenget hjem: – En familie som aldri har hatt hund før, og som opplever slikt ... Dere aner vel hvordan dette kunne gått.

De nikket alvorlig.

– Hysterisk mor som er redd for yngstesønnen sin, faren begynner å kjefte på valpen, valpen blir redd og knurrer stadig mer, noen måneder senere biter den, og det er rett til sprøyta og de evige jaktmarker. Og det med en hund som antagelig var helt fin i psyken, en helt ypperlig hund! Bare fordi ingen hadde forklart den på hunders vis hvor den hørte hjemme i flokken. Den skjønte aldri hva det var den gjorde galt. Og det måtte den bøte med livet for.

Ansiktene deres avspeilet som på kommando oppgitthet og fortvilelse.

– Men denne boxerhannen ... Familien tok kontakt med oss på klinikken og spurte hva de gjorde galt. Jeg sa til dem at dere gjør ikke noe galt, det er bare en helt vesentlig ting den lille firbente fyren ikke har fått med seg, og det må vi få forklart den. Siden den absolutt ville ligge i minstesønnens fang, var det også en pekepinn. Hunder i vill tilstand slapper best av sammen med flokkmedlemmer som er under dem i rang, da slipper de å ligge på vakt for å måtte underkaste seg. Ekstra tøffe individer søker gjerne mot lederhunden når den skal hvile, men det hører til unntakene. Denne valpen hadde altså plassert seg selv nest nederst. Under gammelhunden, men over yngstesønnen. Den trodde at gammelhunden også var over yngstesønnen i hierarkiet. Vel, jeg satte familien i gang med et svært enkelt fjorten dagers program. Moren i familien hadde hjemmekontor og befant seg nesten alltid i huset, derfor var det faren som fikk jobben med å være Storeulv.

Noen lo.

– Ikke så uvanlig, kanskje! Selv om man ikke engang *har* hund! I alle fall, hver dag når Storeulv kom hjem fra jobb, pleide valpen å storme ham i møte, vill av lykke. Det gjorde han også nå. Men Storeulv overså ham totalt. I stedet hilste han på flokken sin i den rekkefølgen de befant seg på flokkens rangstige. Først på sin kone, overstrømmende og overdrevent med masse fakter. Deretter eldstesønn på samme måte, så yngstesønn, og den eldre hunden. På det tidspunkt var valpen helt fortvilet, og da Storeulv endelig lot seg merke med den lille, ble den så glad og samtidig underdanig at den tisset på seg av lettelse. Slik gjorde de det hver dag, og det gikk ikke mange dagene før valpen ble roligere og ventet på sin tur til hilsing og gjenforening. Parallelt med dette ble den avvist fra yngstesønnens fang. Det var nok det vanskeligste. Men vi forklarte gutten at etterpå ville det være greit, da kunne den komme i fanget igjen, og den ville ikke knurre. Og nettopp slik gikk det. Valpen forstod informasjonen den hadde fått. I ulveflokken hilses det i rangmessig rekkefølge, hvert eneste hilsingsrituale bekrefter rekkefølgen, og til og med hos en rase som boxer, temmelig fjern fra ulven av utseende i hvert fall, fungerer kommunikasjonen omtrent på samme måte fremdeles.

Etter en lang runde med spørsmål begynte to damer i døra inn til kjøkkenet å stirre på henne med løftede øyenbryn. Den ene fomlet med et par grytelapper.

– Da tror jeg det er noen som venter med juletallerken her, så vi får nesten avslutte. Takk for meg, og riktig god jul!

Applausen var sterk og raus. Formannen kom opp og takket, og hadde den obligatoriske rødvinen med seg, i en rød polpose med gullstjerner.

– Jeg tror dette har vært utrolig interessant for oss alle! Nå vet vi hvor vi skal gå når bikkjene ikke oppfører seg ordentlig!

– Vi begynner nye dressurkurs andre uka i januar, sa hun.

– Og nå vet vi jo også at disse kursene ikke er for hundene, sa formannen og lo. – Men for eierne!

Hun ville helst kjørt rett hjem nå, den var nesten halv ti. Hun var alltid tom og flat etter et foredrag. Hive vinen i baksetet, tenne seg en røyk, kjøre i mørket med musikk på full styrke. Men det gikk ikke, det var dekket på til henne, og sekstifem mennesker ville nå gi til beste sin egen unike innsikt i hundens psykologi.

De kastet seg over henne allerede før hun fikk pakket sammen papirene, akkurat slik de pleide. Forutsigbare som godt fungerende flokkdyr. Med ting de ikke ville si i plenum. Bekjennelser over nederlag med sine første hunder, anekdoter om egen klokskap og firbente individer som hadde forbløffet dem. En sjelden gang fortalte de historier hun kunne bruke selv, ga henne ny innsikt, men ikke ofte.

– Jeg må nesten ut og ha meg en røyk før maten, sa hun. Flere hentet jakkene sine og fulgte etter. Skrøt av henne, hva hun hadde gitt dem, hvor viktig dette var å få frem, hun var rene livredderen.

De slapp henne etter en drøy time. Hun hadde bare fått i seg et par munnfuller ribbe og litt surkål, Cissi hadde oppdratt henne til aldri å snakke med mat i munnen. Men hun hadde fått sagt mye fordelaktig om klinikken, det var bra, hun var blitt medeier nå. Det var nokså uvanlig at en simpel veterinærassistent var medeier i en smådyrklinikk, men med det ekstra tilbudet hun hadde bygget opp på adferdskurs og rådgiving for problemhunder, hadde det falt seg naturlig. Selv om hun var fullstendig uskolert, på papiret. Men hun hadde alltid hatt det i seg, det å forstå hunder. Var aldri redd dem, bare genuint interessert i å forstå *hvorfor*, uansett hvordan de oppførte seg. Både politiet og Falken pleide å ringe henne hvis de skulle forholde seg til en potensielt farlig hund; en som var blitt innelåst og forlatt i en leilighet, eller forlatt bundet et sted, vanligvis med en dritings eller ruset eier som hadde glemt at bikkja stod der. Da ble hunden rabiat når man forsøkte å nærme seg, noe som skremte selv de største og tøffeste karene. Men ikke henne. Hun visste at hunden var adskillig reddere. Og en redd hund ble alltid en sint hund, stilt overfor fremmede. Å ta hundens adferd som et fasitsvar var ikke nok, man måtte forstå hva som drev den.

Hun trodde ikke på dette med lukter, at hunder kunne lukte redsel. De brukte blikket, leste alle små signaler, fra øyne, hender og kropp. Og når hun småpratet litt monotont og nærmest overså dem, og absolutt aldri stirret dem i øynene når hun kontant nærmet seg, ble de så forbløffet og vippet av pinnen at hun kunne klatre inn vinduer og fylle vann i et fat til dem og finne mat i et fremmed kjøleskap, eller knyte opp båndet deres, ti centimeter fra en solid utrustet kjeft som skremte vannet av omgivelsene, inkludert machomennene. Rett etterpå, når hunden forstod at den ikke behøvde å opptre rasende avskrekkende lenger, falt den alltid helt sammen, i en slags avmektig ro, fordi den var fratatt ansvaret for å ordne opp, beherske situasjonen. En hund som var alene – og truet – var alltid leder i sitt eget lille univers.

Hun lot varmeapparatet gå for fullt. Når hun kom i bilen, var hun hjemme, hun tilbrakte lenger tid i våken tilstand her enn i sin egen lille to-roms. Radioen sendte et program om Janis Joplin.

Da mobilen ringte, skrålte hun høyt om Bobby McGee sammen med Janis. Hun skrudde ned volumet på radioen før hun svarte, lyttet til det han sa. Hun kjørte inn på en Shellstasjon som lå på høyre side, satte bilen i fri, dro opp brekket.

– Men jeg har jo aldri truffet henne.

Han svarte ikke på det.

– Tror du hun vil se meg, da?

Det kunne han ikke helt vite, hun var uansett ikke ved bevissthet ennå. Men hun var det eneste barnebarnet hennes, sa han. Stemmen hans var annerledes. Ikke så treg som den pleide å høres ut i starten av en telefonsamtale. Han virket ivrig, samtidig som om han nesten var på gråten. Det lå et hastverk i den.

– Barnebarn. Er jeg det. Ja, jeg er vel det. Men ting blir jo ikke annerledes om jeg får møte henne. Ikke nå.

Han svarte ikke på det. Pustet bare i øret på henne. Og etter flere sekunder gjentok han det han åpnet med å si, at hun fikk finne ut av det selv, at han bare ville fortelle det.

– Enn du da? Hvordan har du det?

Nei, han. Det var vel ikke så viktig. Det var ikke han dette handlet om.

– Må nesten tenke litt på det, jeg. Kan jeg ringe deg i morgen? Er du hjemme?

Han var vel det. Hvis han ikke var på sykehuset. Men da kunne hun ringe dit.

Hun banket på hos naboen og gikk rett inn uten å vente på svar. Margrete satt og sydde. Tøybiter til et patchworkteppe lå spredt foran henne på bordet, og rundt symaskinen.

– Var ikke meningen at du skulle se dette, sa hun. – Det er faktisk jul snart.

– Farmoren min ligger for døden. Her er rødvin til deg. Jeg tar gjerne en kaffe og konjakk.

– Farmoren din? Trodde bare du hadde en mormor.

– Jeg var det eneste barnebarnet hennes, sa faren min. Har du hørt noe så teit. Å komme med det nå. Stakkars mann. Hva er det han innbiller seg.

– Men vil du ikke møte henne, Torunn? For din egen del?

– Egentlig ikke. Hun ville ikke vite av mamma, hvorfor skulle hun ønske å vite av meg.

– Fordi halvparten av deg kommer fra sønnen hennes.

– Har ikke akkurat fått inntrykk av at de har særlig nære bånd i den familien. Han vil ikke aldri snakke om brødrene sine. Men nå vet jeg i hvert fall at de ikke har barn ...

Hun våknet klokken tre og skjønte hun måtte diskutere dette med moren, med Cissi, selv om hun godt visste hvilke tirader det samtidig kunne risikere å medføre. Men en venninne var ikke den rette her, ikke engang en venninne som stod en så nær at man skulle tilbringe julaften sammen. Hun stod opp, kokte tevann og satte seg til ved vinduet. Stovner var stille og mørk, nesten ikke snø. En ung gutt vaklet langs gangveien, det var eneste bevegelse. Han var altfor tynt kledd. Han skled i skoene på holken.

Barnebarn. Hun var plutselig blitt barnebarn nå, i en alder av trettisju år. Via en mann hun tok kontakt med for første gang da hun var ti år. Bare ringte. En mann hun bare hadde møtt en eneste gang, for flere år siden nå, da hun var i Trondheim for å holde foredrag og kurs for Nidaros Brukshundklubb. Han hadde hentet henne utenfor Gildevangen hotell, i en stygg og skitten Volvo som stinket av fjøs. Han var forsinket, hadde strevd lenge for å finne frem, kjørte sjelden i byen, sa han. Bilbeltet på passasjersiden var røket tvert av, antagelig smuldret opp av elde. De hadde håndhilst, og så lå hendene hans på rattet igjen. De hadde kjørt på kryss og tvers rundt i byen, stoppet på en bensinstasjon og kjøpt med to krus kaffe og hvert sitt wienerbrød og tatt det med ut i bilen. Det luktet sånn fjøs av ham at hun ikke ville inn på en kafeteria, og hun løy og sa at hun hadde et fly hjem, tidligere enn hun egentlig hadde, hun ville bare ut av denne bilen og komme seg vekk, og hun tenkte på moren, den pertentlige Cissi, hvordan det var mulig at Cissi og denne fåmælte bondske mannen hadde laget henne. Den gang hun var et atten år gammelt gudsord bak en konditordisk, med kjekke gutter i kongens klær på forsiden, forslukne på kremkaker og skolebrød og henne. I Tromsø. Tor Neshov tjenestegjorde i Bardufoss og hadde helgeperm og hotellrom.

Cissi skulle ha sett ham den dagen i Volvoen. Mørkeblå, møkkete dynejakke og grå ullsokker i tresko. Hun hadde spurt ham om det var lov å kjøre bil i tresko, og da smilte han litt. Det var hun som hadde foreslått at de kunne treffes. Hadde sett for seg en litt staut bondekar, mer av Hedmarks-varianten, en slags Gudbrand i Lia, eller en litt jegeraktig type i grønne friluftsklær. Hun ble faktisk så sjokkert og vemmet at det gikk uker før hun begynte å synes synd på ham. Hun fortalte aldri til Cissi at hun møtte ham denne ene gangen, bare for å slippe å fortelle hvordan møtet hadde vært, slippe å lyge, det var som om han hadde smittet henne med en slags skam. Men de pleide å snakkes på telefonen fire–fem ganger i året, hun visste mye om gården nå. Om grisene, hva de gjorde og tenkte, i alle fall hva han trodde de tenkte. Hun visste han var inderlig stolt av dyrene sine. Når han snakket om moren sin, var det for å fortelle hva hun hadde gjort. Hva hun hadde bakt, syltet, kokt, strikket. Aldri hva hun hadde sagt. Og han spurte henne ikke ut om Cissi, bare om alt som foregikk på smådyrklinikken. Han var oppbrakt og målløs over mennesker som brukte penger på kanarifugler og skilpadder, og lot katter gjennomgå kostbare operasjoner. Katteskinn, kalte han dem.

Halv åtte kjørte hun opp til moren og stefarens enebolig på Røa. Hun tok med julegavene. De skulle reise på juleferie til Barbados samme kveld, moren stod allerede og strøk på bluser og skjorter. Skoposene hennes lå på rekke og rad på spisebordet, og nypussede sko stod på aviser. Radioen spilte munter morgenmusikk, og det dampet fra tuten av en trykkanne med kaffe.

– Men skal du ikke på jobb? spurte Cissi. – Du skulle da komme innom senere i dag og hente pakker og si adjø! Og god jul og sånn!

– Faren min ringte i går kveld. Kan jeg ta en kopp kaffe?

– Faren din?

Cissi klasket strykejernet ned i stativet som stakk ut fra den butte enden av strykebrettet, og begynte å fomle med en lyseblå skjorte som hun danderte rundt den andre enden av strykebrettet, før hun fortsatte: – Ja, jeg vet at dere snakker sammen på telefon av og til, men jeg spør deg jo aldri om noe. Det er din sak, for meg er han og *hele* den familien et tilbakelagt kapittel.

– Men moren hans, altså farmoren min, ligger for døden.

– Og så?

– Nei, jeg vet ikke. Det er ikkeno *så*. Jeg bare lurer på hva jeg skal gjøre.

– Du skal da vel ikke gjøre noe som helst. Det er trettisyv år siden de folkene ikke gjorde en ting! Litt sent å begynne nå!

– Mamma, ikke hiss deg opp. Jeg syns du sa det var et tilbakelagt kapittel.

– Det var du som begynte. Og sånn som de behandlet meg! Som om jeg var en slags … en slags liten flyfille som lå med alle i uniform! Enda jeg bare var sammen med Tor en eneste gang. Hadde ikke hatt flere enn to kjærester, jeg, da jeg traff Gunnar.

– Jeg vet du ikke var noen flyfille. Hvor er han, forresten?

– Ikke stått opp ennå. Vi har fri begge to i dag, siden vi skal reise. Ja, *jeg* har jo ikke fri, da. Må jo pakke for oss begge. Den mannen kunne dratt av gårde med en tannkost og et Visa-kort.

– Ville sikkert gått greit, det …

– Men hva er det du tenker, da, Torunn? At du skal dra opp dit?

– Kanskje. Jeg vet ikke. Hva syns du?

Hun begynte å stryke igjen. – Dama er ei heks. Men

hvis du vil se henne før hun ... Hun er jo farmoren din, det kan jo være noe arv inne i bildet her. Ville vært noe annet om du dro på ferie dit, og hun var frisk og fin. Da kunne du risikere å bli overinvolvert.

– Hvordan da?

– Begynt å like dem og sånn. Følt forpliktelser. Bånd. Men hvis hun allikevel skal dø, så ...

– Fy søren så kynisk du høres ut!

– Takk for komplimentet. Er du blakk?

– Ganske. Måtte jo ta lån og kjøpe meg inn i klinikken. Kaster ikke så mye av seg ennå. Har bare den gamle lønna mi, egentlig.

– Skal spandere flybilletten på deg, og hotell. Hvis du drar, mener jeg. For du orker ikke å ligge over på den gården, det kan jeg godt si deg med det samme. Det er pen utsikt der, men det er også alt.

– Hvis jeg drar.

– Du må bestemme deg i løpet av dagen. Så kan du belaste billetten direkte på kortet mitt. Hotell legger du ut for selv, så skal du få igjen siden. Husk mange av hotellene stenger til jul, du må være litt kjapp her.

– Hvis jeg drar.

– Jeg tror kanskje du gjør det. Ellers ville du vel ikke snakket med meg om det. Du er antagelig altfor nysgjerrig til å la være. Så får du treffe faren din også. Og det er jo flere, vet du.

– Flere åssen da?

– Familiemedlemmer. Han har to brødre, det må du vel vite. Og en far. Men jeg aner jo ikke om han lever lenger. Gjør han det?

– Har ikke peiling.

– En fåmælt særing. Sa ikke et eneste ord til meg. Men så var det jo en lynvisitt også, da. Litt over en time brukte heksa på å konstatere at jeg ikke var konemateriale for odelsgutten. Og odelsgutten protesterte ikke. Fortalte ikke engang til moren sin at jeg var gravid. Men der fikk jeg min hevn, det fryder meg at han måtte punge ut barnebidrag i de årene før jeg traff Gunnar. Jeg kan tenke meg han kom under kniven, gromgutten, da den gniermoren hans måtte se i hvitøyet at lille frøken Breiseth i Tromsø skulle ha betalt hver måned!

– Varte ikke så lenge det, da.

– Lenge nok for henne, tror jeg. Og jeg tagg og ba Gunnar, men han var ubøyelig. Ville forsørge stedatteren sin selv, sa han. Men de måtte i alle fall betale i fire lange år. Det fryder meg den dag i dag.

– Si meg, hater du ham?

– Nei, er du gal. En sånn taper.

– Du kalte meg jo opp etter ham.

– I begynnelsen håpte jeg fremdeles at han ville dukke opp. Hente meg og deg. Men takk og lov for at han aldri kom. Jeg ville hatt min død av å bli innestengt på den gården. Og du har alltid gjort hva du selv ville. Akkurat som meg. Da må jeg bare godta at du ikke vil slå deg til ro og lage barn. Nå begynner det vel også å bli litt sent. Absolutt ikke *for* sent, men *litt* sent.

– Det var ikke det vi snakket om? Har ikke lyst på barn. Hva har jeg å gi videre til et barn? En toroms på Stovner og en forkjærlighet for hunder? Dessuten har jeg ikke tid til barn, så det kan du bare glemme. Du og Gunnar kunne ha laget noen søsken til meg, så hadde du sikkert hatt en drøss barnebarn i dag.

– Det er *i hvert fall* for sent, vennen min! Men husk at jeg har invitert deg med. Du ville ha likt Barbados.

– Kanskje jeg drar, da.

Cissi snudde seg med strykejernet i hånda.

– Til Barbados?

– Nei. Til Trondheim.

– Kortet mitt ligger i lommeboken min på buffeten. Bruk telefonen inne i stua, der ligger det penn og papir også.

Hun fikk et ettermiddagsfly. Åpen retur. De hadde bare fullprisbilletter igjen likevel, og det kostet like mye som åpen retur. Rom fikk hun på Royal Garden, det eneste hotellet som holdt åpent hele jula, de andre stengte allerede fredag. Som om hun skulle være der i jula. Hun bestilte overnatting for to netter, til torsdag.

På pauserommet på klinikken var det overfylt med blomster. Sammenplantinger med sløyfer og engler og kuler på alle ledige bord. Takknemlige dyreeiere som ville vise at de satte pris på omsorgen. Det var ikke noe problem å ta fri, det var mange av assistentene som gjerne ville tjene litt ekstra. En liten ringerunde, så ville det være i boks. På venterommet satt allerede flere pasienter og ventet. To katter i bur som stirret forskremt på en ung, pesende riesensnauzer som stod midt på gulvet med blikket limt til utgangsdøra, og en gammel engelsk setter som så vidt kunne stå på bakbeina. Hun kjente både eieren og setteren. Setteren Bella hadde sterk grad av HD og forkalkninger i ryggen, hun hadde gått på Rimadyl i et halvt år nå. Hun gikk bort til hunden og satte seg på huk foran den. Mannen som holdt i båndet, var stiv i ansiktet, kjevene hans jobbet.

– Går det ikke så bra, antagelig, sa hun lavt.

– Nei. Det er nok nå. Selv om det er jul.

– Du kunne bestilt egen time, vet du. Sluppet å sitte her.

– Det går greit. Går greit, det.

Eieren nikket voldsomt, pannen hans rynket seg og han stirret i gulvet.

– Har du meldt deg?

– Nei. Det er jo ... liksom ikke åpent ennå.

– Bli med meg, dere.

Hun tok dem inn på et av undersøkelsesrommene, fant en stol til ham. Hunden sank på nytt sammen i bakkroppen etter den korte spaserturen. Blikket dens virket stirrende sløvt, den sløvheten sterke smerter gir, et svart blikk, blankt, lukket inne i seg selv uten å ta inn detaljer fra omgivelsene.

– Vil du ... Jeg må nesten vite hva du vil etterpå. Om du vil at hun skal ...

– Ja. Kremeres. Jeg har hatt henne i tretten år. Hun skal på hytta. Jeg har lovt kjerringa det også, hun hadde undersøkt litt på nettet. Individuell kremering, sa hun. Var visst forskjell på det. Men billigste krukke, vi skal jo ikke sitte og glane på den. Vi skal strø asken hennes, strø den ... ja, på hytta.

Han kremtet voldsomt.

Sigurd var kommet, setterens fastlege. Han gikk inn og ga setteren en beroligende sprøyte som skulle få virke godt før barbituratet, den siste og avsluttende sprøyta. Torunn ble med, holdt hunden, satt der og ventet sammen med dem til hunden ble rolig og slapp. Hun hentet barbermaskinen og barberte ned pelsen på et område på den ene bakfoten så blodåren ble synlig.

– Bella, hvisket mannen og strøk og strøk på det glatte hundehodet. – Bella min, nå skal du få slippe. Fine jenta mi ...

Han begynte å hulke. Hun forlot rommet etter å ha løftet hunden opp på behandlingsbordet.

Begge kattene skulle ha vaksine, snauzeren hadde follikulær konjunktivitt. Sigurd la inn på dataen at den skulle ha Spersadex med kloramfenikol øyedråper, Torunn printet ut resepten og fikk den signert. Deretter gikk hun gjennom bestillinger på tørrfôr og reseptfrie medikamenter for salg, hun bestilte dressurlenker med det samme og ringte trykkeriet for flere ringpermer med klinikkens logo. Alle tre veterinærer var kommet, når den ordinære åpningstida var over, stod to operasjoner på timeplanen. En boxertispe med flere kuler i pattene, og et keisersnitt på engelsk bulldog. I tillegg hadde Falken ringt og kom med en overkjørt katt som fremdeles levde. Et katteskinn, tenkte hun, faren min ville ha slått den i hjel med baksiden av øksa, gjort kort prosess.

Hun forlot klinikken tidlig, pakket en bag med det nødvendigste etter at hun gikk på nettet og sjekket været i Trondheim. Snø.

Flyet var i rute. På bokhandelen på Gardermoen kjøpte hun en krim. Lurte på hva hun egentlig drev med, hvorfor hun dro. Hadde ikke fått snakket med Margrete ennå heller, bare lagt igjen beskjed på svareren hennes. De hadde planlagt å handle litt mat i ettermiddag, og servietter og pynt, det var bare en uke til juleaften. Hun gledet seg til det. To kvinner med ferskt avsluttede forhold bak seg, spise kalkun og synge klisne julesanger, snakke dritt om eks-ene, drikke seg fulle, lese høyt fra Nemi, spille Trivial Pursuit. Vennejul, i Dagbladet stod det at stadig flere feiret med venner istedenfor familie. At de foretrakk det, at det ble mindre pes og forventningspress. Rett og slett hyggeligere.

Lufta i flyet var tung, hun tenkte på hvordan den sirkulerte rundt og rundt, den samme lufta, SARS og tuberkulose og influensa, hun konsentrerte seg om å puste gjennom nesa så flimmerhårene kunne gjøre jobben sin, de som ikke var trykket flate av nikotin. Hun greide ikke å konsentrere seg om krimfortellingen, satt i stedet og studerte de andre reisende, tenkte på hva de skulle, hvordan de hadde det. Kom plutselig på at hun hadde glemt å ringe faren for å si at hun faktisk kom. Men hva spilte vel det for rolle. Hun hadde hotellrom.

Trondheim var vakker. Mørkeblått vinterettermiddagslys, pyntede julegater og snø overalt. Trær med julelys i hagene, noen blinkende i en jevn puls. Nidelven speilet alle vinduer da bussen kjørte over Bakke bro og var fremme på Royal Garden. En enorm oppsats med gullepler og hvite engler stod i resepsjonen. En liten svipptur på sykehuset, deretter kunne hun faktisk kose seg litt. Handle enda en gave til Margrete, og til kollegene på jobben, gå på kino, gjøre ting hun aldri tok seg tid til ellers. Bare se denne farmoren først, og bli sett av henne, hvis hun ikke lå i koma og hvis hun fremdeles levde. Ja, hva om hun var død allerede. Det var dumt hun ikke hadde ringt for å sjekke nettopp det. Da ble hun kanskje nødt til å delta i begravelse i stedet, og det kunne jo ta mange dager før noe slikt var arrangert.

Hun sjekket inn, la bagasjen på rommet, skrudde av TVen som ønsket Torunn Breiseth velkommen, tok en sigarett, og deretter en drosje til St. Olavs.

Anna Neshov skulle ligge på Slagavdelingen på A9, det var bare å ta heisen opp og følge skiltene. Da var hun i alle fall ikke død. Men hun måtte ha med seg noe, ha noe i hendene. Hva hadde man med seg til et gammelt, kanskje bevisstløst menneske? Hun kjøpte blomster i kiosken, en bukett knallrøde nelliker sammen med en grein som var sprayet med gullmaling. Hun kjente hun var litt kortpustet, men visste ikke hva hun grudde for, det var jo ingenting å grue for, det var meningsløst det hun skulle, hun kunne like godt ha besøkt et annet vilt fremmed menneske på det store sykehuset. Et kreftrammet barn, kanskje, som ville ha blitt kjempeglad for besøk. Her var skjebnene utallige, hun kunne velge og vrake.

Døra inn til rommet hennes var lukket, mange av de andre dørene stod åpne. Hun hadde gitt seg til kjenne ovenfor betjeningen, som hadde sagt at den ene sønnen hennes var der nå, og hun måtte bare gå inn, Anna Neshov var våken.

Det satt en mann der. På en stol tett inntil senga. Senga var svært høy, det var så vidt mannens overkropp stakk opp over det hvite sengetøyet. Han stirret på henne, et blikk som ikke kom henne i møte, som om hun hadde gått feil, som om hun forstyrret. Hun kremtet og lot blikket gli til ansiktet i senga. Farmoren. Hun sov visst, lå i alle fall med øynene lukket. Ansiktet hennes var skjevt, skremmende, som om det lo og gråt på samme tid, uten å lage lyd. Håret var grått og glissent, lå flatt inntil skallen.

Døra gled igjen bak henne med et svakt sus av luft, støvlettene hennes laget en våt lyd mot linoleumen.

– Hei. Jeg ... jeg har med disse. Hvordan er det med henne? hvisket hun.

– Hvem skal du til?

– Anna Neshov. Jeg er ... Torunn.

Mannen reiste seg. En grådresskledd firkantet kropp, hvit skjorte og svart slips, våte lepper med hvitt skum i munnvikene, tynn i håret. Han smilte svakt.

– Jasså, så du er Torunn. Vet Tor at du er her?

– Ja. Eller ... nei, han vet ikke at jeg kom, men det var han som ... Jeg glemte å ringe. Jeg har med disse.

Hun holdt buketten opp foran kvinnen i senga. Kvinnen åpnet plutselig øynene, uten å bevege hodet, uten å endre ansiktsmimikk eller reagere på annen måte. Var det nå hun skulle presentere seg, gi seg til kjenne? Hun bøyde seg inn over senga.

– Hei, hvisket hun. – Hvordan har du det?

Den gamles blikk flyttet seg ikke, men lå rett frem i flere sekunder, før øyelokkene falt igjen og hun kom med en slags surklende lyd. Som om hun døde, her og nå. Men mannen var upåvirket, hun antok at den gamle kvinnen rett og slett var sovnet igjen.

– Så han ringte deg, sa mannen. Som om han nærmest snakket til seg selv.

– Jeg skal finne en vase, sa hun. – De har sikkert en vase ute i ...

– Det kan jeg gjøre, sa mannen fort og kom rundt senga.

– Vi får vel hilse, sa hun og strakte frem hånda.

– Margido, sa han. – Hyggelig å hilse på deg.

– Jeg ville gjerne se deg. Jeg hørte du var syk.

Hun tok hånda til den gamle kvinnen, det fantes ikke bevegelse i den, ingen kraft, et dødt lem. Skrukkete fingre, kalde i tuppene, en smal giftering lå dypt i huden, neglene var blanke og svakt lilla. Og øynene var åpne nå, de stirret rett frem, slik de gjorde i sted. Torunn bøyde seg innover dyna for å komme innenfor synsfeltet hennes. Men da hun syntes at hun så den gamle i øynene, gjorde hun det likevel ikke, for det lå en tomhet i det som minnet henne om bilder av helt nyfødte barn bare timer gamle, en slags årvåken intethet som bare nybakte foreldre kunne lese ting inn i. Hun hadde hatt slag. Hun forstod antagelig ikke hva som skjedde rundt henne. For selv om ansiktsmuskulaturen var borte, ville vel ikke selve uttrykket i øynene forsvinne? Hun visste ikke. Annet enn at det var ubehagelig. En gang på T-banen i Oslo møtte hun blikket til en mann i tredveårene. Han satt med et halvsmil, og hun holdt blikket hans altfor lenge før hun så vekk, hun kunne ikke ha vært mer enn femten-seksten år. Hun trodde mannen forsøkte å legge an på henne, og ble livredd, begynte å planlegge og gå av banen på stasjonen etter ham uansett hvor han skulle, så han ikke kunne følge etter henne. Plustelig reiste han seg og gikk mot døra, med en hvit stokk viftende fremfor seg.

– Jeg er Torunn, vet du. Barnebarnet ditt. Det er synd at vi aldri har møtt hverandre før.

Hun begynte å gråte, slapp den gamle hånda, skyndte seg inn på det tilstøtende badet, fant papir. Hva stod hun nå her og sippet for. Måtte ta seg sammen. Hun hørte døra gå opp, og lyden av en vase som ble satt på nattbordet. Hvis han stakk innom kiosken, ville han se hvor hun hadde kjøpt dem, ville forstå det lettvinte ved det. Hun trakk ned doen og pusset nesa i ly av støyen. En metallkurv på veggen var fylt av hvite latexhansker. I søppelbøtten skimtet hun flere sammenkrøllede bleier med skygger av mørkt inni.

Margido hadde ikke satt seg, han stod ved fotenden av senga og holdt i stanga, rugget litt frem og tilbake med overkroppen.

– Har du kanskje tenkt å bli her en stund? spurte han.

– Jeg vet ikke. Jeg må vel ringe og si at jeg er kommet. Til ... faren min.

– Jeg har vært her siden i natt. Tor var her i formiddag mens jeg fikk sovet noen timer på et rom jeg fikk bruke.

– Jada, jeg kan sitte her. Forstår hun hva man sier? Selv om hun ikke liksom ... ser meg?

– Tror ikke det. Kanskje.

– Hva sier legene?

– De vet ikke noe ennå. De første døgnene etter et slag er ganske avgjørende. Men hun virker stabil, sier de. Det behøver visst ikke å sitte noen her denne natta.

– Vi har aldri møtt hverandre før. Hun og jeg.

– Nei.

– Ikke du og jeg heller. Du er jo onkelen min. Det er rart.

– Ja, det er ... rart.

– Hva jobber du med?

– Det har vel Tor fortalt deg.

– Nei. Vi har ikke snakket så mye om det.

– Jeg driver et begravelsesbyrå.

Hun ringte faren. Han skulle komme etter kveldsstellet i fjøset, han ville være der i ni-tida. Det var fint at hun var kommet, sa han. Og sa at da kunne hun sitte på med ham hjem etterpå.

– Jeg bor på Royal Garden, sa hun.

Han ble stille.

– Det er jo det enkleste, sa hun. – I og med at sykehuset også ligger i sentrum.

De hadde mange dyner. Og rom. Det var et stort hus, sa han. Gammeldags trønderlån, påbygd i lengden, flere etapper gjennom et par hundre år.

– Vi får se, sa hun. – Men det blir likevel ikke i natt,

da. Nå har jeg jo bagasjen min på hotellet og har sjekket inn, da må man uansett betale.

Det forstod han. Hun husket plutselig hvor sparsommelig hun hadde forstått at han var. Så hvis en løgn kunne berolige ham. Og morens spandering ville hun ikke nevne.

– Da sees vi om noen timer, da, sa hun.

Den gamle kvinnen sovnet straks etterpå. Hun satte seg på den stolen hvor Margido hadde sittet, tok forsiktig den gamles hånd, den venstre denne gang. Den hadde en tube for intravenøst festet på håndbaken. Hun la pannen mot sengekanten, lukket øynene. Den gamle pustet jevnt ut og inn. Fra korridoren lød stemmer og lyd av en tralle. Sisternen på toalettet suste fremdeles, kanskje man måtte gi knotten en ekstra dytt ned. Skulle hun sitte her i over to timer og holde en fremmed hånd, hva hadde hun rotet seg opp i. Begravelsesbyrå. Makabert. Skulle hun bare reise seg og gå. Ringe og si at dette orket hun ikke, hun skyldte dem ingenting.

Hun danderte hånda på dyna og slapp den, hentet boka opp fra veska.

Hun våknet av at han stod der. Krimboka lå på gulvet. Nakken verket. Hun kjente lukt av fjøs enda han stod flere meter unna. Han hadde en annen jakke enn forrige gang, en slags parkas, den var slett ikke ren.

– Hei, sa hun, uten å reise seg. – Jeg sovnet visst. Hun sover hun også.

– Jaha. Jaha ja.

Han så seg om etter en stol, det stod en under vinduet, han hentet den og satte seg på den andre siden av senga. Smilte litt, og så fort på henne.

– Annen farge på håret. Og lengre. Ellers er du likedan, sa han, og hufset seg inne i parkasen, tok den ikke av seg, enda så varmt det var her. Mellom hver gang hun snakket med ham glemte hun den sakte og omstendelige trøndersken hans.

– Ja. Du òg, sa hun. – Ganske likedan.

– Det gikk fint med ... flyet og sånn? Eller tok du tog, kanskje?

– Nei, fly ja.

– Det er bra. Går fort, det.

– Jeg tenkte litt på å kjøre selv, sa hun.

– Huff nei. Nesten ikke lys å kjøre i, nå i desember. Og glatt. Bra du ikke gjorde det.

– Jeg visste ikke at broren din drev begravelsesbyrå?

– Nei, vi har vel ikke ... Traff du ham?

– Ja. Han satt her da jeg kom. Jeg følte meg passe dum. Snålt at vi ikke har snakket om han. Når jeg tenker på det ... Hver gang jeg har spurt om sånne ting, har du snakket det bort. Hvorfor det, egentlig?

– Men nå skal vi vel ikke ... Vi har ikke mye kontakt, han og jeg. Han er ikke hjemme på Neshov. Skal jeg hente litt kaffe, kanskje.

– Nei, det behøver du ikke. Hvor gammel er han?

– Han ... skal vi se... Jo, han er vel femtito år. Tre år yngre enn meg.

– Og den andre broren din. Hva gjør han?

– Nei, hva han gjør ... Margido fikk tak i ham i morges, sa han. Han bor i København. Flyttet dit for tyve år siden.

– Og han er ... hvor gammel?

– Han er bare ... snart førti, blir det vel.

– Bare noen år eldre enn meg?

– Ja.

– Hvorfor har vi ikke snakket om dem, da?

– Vi har jo ... snakket om andre ting.

– Om dyr. Stort sett, sa hun.

– Dyr er ikke akkurat det verste å snakke om, sa han og smilte litt.

– Hvordan går det med grisene?

Han rettet ryggen, så henne beint i øynene og smilte bredt: – Siri fikk tretten unger i natt.

– Jøss! Så flott!

Siri hadde hun hørt mye om. Var visst reneste Einstein, den purka.

– Og så fikk jeg fem på søndag, la han til.

– Bare fem? Du har jo sagt at hvis kullene går under ti, så ...

– Fire døde. Ni tilsammen. Men det var det første kullet hennes. Aldri særlig mange på det første.

– Ble de syke? De fire?

– Purka tok dem. Ble redd og ful. Da kan det skje.

Han kastet et fort blikk på morens ansikt. Han hadde ikke tatt hånda hennes.

– Det har jeg hørt om. Stakkars unger.

– Å, de merket ikke så mye. Når de er nyfødte, kjenner de ikke særlig smerte. Men det var så utgjort. Forbaska utgjort. Fine unger. Forbaska. Og et evig styr med å få melk i de levende.

– Du ringte vel veterinæren? Så purka fikk noe å roe seg på?

– Nei. Ordnet det selv. Det gikk fint. Litt bal og mas bare, så ordnet det seg.

– Kommer forresten ... Erlend? Hit?

Han skiftet stilling på stolen, begynte å rote med noe i en lomme, lyset forsvant fra ansiktet hans, det lyset som var der helt plutselig da han snakket om grisene, hun angret at hun spurte, angret seg voldsomt. Hver bevegelse fra kroppen hans sendte ny fjøslukt ut i rommet.

– Vet ikke. Margido sa ikke så mye om det. Men nå vet han det, i alle fall. At hun er syk. At hun ligger. Men hun blir jo helt fin igjen. Det tror *jeg*. Hun er nemlig helt frisk ellers.

– Jeg vet ikke om hun fikk med seg noe. At jeg kom.

– Det er fint at du kom. Fint for deg òg.

– For meg? Hvordan da?

– Huff. Du ... vrir og vender. Hun er jo farmoren din.

– Har hun noen gang spurt etter meg? Om meg?

– Hun vet at vi snakker sammen på telefon. Jeg fortalte det til henne at du giftet deg.

– Herregud. Det er jo tusen år siden. Fortalte du at jeg ble skilt også?

– Ikke akkurat. Men et års tid etterpå spurte hun om du hadde fått barn. Jeg sa at du ikke skulle ha. At du hadde sagt det. At du ikke skulle ha. Det syntes hun ikke var noe rart.

– Hvorfor ikke?

– Det vet jeg ikke. Det sa hun ikke.

De ble stille. Hun ville tilbake til hotellet, og sa det, sa at hun var sliten, at det ble sent i går kveld, at hun sov dårlig i natt og hadde jobbet helt til hun måtte hjem og pakke og dra til Gardermoen.

– Blir du med til gården i morgen? spurte han, og rotet voldsomt i den lommen igjen.

– Klart det.

Hun sa ikke at hun ikke ville sove der.

– Se grisene, sa han.

– Det gleder jeg meg til. Du har vel en ekstra kjeledress.

– Å ja. Får ikke komme i fjøset uten. Smittevern. Sånt er viktig. Og så setter ikke lukta seg i klærne dine.

Antagelig kjente han den ikke selv.

– Jeg kan komme hit i morgen formiddag. Se til henne, sa hun. – Så kan vi jo møtes her. Har du den samme bilen?

– Volvoen? Joda. God som gull, den. Hvordan da?

– Ikke for noe. Bare lurte. Da drar jeg, da.

– Jeg skal snakke med legen etterpå, sa han.

– Margido sa at ingen trengte å sitte her i natt.

– Sa han det. Jaja. Jeg får snakke med dem likevel.

– Sees i morgen, da.

Hun fant et ledig bord i baren på Royal Garden, bestilte en kaffe og en konjakk. Gasspeisen brant illusorisk vakkert. Hun hadde lyst på en sigarett. Hun kjente hun ville gråte igjen. Sitte slik, to mennesker med hodene stikkende opp på hver sin side av ei hvit dyne med et sovende, antagelig døende menneske under. Det var moren hans. Han var glad i henne, bodde sammen med henne, hadde gjort det hele sitt liv. Og hun som ikke hadde greid å la være å kjøre ham slik. Antagelig fordi hun hadde sovnet, bråvåknet, plutselig ikke hørt hjemme der. Men hvem hørte hjemme på et sykehus, på Slagavdelingen. I hvert fall ikke han. Og hun hadde bare turet i vei, snakk om elendig taiming, hun kunne ha spurt ham om dette tusen ganger tidligere. Hun hadde jo gjort det også, ikke tusen men noen, og han hadde snakket det bort, hver bidige gang, til hun sluttet å spørre, hun husket hun en gang hadde tenkt at disse brødrene høyst sannsynlig hatet tanken på at hun eksisterte, at de ikke kunne fordra henne, at faren ville skåne henne og derfor ikke ville snakke om dem.

Hun tømte konjakkglasset og bestilte et nytt. I morgen ville hun være snill mot ham.

Flere av mennene i baren sendte henne blikk. Hun satt her for seg selv, en enslig kvinne ved et bord alene en tirsdags kveld, det var lett å skjønne hva de trodde. Hun trakk nøkkelkortet opp av lommen og la det på bordet foran seg. Hun bodde her, kunne sitte her alene så mye hun ville, dette var ingen invitasjon, ingen måtte innbille seg noe, de visste ingenting om henne.

Flybussen tømte et nytt lass mennesker inn av glassdørene, med trillekofferter og bæreposer som strittet av glorete julepakker, resepsjonsdisken ble skjult av kropper og bagasje, det snødde ute, snøen lå på alles skuldre, til tross for den korte avstanden fra bussen. Selv hadde hun spasert til hotellet fra sykehuset, en vidunderlig tur, unnsluppet fra sykerommet, over broen mot Nidarosdomen opplyst som et juleeventyr, gjennom byen forbi Bybroa, langs elven, snø overalt, snø i håret og mot kinnene, hun ringte Margrete og sa at alt gikk fint, dette gikk fint, dette skulle gå fint, bare hilse på sin komatøse farmor, besøke faren på gården og få se disse grisene hans, deretter hjem. Ingen grunn til at dette ikke skulle gå helt fint.

HANS FØRSTE TANKE var at han måtte late som ingenting. Hvis han på noen måte viste at dette gikk inn på ham, ville Krumme insistere på at han dro til Norge og Trondheim, og dessuten insistere på å bli med, og den tanken var uutholdelig, da fikk han se alt, oppdage hvem han egentlig var, han ville være avslørt, Krumme ville slutte å elske ham umiddelbart.

Hun skulle antagelig dø. Han hadde drept dem i tankene for tyve år siden, alle fire, og nå skulle hun dø på ordentlig, det var ikke rettferdig, dette passet ikke inn, han kunne forresten bare late som han dro dit. Dra to dager til London i stedet, komme hjem til Krumme igjen og si at nå var hun død og begravet, de begravet sine døde innen et døgn på Byneset, det var eldgammel tradisjon, kunne han si.

Krumme var sint. Eller lei seg, det var vanskelig å avgjøre. Han satt i alle fall på kjøkkenet foran nystekte brød uten å ha kokt kaffe, eller åpnet avisa, eller smakt på brødene, satt bare helt stille med armene på bordet og stirret fremfor seg.

– Jeg vet ingenting om deg, sa han.

– Begynner du nå igjen! Hvem er et menneske, da? Bare fordi jeg har truffet din krakilske søster og dine fordomsfulle og snobbete foreldre så vet jeg liksom hvem du *er*? Jeg er meg! Den du ser! Verken mer eller mindre!

– Du trenger ikke bli drama queen. Eller gå i strupen på meg. Jeg er ikke sint, bare lei meg.

– Ikke vær det. Please.

– Du har en bror.

– Jada. Jeg har to.

– To?

– Ja. Og en mor som ligger for døden, det var det han ringte om. En mor jeg driter i.

– Ligger hun for døden? Herregud.

– Ja, herregud. Så grusomt, liksom. Gud så grusomt, jeg dør av sorg!

– Ta deg sammen.

– Jeg tar meg sammen. Se! Nå har jeg tatt meg sammen. Nå har jeg sørget ferdig over min mor. Vips! Det gikk jammen fort over, du.

– Så du drar ikke? Broren din ringte vel for at du skulle komme. Ellers ville han ikke ha ringt.

– Ja kan du fatte og begripe hvorfor han ringte. Bare fordi jeg sendte ham et morsomt postkort i fylla for fem år siden.

– Gjorde du?

– Ja. Jeg fant et kort med kliss nakne damer som danset rundt en åpen kiste med ayatollah Khomeini oppi.

– Hvorfor sendte du ham det? Er han politisk aktiv?

– Han driver et begravelsesbyrå.

– Du er ikke riktig klok.

– Mulig.

– Så du har altså ikke tenkt å dra. Til din egen mors dødsleie.

– Ikke si det på den måten. Hva syns du jeg skal gjøre, da?

– Jeg kan da ikke mene noe om dette, Erlend. Det er jo ...

– På de kanter av kloden måler man menneskeverdet etter hvor mange som tropper opp i begravelsen. Stappfull kirke betyr at mennesket var høyt elsket. Hvis jeg er fraværende blir jeg faktisk svært synlig ...

– Hun skal vel ikke begraves ennå. Eller ... står det om timer?

– Aner ikke. Men hvis jeg bare tok flyet rett opp og ned igjen, fikk de litt å snakke om. At til og med *jeg* kom. Og hun ligger på sykehus. Det er jo ikke slik at jeg behøver å dra hjem til dem.

– Jeg forstår ingenting av det du sier, skatt. Sammenhengen. Hva du vil. Det er så mye vi ikke har snakket om.

– Det er ikke noe å snakke om! Spis! Jeg har bakt brød! Det er jul snart! Vi har en stor julefest i morgen kveld! Og selvsagt drar jeg ikke. Jeg ringer og hører hvordan hun har det. Siden i dag. I morgen. I dag skal jeg begynne med bordet. Dra på jobben, du nå.

Så det hadde ikke vært tilfeldig det med enhjørningen. Et varsel. Helt åpenbart et varsel. Også den fornemmelsen og uroen han hadde kjent i natt. Ingenting var noensinne tilfeldig. Og nå gjaldt det å kjempe imot, ikke la seg falle, men hvorfor hadde Margido ringt ham? Det var en ond ting å gjøre, han måtte da begripe at nyheten om moren absolutt ikke ville gjøre at han slapp alt han hadde i hendene og øyeblikkelig fløy til Trondheim, plutselig etter tyve år. Han ringte nok bare for å fiske i dårlig samvittighet. Kristne dust, hva hadde vel han å bekymre seg for, som bare kunne lene seg til Gud og Jesus og Den heldige hånd og finne hvile.

Slag. Et underlig ord. Fått slag. Ikke ett slag, men

bare rett og slett slått. I bakken. Greide ikke å snakke, sa Margido, bare lå der. Off-line. Åtti år, var hun blitt. En gammel dame på åtti år lå på Regionssykehuset i Trondheim og var moren hans. Det het visst ikke det lenger, forresten, St. Olavs Hospital kalte Margido det. Trønderne hadde åpenbart gått av skaftet i sin iver etter å gjøre middelalderby av det lille tettstedet sitt. Hadde spurt om han ville komme og se henne en siste gang. En siste gang, liksom! Hvem var det som var drama queen her? I hvert fall ikke han. Det siste han så av henne, var ryggen hennes. Hun stod foran kjøkkenbenken og fiklet med noe suppegreier hun fylte i tomme melkekartonger som skulle i fryseren. Hun snudde seg faen ikke engang da han sa adjø. Var sur fordi han reiste, hadde vært sur om han var blitt. Yngstegutten på Neshov er mannemann, fyttikatta for skam. Den eneste som hadde godtatt ham var farfaren. Bestefar Tallak, verdens beste bestefar, tok ham med på sjøen og lærte ham kilnotfiske etter laks. Det skulle Krumme ha visst, at han kunne kilnotfiske. Men da bestefar Tallak døde, var det jo ingen grunn til å bli værende der. Og da han sa at ville flytte inn til byen og begynne på Form & Farge på Brundalen Yrkesskole, låste alt seg. Moren var blitt hysterisk og hadde sagt at selv om han var så annerledes enn alle andre, behøvde han i hvert fall ikke ta utdannelse i det, og skjemme dem alle ut. Da ble valget enkelt. Siden Trondheim lå for nær familiens gode navn og rykte, fikk han dra enda lenger. Men nå ville han legge all mimring bak seg, han hadde viktigere ting fore. Han dusjet, kledde seg og dro ut i byen. Han konsentrerte seg om å nynne og å tenke på bordet. Men først måtte han hente Krummes Matrix-frakk, den skulle være ferdig i dag.

Den var et syn, skinnskredderen hadde gjort en fantastisk jobb. Krumme ville dø av lykke, og innbille seg at Matrix-frakker faktisk ble produsert i slike obskure størrelser og fasonger. Han fikk den pakket i knall rosa glanspapir og betalte gladelig den uhyrlige summen omsyingen kostet. Deretter begynte han å handle til bordet. Blodrød sateng, og gulltaft, gullservietter i to størrelser, halvmeterhøye gulldekorerte lys. Satengen var skinnende metallblank og utgjorde selve duken, mens taften fikk ligge som en elv midt på bordet. I elven ville han plassere kuler i gull og sølv, stjerner og glitterdryss, og bittesmå buketter misteltein og lauvbærblader ved hver kuvert.

HUN HUSKET HVA moren hadde sagt om utsikten. Å runde neset fra den travle byen var som å fly inn i en annen verden, en verden av ro og lys og uendelig lange linjer, hva var egentlig dette med å se vann, være ved vann, denne roen som kom av å se på svære flater av vann. Lukta i bilen ble ikke så ille da hun fikk kjøre med åpent vindu fordi hun tok en sigarett. Det var greit for ham at hun røykte i bilen. Dessuten ble lukta uviktig, det hun så gjorde luktene uviktig. For Byneset var et julekort av snø mot fjord, rykende piper, et slør av dis lå midtfjords og brøt det blå, fjellene på den andre siden var en akvarell malt med mye vann og tykk pensel. Gårdene lå i svake lier ned mot fjorden, små skogholt presset seg inn i symmetrien som svarthvite tuer. Hun sa høyt hvor vakkert hun syntes det var, og at hun av og til kunne ønske hun var fotograf eller maler i stedet.

– Jeg er så vant til det. Ser det ikke lenger, sa han.

Den lange og staselige alleen forberedte henne ikke på selve gården. Alleen stod i skarp kontrast til husene. De svingte inn på tunet, og hun kunne straks se forfallet. De var alt hun så, de første minuttene. En fattigdom som langsomt vokste henne i øynene. Flere ruter i andre etasje i hovedhuset var erstattet med finérplater. Hvitmalingen på sørveggen var nesten borte og blottet grått treverk.

Gammelt metallskrot tøt ut fra undersiden av låvebrua, rustent og slaskete slengt sammen. Noe som en gang måtte ha vært et stabbur, var sunket sammen på den ene siden, en stabel med rustne felger uten dekk lå ved enden av fjøset, ved siden av en tilhenger som støttet seg dobbelt skrått på hengerfestet, den hadde bare ett hjul. Og enda lå det masse snø her, hvordan ville det vel se ut når den barmhjertige snøen smeltet og avdekket enda mer skrammel og skrot.

– Ja, da var vi her.

Med det samme han kuttet tenningen, hørte de ny motordur.

– I alle dager, sa han og steg raskt ut av bilen. – Jeg sa jo at jeg skulle hente det selv! Har da ikke råd til å få pallene tilkjørt som en annen godseier!

En lastebil trillet inn på tunet. Han ble stående og se vekselsvis på den og på henne, som om han ikke visste helt hva han ville gjøre.

– Hva er det? spurte hun. – Hvem er det som kommer?

– Nei, det … Det er kraftfôr, jeg er nesten tom. Du kan bare gå inn i kjøkkenet så lenge. Inn bislaget der.

– Skal jeg ikke hjelpe deg, da? Bære inn og sånn?

– Nei, det greier Arne og jeg fint. Det er mannfolkarbeid, det. Bare gå inn på kjøkkenet, du.

Han måtte vel sitte der inne, farfaren hennes. Hun banket på begge dører før hun åpnet dem og var inne på kjøkkenet. Det var ingen her, men hun hørte noen lyder fra etasjen ovenfra. Kjøkkenet luktet surt. Hun stiltret seg over gulvet og banket på en dør som gikk videre inn. Ingen svarte, og hun åpnet. En stue med en TV, en sofa, noen lenestoler, et langt smalt salongbord i teak. Stoltrekkene hang frynsete over trerammene, i to av dem lå flate puter i bunnen, sittet på lenge uten at noen hadde banket luft i dem. Sofaen var grå og flekkete, med tre broderte sofaputer i grelle farger, knallgult mot oransje, lysegrønt mot rosa. På bordet lå et forstørrelsesglass på en duk, noen aviser, et åpent brilleetui. Tre tomme kaffekopper uten tefat under stod på den ene enden av bordet, og et fat med smuler. Oppå TVen stod en død potteplante, i noe som lignet sammensurret aluminiumsfolie. Hun var borte og pirket på den, det var en hermetikkboks inni, og planten stod i vann helt opp til kanten av boksen. I de to vinduskarmene stod likedanne potteskjulere, og alle plantene unntatt én var døde. Det var iskaldt i rommet, like kaldt som på kjøkkenet. Hun gikk tilbake inn dit og kikket ut av vinduet, over en nylon kjøkkenkappe, hvit og lyseblå, men brunaktig på den ene siden der utetermometeret hang og det var naturlig å løfte opp kappen for å se på termometeret. De bar på sekker, faren og en annen mann, bar sekkene inn den åpne fjøsdøra. Hun trakk pusten og så seg om i kjøkkenet.

Et respatexbord inntil vinduet, tre stålrørsstoler med røde plastseter, en stripete fillerye i plast på gulvet, kjøkkenbenk uten lysrør over, en utrolig skitten utslagsvask med turkis gummikant og en høy varmtvannsbereder på veggen over. Skap som skrånet inn nedover, avslitt maling på hver ende av skyvedørene, en eldgammel komfyr av den typen man løftet opp metallet rundt kokeplatene, metallet var svart emalje med hvite prikker, hun gikk bort og satte kaffekjelen over på benken og løftet metallet opp og stirret ned i dype render, lag på lag av gammelt middagssøl og kaffegrut. Kjøleskapet var av eldgammel modell, med en knapp på håndtaket man måtte trykke inn for å åpne det. Hun åpnet det ikke, rundt håndtaket var det mattbrunt av fingermerker.

En skjærefjøl lå på benken med en kniv oppå smulene og mørke flekker av inntørket syltetøy, og et brød pakket inn i en plastpose som hadde vært brukt mange ganger, den var matthvit av skrukker. På et stativ ved vasken hang to plastposer etter hver sin klype, og et blårutete kjøkkenhåndkle. Hun kikket ut vinduet, de bar på sekker fremdeles. Hun lyttet opp, nå hørte hun ikke en lyd ovenfra.

Hun slo gruten fra kaffekjelen i utslagsvasken og fylte på rent vann, og la hånda på den platen hun trodde hørte til venstre bryter. Tallene rundt bryteren var slitt vekk. Da hun kjente en svak lunk, satte hun kjelen på. Kjelen var vel ren inni, selv om den var dekket av fettsprut på utsiden.

Ved siden av en enorm svart vedkomfyr stod en sinkbalje med vedskier og gamle aviser. Ovnsdøra var bitte liten, den største døra åpnet til en stekeovn som var fullstablet med kakeformer og bakebrett. Ovnen var iskald. Hun satte seg på huk foran ovnsdøra og kikket med det samme rundt i rommet etter en panelovn. Hun oppdaget en under kjøkkenbordet, under vinduet, hun gikk bort og kjente på den, den stod på 130 grader, det laveste. Hun skrudde den ikke høyere, men fyrte i stedet opp i vedkomfyren, rev opp aviser og snurret papiret hardt sammen og la i bunnen. Veden var tørr og fatnet med det samme. Først da hun så flammene og kjente varmen fra dem, begynte hun å tenke. Dette kjøkkenet stemte dårlig med ting han hadde fortalt om moren sin. Han hadde fortalt at hun vasket og ordnet og laget mat, hadde fremstilt henne som en driftig kvinne, ordentlig gårdskjerring som ordnet alt og stilte høye krav til seg selv og andre. Her var det bare møkkete og fælt, rommet ga henne assosiasjoner til reportasjer om fattige russiske familier.

Hun fylte etter med ved og satte ovnsdøra på gløtt for å få god trekk. Hvis han tilbød henne noe å spise, ville hun takke nei, til tross for at hun var skrubbsulten. Hun vasket hendene over utslagsvasken uten å røre det inntørkede såpestykket med svarte, parallelle sprekker som hang fra en magnetholder på veggen, forsynte seg heller med en sprut Zalo fra flaska på kjøkkenbenken. De sparte nok godt på den. Håndkleet som hang ved siden av, tok hun ikke i, viftet i stedet hendene i lufta foran ovnsdøra til de var tørre. Der kom han skrittende over tunet på vei mot bislaget. Mannen fra lastebilen var med. De kom ikke inn på kjøkkenet, men hun hørte en dør åpnes ute i gangen, og farens stemme som etter en liten stund sa: – Det skulle vel være akkurat, inkludert bryderiet. Men det var nå for galt at du ville komme med fôret, uten at jeg ... Bare fordi mor er blitt syk. Det var nå for galt. Men takk nå, og god jul.

– Så du må betale kontant for fôret, sa hun, da lastebilen var kjørt og faren var kommet inn i kjøkkenet.

– Koker du kaffe, ja. Nei, det var noe annet jeg skyldte ham for.

– Jeg har fyrt opp også, det var jo iskaldt her. Hvor er faren din, forresten?

– Å, han driver vel med forskjellig.

– Han er frisk og fin? Greier å ...

– Jada. Ordner med ved og sånn. Kløyver og bærer inn.

– Hvorfor er han ikke mer på sykehuset? Er det bare du og Margido som ...

– Han var med da hun ble innlagt. Han er ikke så glad i sykehus.

– Nei, hvem er det. Du må varsle han at det er kaffe, da.

– Han har nok drukket kaffe, han. Og tatt seg brødskiver, ser jeg. Han roter fælt.

– Ville jo gjerne truffet ham, da. Når jeg først er her.

– Nåja, det er ikke så nøye. Han er ikke helt med. Jeg tror ikke vi skal begynne å ...

– Skal jeg ikke få treffe ham?

– Vi skal jo i fjøset. Vi skal jo ...

– Greit.

Han satte seg ved bordet, men reiste seg straks igjen.

– Vi har noen kjeks. Mor har bakt noen kjeks, vet jeg.

– Du trenger ikke å finne, jeg skal ikke ha, er ikke så glad i kjeks.

– Men en brødskive?

– Nei takk. Jeg spiste en kjempefrokost på hotellet.

– Men du har ikke med noe ... bagasje, så jeg.

– Nei, jeg kom på at ... jeg drar hjem i morgen. Nå har jeg jo sett henne. Dessuten kan jeg ikke bo her når jeg ikke får treffe faren din.

– Det er da ikke sånn. At du ikke ... Han vet ikke hvem du er, han.

– Akkurat. Der kom det.

– Kom hva?

– At han ikke aner at jeg eksisterer.

– Joda.

– Han vet det ikke. Jeg føler meg som en idot.

– Torunn, da ...

– Vet han det, eller vet han det ikke.

– Han trenger ikke å vite *noe*! Den mannen er ikke *med*, sa jeg jo!

– Slapp av. Vi behøver ikke snakke mer om det. Nå koker vannet, hvor har dere kaffen?

Han pekte på en rød boks med plastlokk. Hun fylte rikelig med kaffe i kjelen, tok en ekstra raus skje etter at hun så det var nok. Han kommenterte det ikke. Hun lot det koke opp på nytt før hun holdt kjelen under kranen og fylte på en skvett kaldtvann.

– Dette kan du, sa han. – Jeg trodde byfolk bare brukte kaffetrakter, jeg.

Han smilte, hun smilte tilbake, han virket så stakkarslig. Han satt fremdeles i parkasen, satt der foran kjøkkenvinduet som om han var på besøk.

– Du får finne frem kopper, du, sa hun.

Han brød seg ikke med tefat, men hentet en skål sukkerbiter ned fra skapet. Han kikket i skålen og var borte foran matskapet og fylte oppi flere sukkerbiter fra en eske. Da han reiste seg for å legge mer ved i ovnen, tok hun jakkeermet og gned rundt i bunnen av kaffekoppen og langs kantene. Da kunne hun i hvert fall proppe seg med sukker til kaffen, siden de kom direkte fra emballasjen, og si at hun var en skikkelig søtmons.

Han ga henne en gammel kjeledress og et par brune slagstøvler. Det var lenge siden den kjeledressen hadde sett innsiden av en vaskemaskin. Hun fikk kle seg om inne på fôrrommet. Det lå høye stabler med sekker der, og midt i rommet en svær trakt av et slags tykt og grovt tøy, som munnet ut i en metalltut nederst, med en skyveanretning. Det var pellets på gulvet under, innholdet i sekkene skulle vel fylles oppi der. Her var det ikke mye automatisering. Hun som trodde at bønder vasset i subsidier og konkurrerte om å ha siste skrik innen arbeidsbesparende innretninger.

Hun tok av så mange av sine egne klær hun våget, uten risiko for å fryse i hjel. Hun ville bli nødt til å pakke inn de hun beholdt på i plastposer, de luktene hun allerede var innhyllet i, fikk lukta i bilen til å virke som en behagelig aperitif. Men hun gledet seg. Gledet seg voldsomt til å se disse dyrene som fikk ansiktet hans til å lyse, og på telefonen: den omstendelige trøndersken hans til buldre i vei uten stans.

– De er ikke vant til fremmede i fjøset. Gammelpurkene kjenner dyrlegene, men ellers ser de bare meg. De kommer nok til å lage litt lyd, sa han da hun stod der i kjeledress og støvler og følte seg underlig velkledd.

Hun hadde aldri vært i et grisefjøs og hadde bare sett levende gris ved noen få anledninger. Det var liksom ikke noe man tenkte over, at man ikke ofte så levende gris på ordentlig. Kyr og hester var man vant til gikk i innhegninger alle vegne, men griser var innendørs, man måtte kjenne noen, eller ha et ærend i et grisefjøs. På klinikken i Oslo hadde de en vaktavtale med en rideskole, det var det nærmeste hun kom halm og båser og dyr større enn en Grand Danois.

Det var et hylende leven inne fra fjøset. I neste sekund ble det plutselig helt stille, som om de stod og lyttet aktpågivende. Deretter begynte de å lage et voldsomt leven igjen.

– De har hørt at jeg er her, sa han. – Det er utenom fjøstid. De lurer nok fælt nå. Det er alltid sånn. Og når det er grising på gang, må jeg jo renne ut og inn. Da maser de andre voldsomt. Tror det er julaften hver gang jeg kommer.

Ingenting kunne ha forberedt henne på synet av avlspurkene. De var monstrøse fjell av levende masse, med korte tykke føtter under. Trynene glinset våte og beveget seg kjapt i stadig nye retninger som om de bare var leddet fast til resten av hodet, øynene var små blå hull i det gigantiske kraniet, ørene danset og skalv, halvt oppreist, halvt hengende. Ørene var så digre at de skygget for blikket og gjorde at de måtte vri hodet mot siden og stirre fra øyekroken. Blikket var stikkende opphisset, betraktet henne som om hun hadde gjort noe galt, hun greide ikke å lese noen mimikk rundt blikket, fant ikke annet enn mistenksomhet. Sakte vinterfluer beveget seg rundt dyrene, og flere av purkene laget en nærmest bjeffende lyd da de hørte stemmen hennes: – Så digre de er! At det går an! Hvordan greier føttene å bære alt det der? Hvor tunge er de, egentlig?

– Så så, bare rolig! sa han og gikk bort til den nærmeste bingen. Purka stolpret seg mot ham, gryntet og pustet og var med trynet oppe i hånda hans. – Griser ser litt dårlig, men de hører at du er en ukjent. Nei, de veier rundt to hundre kilo, helt opp mot to hundre og femti når de har hatt noen kull. Disse tre veier nok bortimot et kvart tonn hver.

– Det har du vel sagt før også. Hva de veide. Men jeg kunne liksom ikke forestille meg at de var så enorme. Det virker nesten litt ... makabert.

– Flotte dyr. Fine føtter på alle tre, òg. Hun som ikke har reist seg ennå, heter Sura. Hun er ikke helt til å spøke med. Kan glefse. Det er egentlig rovdyr, dette, vet du. Men ungene sine behandler hun alltid som en skikkelig premiemor. Det er kloke dyr.

– Ja, det har jeg jo skjønt. Jeg mente ikke å si at de var stygge. Men de er så svære! Jeg *ante* ikke at ...

– Skal ta fra dem ungene i romjula, og få dem i ny brunst.

– Og hvor lenge er det til du kan selge ungene, da?

– Fem måneder. Best slaktepris på våren.

– De kommer nok til å savne ungene sine ...

– De blir veldig opptatt av hverandre rett etterpå, purkene, når jeg tar dem vekk fra ungene. Voldsomt flokkstyr med griser. Rangordning og sånn.

– Akkurat som med hunder ...

– Mye verre, tror jeg. Når jeg fører purkene sammen, er det alltid et helvetes leven. Tre purker plutselig i samme binge på det viset, og kamp for å få førsterangen i bingen. Fy faen, da gyver de løs på hverandre. Derfor tar jeg dem sammen rett før natta når de er slitne og mette. Bare å slukke lyset og gå ut og håpe på det beste.

– Men herregud, kan de greie å ta livet av hverandre?

Hun forsøkte å se for seg tilsammen trekvart tonn rasende dyr i en eneste mølje, ikke engang tre rottweilerhanner kunne komme opp mot noe slikt.

– Nei. De er for tunge og svære, vet du. Men de prøver. Jaggu prøver de!

Han lo litt, var lys og lett nå, med hendene i kjeledresslommene og svai i ryggen.

– De er kjempefine, sa hun. – Hvor gamle ... hvor gamle er ungene? Nå når de må si adjø til mammaen sin?

– Fem uker. Og ti–tolv kilo. Om knapt fire måneder er de hundre. Men vil du ikke se de nyfødte ungene? Siri sine?

– Jo!

– Men Sara, hun som tok fire av dem på søndag ... Tror ikke vi skal begynne å herse med henne noe særlig.

Hun merket ikke luktene lenger. Og purkene var ikke spesielt skitne, de var mer støvete enn skitne, med halmrusk her og der, og sagmugg på skinkene etter å ha ligget på gulvet. Avføringen lå pertentlig i den ene enden av bingen, hun hadde forestilt seg at de tråkket rundt i sin egen avføring. Hun spurte ham om det.

– Kyr og okser i løsdrift driter overalt. Men griser er renslige dyr, sa han. – Gjør fra seg på en fast plass. Hvis de velter seg i gjørme, er det for å avkjøle seg, siden de ikke kan svette på vanlig vis. Og når gjørma tørker og faller av, tar den med seg parasitter. Men det er når de er i vill tilstand, da. Ikke mange parasitter her inne! Neida, de er ingen griser. Og de har instinktene sine fra naturen i god behold.

Hun tenkte på klinikken, den blanke linoleumen, renholdet, desinfiseringen. Fjøset stod i skarp kontrast til steder hvor syke kjæledyr ferdes, likevel slo fjøset henne som rent. Alt som var her, måtte nesten være her. Halmen og sagflisen, og det torvstrøet han hadde fortalt henne om før, jernholdig torv som gjorde grisungene rosa. De måtte få bruke instinktene sine, visste hun, med å rote rundt i jord og ete litt av den. Selv om torvstrøen var et bedrag, med betong rett under. Veggene i fjøset bestod av svære steinblokker stablet på hverandre, med små glugger høyt på veggen. De vinduene var vel det skitneste her inne, gjenvokst av spindelvev, uten å slippe særlig lys inn. Det var lysrørene i taket som lyste opp rommet, men de var også ganske fulle av spindelvev.

– Her er de, sa han.

På samme måte som hun hadde vært uforberedt på purkenes størrelse, kom synet av ungene bardus på henne. De lå under en rød varmelampe, sovende i en skimrende og tettpakket dunge.

– Så bitte små … I forhold til moren, hvisket hun.

Purka lå og hvilte, reiste seg ikke. Hele buken hennes var hissigrød, pattene stod som mørke knapper, på rad og rekke i det røde.

– Hun er sliten nå, Siri, sa han, lukket seg inn til henne, satte seg på huk, dro en skive brød opp av lomma og ga henne. Hun slafset den i seg mens hun smågryntet. Han klødde henne bak begge ører. Torunn betraktet dem. De kjente hverandre, var knyttet til hverandre, så hun, mannen og grisen.

– Kan jeg også få komme inn i bingen?

– Tror ikke det. Men jeg skal hente opp en unge til deg. Det er greit for Siri så lenge jeg er her.

Han lirket løs en sovende grisunge, løftet den opp i neven og ga henne. Hun tok imot den som en nyfødt baby. Den var varm som fløyel å ta på, med en svak duft av melk. Det knøttlille trynet var rosa og gullende rent, halen strittet rett ut fra den bitte lille rumpa. Hun løftet den opp til ansiktet, den glippet nyvåken med øynene og laget små sutrende pustelyder. Øynene var himmelblå under lyse vipper.

– Har aldri sett noe så nydelig, hvisket hun. – Den er finere enn kattunger og valper og alt. Helt perfekt, jo ...

– Hold den godt. Hvis Siri begynner å ruffe, reagerer den øyeblikkelig. Jeg vet ikke når de diet sist.

– Ruffe?

– Lage matlyder. Kalle til mat. Jeg kaller det ruffing. Da kommer de stormende til henne i et eneste kok, mens de omtrent fremdeles sover. Og da spreller den lille tassen der seg ut av hendene dine på et øyeblikk.

Men Siri ruffet ikke, og ungen roet seg i hendene hennes, duppet av litt igjen. Hun ville aldri slippe den, kunne stå her i timer med dette lille miraklet opp til ansiktet. Den vesle øret lå glovarmt mot kinnet hennes.

– De liker kroppskontakt, sa han.

– Tror vel kinnet mitt er søsteren eller broren, hvisket hun og la leppene mot kroppen. – Og dette skal bli kjøtt. Bacon og ribbe i kjøledisken.

– Liksom meningen det, ja, sa han. – Det er derfor det er best slaktepris på våren.

– Hvordan det?

– Grillsesongen. Større enn jula også, den.

– Det har jeg aldri tenkt på. Man tror liksom at gris er jul. Ribbe og sylte og sånn. Men det er klart, når engangsgrillene kommer frem ... Huff, tenk om de visste det. Syns du ikke det er rart selv? At de bor her inne i fjøset hele livet og ...

– De vet ikke om annet. Har ikke noe å sammenligne med. De har det godt. Driver i liten skala jeg, vet du. Har tid til alle. Og de går fritt rundt, styrer og ordner seg imellom. Vet vel ikke hva de skal protestere mot, annet enn hverandre. Nei, de har det godt, grisene mine.

– Helt til de blir slaktet.

– Går fort det.

– Er du ikke av og til trist når du sender dem av gårde til slakteriet?

Hun hvisket fremdeles. Ungen sov, med hodet hvilende i den ene hånda hennes. Halen hang spiss og avslappet, ikke større en en liten bit spaghetti.

– Joda. Av og til. Må si det. Det kan være en og annen luring som stikker seg ut, har personlighet. Enkelte blir en ganske ... knyttet til, eller hva en nå skal kalle det. Men sånn er det jo, folk vil ha kjøtt, men orker ikke kjenne eller slakte dyrene selv. Noen må ta på seg jobben. Både med å fø dem frem, og slakte dem.

– Og når Siri begynner å få små kull ...

– Huff, ja. Det blir ikke moro. Blir syltetøy på maten en stund, da ...

Han smilte og snudde seg mot purka igjen, klødde henne, gjentok lavt: – Blir syltetøy en stund da, ja ...

Siri laget noen rare lyder nærmest som svar på det han

sa, og det var like før ungen i hendene hennes falt i gulvet da den på et sekunds varsel begynte å sprelle frenetisk.

– Hjelp! Ta den!

De nylig avvendte grisekullene stod i tre adskilte binger og begynte å springe rundt da hun nærmet seg. De oppførte seg som hundevalper, hun måtte le høyt. En av dem la seg ned med forbeina flatt og rumpa til værs, som en hund som inviterte til lek. Halene hadde fått krøll på seg nå. Ungene virket kjappe og lette i kroppen, og var like rosa som byfolk trodde. En rosafarge de åpenbart langsomt vokste av seg. Purkene var mer grå og gulhvite enn rosa.

– De er kjempefine! sa hun. – Men altfor store til å løftes opp, dessverre.

– Og friske.

– Kan jeg få holde en av Siri sine igjen, når de er ferdig med å spise?

Ikke engang da hun kledde seg om på fôrrommet, tenkte hun på lukta lenger. Hun misunte ham, det var det hun gjorde. Det økonomiske slitet skjenket hun ikke en tanke, enda han hadde fortalt henne mye om det, hvordan kjøttprisene ble presset fra alle kanter, og alt papirarbeidet for å få dette KSL-tillegget per kilo hvis man oppfylte en drøss med krav og påbud, alt fra gjødselplan til innredning og veterinærsjekk.

Hun misunte ham å ha dette fjøset fylt av dyr, levende skapninger han kjente og stelte for, var knyttet til, så gagn i.

Han ville ikke inn i kjøkkenet igjen, hun så ham kikke mot vinduet.

– Da kjører vi tilbake, kanskje? Eller ... hva vil du? sa han.

– Du skal vel på sykehuset igjen.

– Ja. Sitte der noen timer.

– Trasig for deg, dette. Kjøre sånn imellom. Og nå når det er jul og all ting.

– Å. Den jula kommer nå enten en vil eller ei. Feirer ikke mye jul her, vi. Og hun kan jo komme seg ennå.

– Ikke til julaften, vel. Det tror du vel ikke. Det er bare fem dager til julaften.

– Vi får se.

Han satte henne av utenfor hotellet. Hun sa hun ville handle litt, slappe av.

– Og jeg drar hjem i morgen, vet du, la hun til.

– Jaha.

– Jeg sa jo det. Torsdag er i morgen. Jeg kan møte deg på sykehuset og si adjø. På formiddagen. Når du er ferdig i fjøset. Kanskje hun ... er litt mer våken også da.

– Kan godt være det.

– Takk for ... at jeg fikk bli med deg. Du er heldig, du.

– Heldig?

– Som har så fine griser. Skulle ønske det var meg.

– Da hadde du ikke hatt råd til hotell, sa han og smilte. – Går ikke an å leve av dette. Ikke slik som jeg driver.

– Men dere gjør jo det. Lever av det.

– Mor og ... far har jo pensjonen sin. Og vi bruker ikke penger på annet enn det vi må. Da går det så vidt rundt. Så vidt. Det er slakteriet og butikkene som tjener pengene. Ikke jeg.

Hun tenkte på de fire årene han betalte bidrag. Hvordan de måtte ha jobbet for å sende fra seg de ekstra kronene. Anna Neshov hadde vel vært rasende på ham for det. Og kanskje på henne også.

– Da sees vi i morra, da, sa hun.

Etter å ha forlatt den skitne Volvoen ble resepsjonen på Royal Garden som å tre inn en fremmed verden. Dekorasjonen med gullepler og hvite engler, karamellfargede clubchairs, mennesker i skikkelige klær, det dype teppet, varmen. De skulle ha sett kjøkkenet på Neshov. De skulle ha holdt den lille grisungen inn til kinnet, mot leppene. Men skulle alle blitt sentimentale og nektet å spise grisungen ved oppnådd slaktevekt, ville Tor Neshov ha absolutt null å leve av, leve for.

Hun ville kjøpe en julegave til ham før hun dro. Oppe på rommet ringte hun banken og fikk øket kredittlimiten sin med fem tusen kroner. Hun dusjet og skiftet undertøy og sokker, spiste opp peanøttene og alle sjokoladene i kurven på skrivebordet, gikk opp i sentrum og kjøpte cheeseburger og løkringer og Pepsi Max på Burger King, og bladde litt i et VG noen hadde lagt igjen. Ingenting av det som stod der, interesserte henne. Det var mørkt ute allerede, minusgrader og klarvær. Gatene med granbardekorasjoner og opphengte lyspærer vrimlet av mennesker og biler. Gjestene på Burger King hadde fulle bæreposer stablet inntil stolbeina. Hun sendte en sms til Margrete om at hun kom hjem i morgen. Med det samme ringte hun reisebyrået i Oslo. Det var lang ventetid, hun ble bedt av en svarer om å legge igjen nummeret sitt, så ville hun bli oppringt uten å miste plassen sin i køen.

Hun kjøpte et kaffekrus formet som en gris hvor halen var hanken, en kilo kokemalt mokkakaffe, brunt kandissukker på pinner og et sett mørkeblått ullundertøy.

Langermet trøye og lange underbukser, kostbar, tynn ull som ikke skulle klø. På Polet på Byhaven plukket hun med seg ei flaske Bell's whisky til ham. Da hun stod i kassakø inne på Polet, ringte reisebyrået. Hun gikk ut av køen og fant billetten i veska. De hadde ikke noe ledig fly før tidligst fredag.

– Men jeg vil hjem i morgen! Jeg betaler fullpris!

Det hjalp ikke. Tidligst fredag ettermiddag. Tanken slo henne med det samme at hun ikke ville fortelle ham at hun skulle være en dag ekstra. Hun kunne gå en tur på byen, bare kose seg, roe ned, fordøye inntrykk, ligge i senga på hotellrommet og drikke rødvin og se på TV. En liten ferie fra alt.

Da hun puttet billetten ned i veska, kom fingrene hennes borti noe uventet glatt. Hun løftet det opp. Det var en eske med dadler.

– ALLMEKTIGE GUD, himmelske Far, vi kaller på deg for henne som strir sin siste strid. Vi ber om at du selv vil gjøre henne beredt til å forlate dette livet og komme for ditt åsyn. Se ikke til hennes synder, men se til din Sønn Jesus Kristus, han som døde for våre synder, og som lever og vil stå sammen med oss i dommen. Herre Jesus, du som er veien, sannheten og livet: Slipp henne ikke i dødsskyggenes dal, la din Ånd selv gå i forbønn for oss med sukk som ikke kan uttrykkes i ord, og som du hører. La Anna få se din nådes lys, og led henne inn til din fred.

Han lukket Bønneboka og foldet hendene sine både over boka og hennes hånd, bøyde hodet og knep øynene igjen. Han ville gjerne ha sagt noe om å tilgi, men den bønnen han hviskende hadde fremsagt etter flere ganger å ha forsikret seg om at døra var forsvarlig lukket, fikk holde. Han hadde gjort sin plikt. Kanskje hun hadde hørt det. Og hvis ikke, hadde han uansett gjort sin plikt. Ikke som sønn, men som en mann som håndterte sorg og avskjed på profesjonelt vis. Noe annet kunne han ikke gi henne, ville ikke gi henne. Det var tvert imot hun som burde åpne øynene og be ham tilgi henne for at hun hadde skjøvet ham inn i år av bortkastet troende bedøvelse, som eneste utvei.

Han visste hun ikke trodde på Gud. Langt inne håpet han at det skakke, siklende ansiktet bare var en motorisk lammet maske over et våkent sinn som hadde hørt hvert ord. Da åpnet døra seg med en gispende lyd. Han løftet sakte hodet og åpnet øynene, regnet med at det var en sykepleier som stod der. Men det var Tors datter som kom. I oilskinjakke, dongeribukser og svarte støvletter, en hvit bærepose i hånda, og en rød polpose med gullstjerner.

– Gud, er hun blitt sykere? Siden du ...

– Neida. Men dette går bare én vei, sa han. – Får bare håpe at hun slipper snart. Ikke må ligge i evigheter på sykehjem.

– Unnskyld at jeg ... Det bare glipper ut.

– Hva da?

– At jeg sier Gud på den måten ... Jeg mener ikke noe med det... for jeg skjønner jo at du ...

– Det er greit.

– Jeg setter bare tingene mine her så lenge, jeg. Stikker ned i kiosken og kjøper meg en Pepsi. Den safta på tralla her er så lunken.

Han var borte og kikket i posene. Flere innpakkede julegaver i den hvite, og ei flaske whisky i polposen. Hvordan skulle dette gå, Tor som ikke var vant til å forholde seg til andre enn moren. Plutselig få en datter slik. Og alt hun ikke visste, skjønte. Stakkars jente, han burde skremme henne sørover igjen, få henne vekk fra denne virkeligheten hun garantert ikke ville ha godt av. I natt i to-tida ringte Erlend også, fullstendig oppløst, antagelig full, bablet i vei om karma og nemesis og onde varsler, et eller annet om en *enhjørning*, umulig å få hode og hale i, med mange fremmede stemmer i bakgrunnen. For å få stanset ham hadde han fortalt at Torunn var kommet, siden han antok at Erlend ikke ante at Tor hadde en datter. Han hadde angret seg med det samme han sa det. Det var blitt stilt i den andre enden. Og etter å ha summet seg litt ville Erlend ganske riktig vite når hun var født og hvem Tor var gift med, og han var blitt nødt til å sette ham inn i fakta, at det faktisk var skjedd allerede mens Erlend bodde hjemme på Neshov. Erlend begynte å stortute, og Margido trodde med det samme at det var fordi ingen hadde fortalt ham noe før, og ble redd for at han skulle måtte ta ansvar for det også, men da Erlend greide å snakke igjen, påstod han at han gråt av lykke fordi han plutselig var blitt onkel, og nå ville han *i hvert fall* komme en tur oppover, når det var slektstreff.

Erlend må ha vært ruset på mer enn alkohol, tenkte han, for å finne på å bruke et slikt ord om denne familien. Han ville ringe senere og si når han kom, Margido tok det for gitt at senere betydde i dag tidlig, men ufattelig nok ringte han allerede en halv time etter, da Margido var sovnet igjen på nytt, og fortalte at han hadde fått plass på flyet, ville lande på Værnes kvart på fem, som om Margido skulle stå der og vente på en bror som bare dro sin kos for tyve år siden uten annet livstegn i mellomtida enn et makabert postkort antagelig skrevet og sendt i påvirket tilstand. Og rom på Royal Garden hadde han fått, en mann med et underlig navn Margido ikke fikk med seg, hadde ordnet alt, men denne mannen skulle ikke være med. Var vel en elsker, det da. Margido visste ikke at man fikk bestilt fly og hotell midt på natten, men det var nok dette Internettet de hadde brukt. Der lå det egen hjemmeside for Neshov Begravelsesbyrå også, fru Marstad hadde ordnet det med en ung nevø av seg som var flink til slikt.

Der kom hun tilbake. Han reiste seg.

– Bare sitt, du! Jeg vil ikke forstyrre.

– Du forstyrrer ikke, jeg skal gå likevel. Jeg har en begravelse i dag klokka ett. Mye som må gjøres. En ung gutt som hengte seg.

– Huff. Stakkars.

– Kjærlighetssorg, sa han.

– La han igjen et brev om det, da?

– Ikke om kjærlighetssorgen, men en liten lapp hvor det stod unnskyld.

– Stakkars foreldre.

– Unge gutter snakker ikke mye seg imellom, så når de opplever kjærlighetssorg, tror de verden går under.

– Vet ikke så mye om slikt, jeg.

– Onkelen din kommer forresten i dag. Du kan jo si det til Tor. Skal bo på Royal Garden. Er det ikke der du bor også?

– Jo! Onkelen min? Fra København? Men jeg drar hjem ... i dag, jeg.

Han begynte å ta på seg frakken, romsterte voldsomt med den og lot som om han ikke fant ermet for å skjule hvor lettet han ble.

– Var hyggelig at du kom, i alle fall, sa han, og håpte hun forstod hva han mente, at dette ikke var en begynnelse på noe, men en avslutning.

– Eller kanskje jeg venter med å dra hjem til i morgen. Hvis Erlend kommer, mener jeg. Hadde jo vært moro å treffe ham.

Han skulle ikke ha sagt det. I farten hadde han bare tenkt at da slapp han å ringe til Tor.

– Jaha. Javel, ja. Men da må jeg gå. Du får ha en god jul.

– Jeg var ute på gården i går.

– Hvorfor det?

– For å se på dyrene.

– Er du interessert i dyr?
– Jeg er nettopp blitt medeier i en smådyrklinikk.
– Er du veterinær, kanskje?
– Nei. Bare assistent. Men vi tilbyr kurs og spesialprogram for problemhunder. Det er blitt ganske svært, og jeg har bygd det opp, så nå er jeg medeier. Han er veldig stolt av gården sin. Det var fint å se.
– Det er ikke hans gård.
– Hva mener du?
– Det er mor sin.
– Han er da eldst av dere tre?
– Odelsgutt, ja. Men gården er aldri skrevet over på ham.
– Men moren din ...
De så på henne begge to. Hun sov, med en surklende snorkelyd.
– Jeg trodde, fortsatte hun, – jeg trodde det var faren din som ... hørte til gården. At det var hans familie som ...
– Jada. Men han kan ikke bestemme noe. Det er mor som har bestemt. Far har alltid bare gjort det han har fått beskjed om. Og Tor har drevet gården. Men gården er ikke hans.
Hun stirret på ham.
– Hva er det egentlig du prøver å si? sa hun.
– Bare at ... at det er veldig mye som er uavklart her. Dette er ikke en familie som du ... som du vil trives særlig godt i.
– Jeg drar hjem i morgen, sa jeg jo!
– Jeg mente ikke å ... Nei, du får ha god jul, da. Det var hyggelig å ...
– God jul kan du selv ha!

Det snødde da han parkerte ovenfor Byneset kirke, ved siden av fru Marstads stasjonsvogn. Han angret på det han sa til Torunn, men forhåpentligvis gjorde det sitt til at hun etter hvert forstod at dette ikke var en familie hvor man kjøpte julegaver til hverandre, og at Neshov ikke var et blivende sted.

Det snødde så tett at fjorden stanset mot en vegg av grått bare hundre meter ute. Han elsket denne kirka, en av de eldste steinkirkene i landet, snart ni hundre år gammel. Den lå i en bakkeskråning ned mot fjorden, enda det var et sted lenger opp som ville ha vært mye mer egnet. Et gammelt ord ville ha det til at dette stedet hadde vært et mektig kultsenter for en sterk hedensk guddom, og derfor ble kirka lagt her. St. Michaels kirke på Stein het den opprinnelig. Men slik var det med alt. Ord skulle være lettvinte, man brød seg ikke med tradisjon og historie.

Kirkas alder gjorde at han ikke følte seg ubekvem med å komme inn hit, han steg ikke inn i et Gudshus med løgn i hjertet, han steg inn på historisk grunn, med utallige generasjoners pinsler og gleder i veggene, vanlige menneskers brokete livsløp. Bordet stod allerede klart rett innenfor døra. Han kostet snø av skuldrene, fisket kammen opp av lomma og fikk håret på plass, glattet etter med flat hånd. På en hvit duk stod en fururamme med et fotografi av en ung gutt med lyst sidekjemmet hår, det var et skolefotografi, gutten virket forlegen og ubekvem, tvunget til å smile av en overivrig fotograf. Smilet kom ikke innenfra, øynene ville vekk. Ved siden av fotografiet ventet en lysestake med et utent hvitt lys, og på den andre enden av bordet stod gaveurnen, med et håndskrevet kort nederst, i fru Marstads litt gammeldagse løkkeskrift – «Takk for din gave til

Spongdal Ungdomsklubb. På vegne av familien». Kondolanseprotokollen lå åpen på første side med en ventende kulepenn. Han hørte stemmer lenger innenfra, i det samme gikk døra bak ham opp og et blomsterbud stavret inn med armene fulle av blomsterdekorasjoner pluss tre buketter som hang fra snorer rundt håndleddene hans.

– Helsikes drittvær, sa han og nikket til Margido, et nikk blottet for skam over språkbruken, enda Margido kunne vært biskopen i egen person, for alt han visste.

Han fikk blomsterbudet med på å hjelpe til med kista. Kirketjeneren var en nyansatt liten flis av ei jente, og selv om både fru Marstad og han selv var sterke, burde de være fire på å få kista fra bårehuset og ned på katafalken. Fru Gabrielsen var fullt opptatt på kontoret med pårørendesamtaler. Budet vegret seg, men Margido lot som om alt var opp og avgjort, og ledet an opp til den lille røde bygningen.

Der ventet en Modell Natur lutet. Ingen av dem sa noe, bare løftet og bar og voktet på sine egne bein for hvert skritt, nysnøen gjorde det umulig å få øye på issvullene. Gutten var ikke særlig tung, men sammen med kista ble det uansett alltid en solid bør. Da kista omsider stod trygt på katafalken og fru Marstad trillet den opp mellom benkeradene, var budet forduftet i samme sekund. Kirketjeneren hentet en fille og tørket snøen av kista da den stod på plass. Fru Marstad hadde båret inn lysestakene og blomstervasene.

– Sangheftene? spurte Margido.

– De ligger i konvolutten i veska mi, jeg skulle akkurat til å legge dem på bordet da du kom, sa hun.

Det var med lettelse han konstaterte at det ikke bød på noen problemer å overlate nesten alt arbeid til damene. Mens han hadde sittet ved morens sykeseng, var ikke en ting blitt glemt, i tillegg var de i gang med to nye begravelser. Ingen av disse to nye krevde hjemmebesøk, men stell på sykehjem, det var begge gamle folk, derfor hadde han sagt ja da de ringte. Damene likte ikke å stelle lik hjemme hos avdøde med forferdede pårørende rundt, hysteri og sammenbrudd. Sangheftet til Yngve Kotum viste en pastell av et vinterlandskap på forsiden, sammen med navn, fødselsdato og dødsdato. Det var Fosse prest som hadde valgt salmer sammen med dem. Så ta da mine hender. Leid, milde ljos. Alltid freidig. De ville ikke ha solosang, men hadde bedt organisten spille Air av Bach. De ville bare ha det overstått, skjønte han, og det forstod han godt. Søstrene skulle visst si noe, det var alt.

Folk begynte å strømme til i sjeldent god tid. Den lille steinkirka hadde ikke plass til mange, det visste alle, samt at folk ville gå mann av huse for en slik tragedie. Han og fru Marstad var ikke ferdige med å dandere båndene med minneord før de første ankom, med våte skuldre og snø i håret. Kirkerommet luktet snart av fuktige klær og avskårne blomster, han gikk sakte rundt og delte ut sanghefter til de som ikke hadde forsynt seg selv. Under begravelser skjedde alt sakte, bevegelsene, smilene, nikkene, det var som om alle instinktivt visste at i dette lå på mange måter ærbødigheten for selve døden.

Talglysene ble tent, kirka ble stadig fullere, de pårørende kom nesten sist, moren ble halvveis båret inn av døtrene. Det var ellers vanlig at pårørende kom før alle andre. Guttens far håndhilste på Margido og beklaget hviskende forsinkelsen, hans kone fikk et slags sammenbrudd rett før de skulle dra, sa han, nå hadde de gitt henne en av de sovetablettene legen la igjen den natta Yngve døde, det var det eneste de hadde i huset, bortsett fra paracet, og det trodde de ikke ville virke bra nok. Margido viste dem frem til første benkerad på venstre hånd hvor de sank ned og stirret på kista som for første gang, der den stod underlig kantet midt i et duvende blomsterhav, i skjæret fra levende lys og med desemberdagen så vidt synlig gjennom de høye og meterdype buevinduene. Klokkene kimet, spredte bud så langt det lot seg gjøre gjennom snødrevet, organisten var begynt å spille et preludium. Mange gråt allerede åpenlyst rundt om i kirkerommet, det ville ikke være sitteplasser til alle. Margido var glad for at kirka ikke pleide å pynte med juletre, en slik påminnelse ville ikke ha vært til å bære for de pårørende, de ville ha blitt nødt til å fjerne det. De holdt seg med julekrybbe i Byneset kirke, det var også mye mer passende, syntes han, en praktfull gammel julekrybbe med halmtak.

Da Fosse prest tok over regien og Margido bare skulle vente på tidspunktet hvor han skulle lese høyt fra silkebåndene, sank han inn i egne tanker og lot seremonien rulle av gårde. Hvor lenge til han selv måtte sitte på fremste benkerad. Og hva skulle de kle på den gamle. Eide han klær de kunne bruke til slikt. Og hvem ville komme og sette seg langs benkene bak dem, de hadde jo ikke hatt omgang med noen på årevis.

Yngves søstre stod hånd i hånd ved kista nå. De sang noe de hadde skrevet selv, til en velkjent melodi, men han orket ikke å komme på hvilken, de sang i hvert fall om fugler, og at lillebror selv hadde vært en fugl, en trekkfugl som plutselig forlot dem da det ble for kaldt. Folk hulket åpenlyst langs benkeradene, snøt seg og tørket øyne med hjelpeløse, stive bevegelser, det stod stuvende fullt av mennesker i midtgangen bakerst i kirka, tre ungdommer holdt om hverandre, på gulvet lå et sanghefte mange hadde tråkket på, det var grått av væte. Han ville så inderlig gjerne vært alene her inne, kanskje han skulle hente nøkkelen hos kirketjeneren en dag snart, låse seg inn og være her en stund, lytte til stemmene fra veggene uten å skamme seg over at han verken trodde på himmel eller helvete lenger.

– Alt har sin faste tid, alt som skjer under himmelen, har sin tid: en tid til å fødes, en til å dø, en tid til å plante, en til å rykke opp; en tid til å gråte, en til å le, en tid til å sørge, en til å danse; en tid til å lete, en til å miste …

Det kom helt bakpå ham at ordene fra presten traff ham. Han svelget flere ganger etter hverandre. Han var plutselig blitt tørr i munnen. Det var umulig for ham å forlate denne stolen, umulig, han fikk ta seg sammen. Han løftet blikket mot kalkmaleriene, de groteske maleriene, han måtte vekk fra prestens ord, inn i det makabre, vekk fra det som stod i grell kontrast til maleriene på veggen, det ene forsøkt skjult bak en malplassertopphengt tavle, festet der for ikke å støte dagens sognebarn som var forvent med at kristendom handlet om kjærlighet og at ingenting hadde konsekvenser, i dag tok Jesus imot alle som angret og bekjente sine synder, det var aldri for sent. Det ene maleriet viste djevelen selv som satt på huk over en trakt. Trakten stod i munnen på en liggende synder med oppsvulmet buk, og ned i trakten fosset djevelens avføring, malt som brunrøde klumper.

Djevelen hadde vinger og bukkehorn, og ett enkelt tvunnet horn midt i pannen. Djevelen flirte, mens han tittet ned på synderens voksende buk. På den andre veggen stod Syndemannen, med de syv dødssyndene strømmende fra ulike deler på kroppen, hver synd formet som tykke ormer med gapende kjefter hvor synderne hang fast. Og over det hele, skrevet med store bokstaver: Mors tua, Mors Christi, fraus mundi, gloria coeli et dolor inferni sunt meditanda tibi. Din død, Kristi død, verdens elendighet, himmelens herlighet og helvetes pine bør betenkes av deg ... Her stod de for flere hundre år siden på hardstampet jordgulv, kroppsluktende og sammenklemte stod de og stirret i avmakt opp på kalkmaleriene og lyttet til prestens ord, på den eneste fridagen de hadde i uka. Arme mennesker, hva forstod de vel den gang, hvordan slet de ikke for å fatte sammenhengen, hvordan slet de ikke fremdeles med å fatte sammenhengen, selv om kirka hadde fått sitteplasser og oppvarming og djevelens ekskrementer var hensynsfullt tildekket.

Det var først da kirka var tømt og fru Marstad var kjørt opp til gården med blomstene som skulle dit, at kirketjeneren sa det.

– Stakkars mennesker, begynte hun.

– Ja, svarte han, og plukket halvnedbrente talglys ut av stakene.

– Og så på den måten. Var du med og stelte ham?

– Ja. Det er jo jobben min.

Det passet seg ikke å ha en ung kvinne som kirketjener i denne gamle og ærverdige kirka, det passet seg rett og slett ikke. Kvinner plapret og maste, og så ung som hun var. Han kunne ikke forstå hva kirkevergen hadde tenkt på da han ansatte henne.

– Jeg vet da det. At det er jobben din. Men ikke noe brev? spurte hun.

– En liten lapp med en unnskyldning. Men det var visst noe med en jente.

– Ikke det jeg har hørt, sa hun.

– Jasså? sa han, og samlet lysestumpene i en Remapose.

– Noe med en gutt, har *jeg* hørt. At han var en sånn … du vet. Homofil.

Det siste ordet hvisket hun frem.

Han slo sammen katafalken og fikk den i bagasjerommet i Citroënen, sammen med lysestaker og tomme blomstervaser, la kondolanseprotokollen i passasjersetet, stilte gaveurnen i gulvet. Det lå en god del konvolutter på bunnen. Han lyttet til ordet inni seg og tenkte på det at hun måtte hviske det frem. Måtte hviske fordi hun stod i Guds hus og sa noe så stygt. Han var uansett død nå.

Fugler. Syklet til Gaulosen for å se på fugler. Noterte når svalene kom.

Da han hadde kostet bilen ren for snø og var på vei over Ristan bru, skrudde han på mobilen. Det kom straks en beskjed om at han måtte ringe mobilsvar. Han ringte, håpte beskjeden var fra Tor, om at hun var død, at det var over. Men det var Selma Vanvik, den nyslåtte enken, han måtte komme til henne, hun savnet ham, hva om han kom på julaften, så slapp hun å feire hjemme hos et av barna, det var så mye ståk der, bare de to, hun ville lage det han var vant til å spise, det ville bli koselig, var det ikke en god idé kanskje. Han hørte ikke beskjeden ferdig, trykket den vekk, slengte mobilen i passasjersetet oppå kondolanseprotokollen og kjørte inn til siden av veien ved en avkjørsel. Han svingte føttene ut i snøen, tok snø i hendene, gned snøen rundt i ansiktet og over issen, bøyde nakken, ga seg til å studere de våte hendene sine og snøflakene som falt på de svarte bukseknærne som var så kalde at snøen ble liggende der uten å smelte.

HAN OPPDAGET IKKE at han var begynt å gråte før han satt der og gjorde det. I dag dro hun hjem. Hjem. Hun sa han var heldig som hadde så fine griser, hun hadde forstått det, sett dem, skjønt en flik av livet hans, og så dro hun. Gitt ham gaver også. Han kunne ikke huske når han sist fikk en gave. Hvis han ikke regnet med at Arne kom kjørende med kraftfôret, da. Gratis. Han hadde aldri opplevd noe slikt før, han pleide å bruke halve dagen på å hente fôret med traktoren, bære og stable alene. Og der kom Arne kjørende og til og med hjalp ham med å få det i hus. Nei, noe slikt ... Det ville han aldri glemme ham for. Men hun hadde da ikke behøvd å takke for de dadlene, dem måtte hun nå i alle fall ha, når hun ikke spiste annet enn sukkerbiter da hun endelig kom til Neshov.

Og der stod de, i gulvet foran passasjersetet, posene med gaver. En hel whiskyflaske i en knall rød pose, og andre ting, innpakket, han fikk få det inn på vaskerommet når det ble mørkt, han var så glad for at det snødde, det var slike ting han måtte konsentrere seg om nå, at i dag måtte han brøyte, brøyte grundig og lenge, og etterpå kanskje smake på whiskyen, selv om hun hadde formant ham om at det var en julegave, og gitt ham en klem, hun luktet så godt og lignet voldsomt på moren sin, enda så mye eldre hun var enn Cissi den gangen. Var det derfor han var begynt å gråte? Satt her og sippet som en liten drittunge, det hjalp ikke engang med vindusviskere og spylevæske, det var blitt vanskelig å se skikkelig.

Legen sa i dag at det var liten sjanse for et nytt slag, hvordan visste de slikt? Skulle tro de var trollmenn. Eller innbilte seg at de var det. Nå sa de at det var hjertet det handlet om, hjertet hennes var ikke sterkt. Tullinger. De skulle ha sett henne bare for noen dager siden, hvordan hun svingte seg på kjøkkenet, vispet hvit saus til fiskeboller og skrudde opp radioen da de spilte Det lyser i stille grender.

Nei, hun var nok snart på beina igjen, kjekk og rask. Og selv om hun måtte en svipptur på sykehjem først, for å komme seg, ville alt bli annerledes fra nå av. Hun hadde sett Torunn, alt ville bli annerledes fra nå av. Neste gang kunne de få prate skikkelig sammen, de to, om slikt farmor og barnebarn pleide. Men han måtte få moren fra å nevne dette med bidraget, det var ikke lenge siden hun tok det opp igjen, ble visst aldri ferdig med disse pengene som militærtida hans kostet dem. Det måtte han virkelig få henne fra å nevne, det var da ikke Torunns skyld, hun ble bare født, hun, kunne ikke noe for det, og hun var oppkalt, det måtte da telle for noe, selv om hun ikke lignet Neshovslekta. Han snufset lenge og grundig og tørket seg om nesa med håndbaken. Hadde vært artig og sett henne igjen, Cissi, som luktet av brent sukker og boller og softis og suttet på en hårtjafs når hun ble forlegen. De hadde vært forlegne begge, og han hadde ikke forsøkt siden, med andre. For når det ble barn av å fomle slik, var det jo livsfarlig. Å tømme seg varmt og febrilsk allerede før man fikk kommet skikkelig i gang med, det han brant etter å gjøre, og så var det blitt barn av det. En eneste gang. Ubegripelig. Men alt det kunne han jo aldri fortelle til moren, hun var hellig overbevist om at de hadde holdt på som kaniner i månedsvis, på hver eneste helgeperm, uten tanke for konsekvensene.

Og i dag dro hun. I stedet kom Erlend, Margido hadde fortalt henne det, at onkelen hennes kom, brukt det ordet, sa hun. Han lurte på hva Margido tenkte om henne, han fikk jo så vidt treffe moren hennes den gangen. Han var seksten år og midt i den stumme puberteten, rødmet voldsomt da Cissi spurte ham om et eller annet under det ene måltidet hun fikk oppleve på Neshov. Margido var vel blitt like forelsket som han selv allerede var, alle måtte jo elske Cissi. Alle unntatt moren, for henne var ikke et drivendes nordnorsk arbeidsjern godt nok. Hadde hun bare ikke tatt så bramfritt for seg av maten, tenkte han, det var det som gjorde utslaget. Moren hadde bakt leverpostei og dekket på til formiddagsmat, med syltetøy og ost og nybakt brød, og altså denne leverposteien. Cissi smurte smør på brødskiva si og skar deretter en tykk *skive* av leverposteien og løftet over på brødet. Han ville aldri i sine levedager glemme uttrykket i morens ansikt. På Neshov stakk de knivspissen i leverposteien, pirket frem en bit og strøk en tynn film av leverpostei på brødet. Og samme sekund som moren fikk ham på tomannshånd, fortalte hun ham nøyaktig hva en slik ødsel levemåte kunne koste en gård, hva det betydde å ikke tenke sparsommelig også i de små tingene, og ikke bare i de store. Cissi var antagelig som haren, sa hun, tenkte ikke på vinteren mens sommeren var varm og trodde det bare var å kuppe en odelsgutt slik helt uten videre. Han innvendte at hun kanskje bare ville vise hvor stor pris hun satte på kokekunstene, kanskje hun ikke engang likte leverpostei når alt kom til alt, og at hun forsynte seg så grovt bare for å være høflig. Men innvendingene hans prellet av, moren hadde fått

Cissi i vrangstrupen. Også da han to dager senere tok mot til seg og fortalte at hun var med barn, var moren ubøyelig og rasende, kastet potetskrelleren etter ham da han sa det. Cissi satt på et pensjonat inne i byen og ventet, men måtte dra nordover igjen, med skammen sin. Hadde bare bestefar Tallak vært der den dagen Cissi kom, og ikke vært til byen med laks. Hvis Tallak hadde møtt henne og likt henne, ville han til og med ha våget å trosse moren og tatt saken opp med bestefaren.

Men Cissi dro, med Torunn i magen. Og da var det bare én ting å gjøre: jobbe. Jobbe fra tidlig morgen til sene kveld i fjøs og på jorder, jobbe seg kvalm av anstrengelse, for å glemme lukta av håret hennes, de myke, kritthvite underarmene og drømmen om å ha henne gående barndiger rundt på Neshov mens hun snakket syngende opp og ned på nordnorsk.

Faren hadde selv fyrt opp i TV-stua, og satt der inne. Satt og leste i Nationen. Så den hadde han greid å hente selv fra postkassen, til og med greid å fyre opp i stua etterpå. Han satt i den stygge, skitne strikkejakken med hull på den ene albuen. Ubarbert var han òg. Barberte seg visst ikke lenger. Hvitt, piggete og ujevn bust på kjakene og langt oppetter kinnene, mørkebrune hår som stod blanke fra nese og ører. Det slo ham plutselig at faren var omtrent like gammel nå som bestefar Tallak hadde vært da han døde, likevel husket han bestefaren som intenst livsglad og *ung*, i forhold til farens miserable fremtoning. Hadde bare bestefaren vært her nå, med den glade stemmen, besluttsomheten i hver bevegelse, han ville ha visst å berolige. Han ville ha sagt det Tor selv tenkte, at hun snart ville være på beina igjen, hun var sterk som en fjording.

Tallak ... Han kjente et plutselig bluss av savn, men tok seg straks i det. Hvorfor i himmelens navn skulle han savne ham akkurat nå, og etter så mange år. Tallak var fortid, forrige generasjon. Men likevel, minnebildene av Tallak var så utrolig sterke. Ikke bare av mannen selv, men stemningen han skapte rundt seg, av overmot, optimisme, en tro på at alt gikk an, bare man *ville* det, av hele sitt hjerte. Han så ham for seg ved kjøkkenbordet, ivrig speidende ut på himmelen om morgenen, mens en sukkerbit lå og godgjorde seg i kaffedammen på tefatet, øyenbrynshårene som dirret over blikket, det lange slurpet da sukkerbiten hadde mistet sine skarpe kanter og var blitt *moden*, som bestefaren kalte det.

Utetermometeret viste minus to, da ble snøen liggende, kanskje det ble daglig brøyting i ukevis, han gledet seg til å høre på værmeldingen. Da han parkerte Volvoen, hadde han planlagt en kaffekopp først, og så lese Nationen. Den eneste luksus han fikk moren med på, ikke engang lokalavisa holdt de seg med, eller kjøpte andre aviser, enn si ukeblader. Bondebladet kom en gang i uka, men det var fordi de var medlem i Norsk Bondelag. Nationen kostet penger, men til og med hun skjønte at de måtte holde seg orientert om landbrukspolitikk, det holdt ikke med rundskriv fra Norsvin. Nei, man måtte sette seg inn i WTO-forhandlinger og EU-debatt og kjøttpriser. Dessuten var det moro å lese om bønder som drev annerledes enn en selv, og med andre dyr, eksperimenterte med struts og lama og hoppemelk. Han gikk inn i stua. Faren satt urørlig med avisa i hendene, så ikke opp.

– Den er min, sa Tor, og rev den til seg. Faren lot hendene synke i fanget og så en annen vei.

– Har ikke du ting å gjøre? sa Tor. – Det er ikke søndag.

Det hadde slått ham i natt, at siden moren var den som pleide å fortelle ham hva han skulle ta seg til, trodde han visst det var ferie nå. En utvidet juleferie i forkant. Ikke en eneste gang etter innleggelsen hadde han spurt hvordan det stod til med henne.

Han lukket kjøkkendøra bak seg. Det var ikke fyrt opp i vedkomfyren på kjøkkenet, og baljen var tom. Han åpnet døra igjen.

– Det er tomt for ved her.

Så smalt han døra igjen. Mannen fikk gå ut den andre veien, han orket ikke å se den tassende, lutende gangen hans, høre kremtene og snufsene, alltid hang det en dråpe klar væske fra nesetippen hans. Hvordan skulle det bli, å være her alene med ham hvis hun ikke kom seg på beina igjen snart. Han slengte avisa på kjøkkenbordet, skrudde på radioen, satte over kjelen, skar seg to brødskiver, unngikk så vidt å kappe av seg venstre pekefinger, kniven traff neglen, hjertet hamret så han kjente det helt ut i tennene, hvis ikke faren bodde her, fantes, kunne han tatt den brannrøde posen rett inn på kjøkkenbenken og satt whiskyflaska i kjøleskapet, lagt gavene i en stol på stua, vært seg selv, slappet av, kanskje tatt et karbad, gjort det beste ut av morens fravær. Han bannet hviskende og høvlet ost, det var myggel på den.

Moren pleide å si at myggel var sunt, nesten for penicillin å regne, man holdt seg frisk ved å spise myglet ost. Men det ekle var at osten ble litt sleip og klissete på overflaten når den myglet. Uansett skulle han ikke trosse henne nå da hun ikke var her. I alle fall ikke nå. Erlend kom til henne i dag. Ville hun merke det. Bli glad uten å kunne vise det, akkurat som med Torunn. Egentlig greit også at Torunn dro, slapp å møte Erlend. Han hadde jo ikke fortalt henne noe om Erlend, hvordan han var.

Siden hun ikke traff ham, ville han slippe en ny skyllebøtte fra henne, om hvordan han forsømte seg, ikke meddelte henne hver snipp av sannhet. Var vel like greit at hun dro, ja. Han skulle bo på samme hotell som henne, men selv om de passerte hverandre i en korridor, han på vei til rommet og hun på vei hjem, ville ingen av dem vite hvem den andre var. Men antagelig var Torunn vant til slikt, hun bodde i Oslo, det krydde av dem der, han så jo på TV, visste hvordan det var i Oslo, der skrøt de av det, skammet seg ikke engang, de pyntet seg og flørtet med hverandre og lot som om det var normalt. Som han skjemtes da moren gikk barndiger med Erlend! Hun var nettopp blitt førti år da magen begynte å vokse, en så gammel kjerring skulle ikke ha barn i magen, de terget ham på skolen. Hver gang hun svaiet ryggen og støttet seg med en hånd mot korsryggen så magen ble fremskutt, fikk han lyst til å spy. Han forstod det ikke. Faren som hun hatet, det var ikke mulig, likevel var det et faktum, hva hadde skjedd på soverommet hennes? De delte jo ikke soverom, kom han listende til henne om natta? Tregulvet i gangen knirket alltid, han måtte ha hørt det, ellers måtte det ha skjedd på morgenkvisten, midt i den tyngste og dypeste søvnen, slik tenkte han den gang at det måtte ha foregått. Men faren listende på nakne tær ... Det gikk ikke an å forestille seg. At hun ikke fløy i synet på ham! I stedet må hun ha tatt imot ham.

Han tygget i seg brødskivene og bladde gjennom Nationen uten å få med seg et ord. Ville Erlend komme hit ut? Nei, hvorfor skulle han det, hva hadde han vel her å gjøre. Men at han kom. Det i seg selv. Og så nå, like før jul.

Døra gikk opp. Faren kom stavrende inn med en høy vedbør i venstre arm. Han gikk bort til sinkbaljen og slapp børen ned i den. To vedskier landet på gulvet ved siden av. Han plukket dem møysommelig opp, gikk inn i TV-stua, og lukket døra stilt bak seg.

DET LÅ SNØ OVERALT. Brøytebilene stod i kolonner og ventet på å få slippe til da flyet taxet av rullebanen. Heldigvis tok han bootsene da han dro, selv om det virket meningsløst å knytte dem på seg i København i silende regnvær.

Det eneste han kjente igjen var utsikten over fjorden mot Tautra og Fosenfjellene. Flyplassen var ny, motorveien inn til byen var ny og lagt mye høyere opp i terrenget, og da flybussen nærmet seg sentrum, kjørte de gjennom en helt ny bydel. På det svære området hvor gamle Trondhjem Mekaniske Verksted lå, stod nå rad på rad av fasjonabelt utseende boligblokker, med julelys i alle vinduer og lysgirlandere snodd rundt snødekte balkonger.

– Nedre Elvehavn og Solsiden, sa sjåføren monotont over høyttaleranlegget.

Solsiden. Trønderne fornektet seg aldri. Men det var noe søtt over det også, en uskyld man måtte smile av. De la ikke brett på seg, hvis de syntes noe var lekkert, lot de det skinne gjennom i navnet. Akkurat som med Royal Garden. De bygget hotellet nettopp på den tida da han dro fra byen, og navnedebatten gikk høyt. Hotellet skulle bli et slott av glass og lys som speilet seg i Nidelven, med innendørs grøntanlegg, botaniske hager som byen aldri tidligere hadde sett maken til, og slik ble navnet på hotellet også, så unorsk man kunne tenke seg. Kongelige hage. På engelsk, intet mindre.

Han var fyllesyk, og nummen i kroppen. Ansiktet kjentes fremdeles hovent etter gråteriene i natt, han skulle gjerne hatt solbrillene på seg, men det var mørkt ute allerede, det fikk da være måte på å tiltrekke seg oppmerksomhet. Og ingen ventet på ham på flyplassen, han savnet Krumme allerede og angret seg fordi han forbød ham å bli med. Men han hadde jo ikke tid heller, det var det glade vanvidd i avisredaksjonen, umulig å slippe fra unntatt ved dødsfall, og død var hun vel ikke ennå. Byen var nydelig i mørket, slett ikke noe å skamme seg over, Krumme ville ha elsket den. Hva skulle han ha gjort uten den mannen. Gjestene var blitt forferdet da han plutselig begynte å gråte etter den tredje konjakken, han skulle ikke ha drukket så mye, satt der plutselig og slappet av fordi juleselskapet var en suksess og alle vertskapsplikter overstått, det eneste som gjenstod var å drikke, prate og le og vente på jula. Krummes lammesadel var blitt et mirakel, og epletertene med marengslokk smakte som sommerskyer. Og bordet, for ikke å snakke om bordet, det ble et slikt bord man bare så i interiørmagasiner og aldri trodde man fikk til selv, og så fikk han det til.

Det var vel en slags utladning. Vellykket middag, sammen med tanken på moren som lå og skulle dø. Kombinasjonen var ikke god, men det var konjakken. Og da han begynte å hulke, på en hikstende og hvinende måte som han selv hørte lød fullkomment tåpelig, dro heldigvis Krumme ham med ut i hallen. Der stod julekrybben fremdeles, og det gjorde i hvert fall ikke saken bedre. At han aldri lærte at man ikke skulle drikke for mye alkohol når gufne ting romsterte langt bak i hodet. Da måtte man gå tur, få frisk luft i lungene, og ikke sige inn i en patetisk rus sammen med mennesker man var glad i. Og det var dette med jula også, all lykken. Det kunne bli for mye for et enkelt menneske å ta så mye lykke inn over seg på en gang.

Hotellet var ikke spesielt oppsiktsvekkende, selv om han godt innså hvilken furore dette måtte ha vakt for tyve år siden. Men han og Krumme hadde vært i Dubai. Etter Hotel Burj al-arab i Dubai bleknet alt.

Dekorasjonen i resepsjonen var altfor overlesset, de hadde nok ikke hørt om minimalisme i lille Trondheim. Ikke hadde han tenkte å fortelle dem det heller, dette var en gjestevisitt, han planla ikke å sette spor etter seg. Han sjekket inn, og sammen med nøkkelkortet fikk han en sammenfoldet papirlapp med et telefonnummer. Et mobilnummer. Oppe på rommet gikk han rett ut på badet og til speilet. Ansiktet var fremdeles hovent, rundt øynene og i kinnene. Munnvikene var litt annereledes også, gikk det virkelig an å gråte på seg hovne munnviker. Han hentet toalettveska i kofferten, dynket iskaldt vann på vaskekluten og holdt den mot ansiktet gjentatte ganger til han omtrent mistet pusten. Deretter gned han huden med en parfymefri liftkrem og frisket opp den smale svarte kajallinjen under øynene, tok ny fudge i håret og rufset seg godt før han formet det til på toppen og dro flusken litt ned i pannen. Han ringte Krumme på jobben og sa at han var fremme.

– Det var tåpelig av meg å reise, jeg hadde ikke behøvd det. Men du vet jo hvor impulsiv jeg kan være.

Krumme lo og sa at han elsket ham, og minnet ham på at dette ikke var en impulshandling men en dyd av nødvendighet, og Erlend ble på ny uvel ved tanken på hvor mye om oppveksten sin han hadde røpet da de la seg i natt, da han ble liggende i Krummes armkrok og gråte og bære seg. Krumme minnet ham også på at han hadde fly hjem i morgen, snart var alt ved det normale igjen, og han trengte ikke siden å bebreide seg selv fordi han ikke besøkte sin egen kjødelige mor på dødsleiet.

Krumme fikk fortalt ham alle de riktige tingene, og da han la på, gikk han rett til minibaren og fant en latterlig liten Freixenet musserende han drakk på styrten. Den var isende kald, det var det eneste gode med den, for den var altfor søt. Han slo nummeret på papirlappen og ventet å høre Margidos stemme. Mannen måtte jo ha mobiltelefon når han drev begravelsesbyrå, et slikt gebet måtte man da virkelig kunne kalle omreisende virksomhet. Men det var en kvinne som svarte, på første ring. Hei, det er Torunn, sa hun.

– Å herregud *Torunn*! Er det deg! Så morsomt! Hvor er du?

Hun var på Royal Garden.

– Jeg også!

Det skjønte hun, siden han hadde fått lappen hennes. Hun skulle egentlig ha reist i dag, men hun fikk ikke fly før i morgen. Derfor tenkte hun at de kanskje ...

– Jeg drar også hjem igjen i morgen. Det passer jo perfekt! Og jeg som ikke engang visste at du fantes!

Hun ble stille.

– Sa jeg noe galt? Unnskyld, jeg mente ikke å ... Jeg buser liksom litt ut med ting. Jeg bare *er* sånn.

Hun sa det var greit, hun var bare litt overrasket. Hun sa ikke hva hun var overrasket over, hun spurte i stedet når han skulle besøke moren.

– Nei, *det* ... Samme når jeg gjør det, vel. Bare å få det overstått.

Da lo hun. Han likte henne. Han bare visste at han likte henne, selv om han ikke ante om hun var indremisjonær eller tibarnsmor med en forkjærlighet for klokkestrenger og fiskepinner.

– Du, sa han. – Jeg tar en taxi til sykehuset nå, og så kan vi møtes i baren la oss si ... halv åtte? Vi kan spise middag sammen?

Han hørte at hun nølte med å svare, før hun foreslo at hun heller handlet til dem på Burger King og tok med på rommet til en av dem.

– Junk food? Å Gud det spiser jeg aldri lenger, det som er så vanvittig usunt! Ja takk! Den største cheeseburgeren de har. Og masse potetchips! Og så bestiller vi drikke på room service! Den skal jeg spandere. Da kommer du bare hit. Rom fire hundre og tretten. Halv åtte?

På sykehuset var også alt forandret. Det skulle bli større, forstod han. Gigantisk. Han husket han var her og tok mandlene, et halvt år før han skulle i militæret. Han ble erklært ikke stridsdyktig, bare arbeidsdyktig, de så det vel på ham. Ikke det at han stod der uten mandler, men at han var homse. Og han som hadde gledet seg til fellesdusj og hardbarkede kamerater. I stedet satt han et ulidelig langt år bak en kontorpult på Persaunet militærleir og hektet sammen binders til kjeder i metervis. Så mye han plutselig husket. Før taxien stanset foran hovedbygget spyttet han på langfingeren og gned kajalen av seg.

Margido satt der. Han kjente ham ikke igjen med det samme. Han var blitt gammel og satt. Grå på den måten enkelte mennesker ble når de vil gå i ett med mengden. Og han var blitt ganske mye tykkere. Han reiste seg og kom rundt senga.

– Erlend, sa han.

– Hei, du.

De tok hverandre i hånda, ristet litt, Margido gikk og satte seg igjen.

Der lå hun. En fremmed. Han ville aldri ha kjent henne igjen. Og så uten skaut, bare det. Han gikk nærmere, helt opp til hodegjerdet, pustet med åpen munn. Ansiktet hennes var skjevt. Hun sov.

– Hvordan er det med henne? hvisket han.

– Du trenger ikke å hviske, hun lar seg ikke vekke.

– Aldri?

– Aldri mer, mener du?

– Ja.

– Nei, jeg ikke hvordan det er med henne, egentlig. Hadde hun vært en ungdom, ville de vel kjørt henne gjennom tusen undersøkelser. Men legene sier hun er stabil, men nå er det visst hjertet som hopper, det er ikke sterkt.

– Utslitt, antagelig.

– Ja.

– Lever far?

– Ja.

– Bor hjemme ennå?

– Ja. Sammen med Tor. Og mor, da. Helt til hun ...

Erlend satte seg på den ledige stolen. Det snødde utenfor vinduet, noe han normalt ville ha frydet seg over. Han studerte hånda hennes og oppdaget plutselig at han kjente den igjen, selv om den var blitt tyve år eldre. Neglene, måten de krummet seg på ytterst, skjæret i dem, selv om de virket mer blå nå. Men de var alltid blanke, enda hun aldri gjorde noe med dem, pusset eller polerte. Han stakk fingertuppene sine inn under hennes, de var iskalde.

– Skal vi ikke putte hendene hennes under dyna? foreslo han.

– Nytter ikke med begge, hun henger jo fast her.

En gjennomsiktig slange gikk fra håndbaken og opp til en pose på et stativ.

– Intravenøst, sa Margdio.

– Kan putte denne inn under i hvert fall. Hun fryser jo.

Armen var tung dødvekt, han angret seg da han løftet opp dyna, dette hadde han ingen rett til å gjøre, hvis hun våknet nå ville hun bli rasende for at han kom her etter tyve år og herset med henne.

– Og du da? sa Margido.

– Nei, jeg. Har det helt fint, jeg. Jobber som vindusdekoratør. Får bare kremjobber etter hvert, blitt gammel i gamet.

Han kjente virkelig en sterk trang til å skryte. Kanskje han var den mest vellykkede av dem alle, når det kom til stykket. Og Margido kunne godt ha hentet ham på Værnes.

– Jeg bor midt i København. I en dritlekker takleilighet, fortsatte han.

– Du er deg selv lik.

– Er jeg?

– Går ikke ut ifra at du er gift og har barn?

– Barn har jeg ikke, men jeg er praktisk talt gift.

– Du verden. Det hadde jeg virkelig ikke …

– Med en mann. Sjefredaktør i en svær avis.

– Akkurat.

– Og du?

– Driver byrået mitt.

– Ikke gift eller …

– Nei.

– Og Tor?

– Han har jo fått seg en datter.

– Og jeg er blitt onkel. Tenk det. Ja, du også er blitt onkel! Men du har vel visst det hele tida. Jeg var jo bare en liten drittunge den gang. Attpåklatten. Hvor bor hun?

– Oslo.

– Er hun her ofte på besøk?

– Det er første gang nå, så vidt jeg vet.

– Å herregud, er det det? Ops. Unnskyld meg, men jeg glemte at man ikke skal bruke guds ord i ... i utrengsmål, heter det det?

– Slapp av. Ja, jeg tror det er første gang hun er her.

– Så Tor har ikke vært *far*, da liksom.

– Kan jeg ikke tenke meg. Han driver gården og gjør ikke så mye annet enn det, vil jeg tro. Gris nå. Slutt med kyr. Lønte seg ikke.

– Har han bygd ut, da eller.

Han ville ikke vite noe om gården og var lettet da Margido bare svarte:

– Tviler jeg på.

Han visste ikke hva mer å si til mannen, tretten års aldersforskjell var i tillegg utvidet med tyve års adskillelse, men noe måtte han jo si, og sa det, før han fikk tenkt seg om: – Det er vel mye å gjøre for deg nå, rundt juletider.

– Hvordan da?

– Folk dør jo ... Dør de ikke oftere rundt høytider og sånn?

Han visste ikke engang om Margido brød seg om henne, eller om han satt her på pliktbesøk. Men Margido svarte bare:

– Stemmer det. Vet ikke hva som gjør det. I fjor måtte jeg dra på hjemmebesøk til og med på selveste julaften.

En trebarnsfar bare litt over førti år, falt rett om, mens han var kledd ut som julenisse.

Han måtte ikke le. Han forsøkte i stedet å lese hva som stod på den plastposen som dryppet væske i moren, men den hang for langt unna.

– Rakk ikke å få delt ut gavene engang. Før han datt om, fortsatte Margido.

Han forsøkte å ikke forestille seg en død julenisse begravet under et hav av uåpnede julegaver muntert dekorert med sløyfer og rosetter, nissemasken på halv tolv, han måtte absolutt ikke le, han sa: – Vet du om det går an å få seg noe å drikke her?

– Det står saft på en tralle ute i gangen. Du snakker annerledes. Nesten ikke trøndersk lenger. Der er du ikke lik deg.

– Slikt som skjer det, vet du. Når man slipper å bo her.

Men da Margido var gått, og han trodde han ville føle lettelse ved det, gjorde han ikke det likevel. Han var plutselig nifst alene med henne. Han studerte ansiktet hennes, hver rynke, hårene som strittet ut av hakehuden hennes, det grå og flate håret på hodet. Det sitret i øyelokkene hennes, tynne blodårer dekket dem på kryss og tvers. Han begynte å innbille seg at hun bare lot som. Lekte skjev i ansiktet. Lekte slagrammet. Hva om hun plutselig satte seg opp i senga som Glenn Close på slutten av Fatal Attraction. Han ville ha omkommet av skrekk på flekken. Torunn skulle ha blitt med ham, hvorfor spurte han henne ikke om det. De kunne vært to. Som kom hit praktisk talt for første gang.

– Jasså, du, mor, så slik skulle det gå. Jeg tenkte nesten jeg måtte ta meg en tur. Kom med fly fra København i ettermiddag. Det var i rute, men ikke en kjeft møtte meg.

Er du våken? Jeg skal hilse fra Krumme. Han ville du ha likt, selv om du aldri hadde gått med på å møte ham. Litt synd akkurat det der. Du trodde bare at jeg gjorde meg til, du. Enda jeg er født sånn. Det er faktisk din skyld. Noe med dine og den tosken sine kromosomer. Du skulle bare ha visst, du. Husker du Asgeir på samvirkelaget? Jeg sugde ham av på bakrommet da jeg var seksten, han hadde fire unger og satt i Menighetsrådet. Du likte ham så godt, han la til side mat som var gått ut på dato til deg. Og der satt jeg på huk og sugde den tynne pikken hans til han sjanglet av lykke. Gjorde det på Neshov en gang også, inne på låven mens du stod i kjøkkenet og kokte kaffe til ham, han var der for å kjøpe jordbær, han sprutet rett på en halmballe, jeg har aldri svelgt, nemlig, ikke engang med Krumme, noen liker å svelge, andre liker det ikke, er du våken? Kan du ikke våkne, så skal du få flere snacksy detaljer.

Døra gikk opp. Og med mannen kom luktene. Hele gården veltet inn i rommet, selv om lukta var litt annerledes enn han husket den. Gris nå, ikke kyr, hadde Margido sagt. En spissere lukt, men likevel umiskjennelig fjøs.

– Tor! sa han.

– Jasså, du er kommet. Bare sitt, du.

– Jeg ... Jeg trodde hun holdt på å våkne. Men så ...

– Jeg kan ikke bli lenge. Ville bare se henne.

– Og meg, kanskje? Du visste vel at jeg skulle komme?

– Jada. Torunn sa det.

De håndhilste før han satte seg på stolen hvor Margido nettopp satt. Han var skitten og ustelt, gått i hundene, takke himmelen for at Krumme ikke fikk oppleve dette. Storebroren hans. Så ut som en uteligger og stinket av gammel, glemt fortid.

– Jeg skal treffe henne etterpå.

– Torunn? Skal du treffe Torunn? sa Tor og så skarpt på ham.

– Ja. Er det så rart?

– Men hun skulle jo reise i dag!

Hva var det mannen hisset seg opp for? Rev parkasen åpen så trykknappene dirret og viste en flekkete ullgenser. Haken løftet, øyenbrynene langt oppe i pannen.

– Fikk ikke plass på flyet. Sa hun. Måtte vente med å reise hjem til i morgen. Jeg drar også hjem i morgen, faktisk.

Tor sank sammen på stolen.

– Hun har vel ringt meg mens jeg var i fjøset, da. For å fortelle det, mumlet han.

Han bøyde hodet og ga seg til å glo på hendene sine. Han hadde ikke forholdt seg til moren i det hele tatt siden han kom inn i rommet.

– Hun virker veldig syk.

– Neida, sa Tor og så fort på henne og videre på plastposen i stativet.

– Men Margido sa at ...

– Var han her da du kom?

– Ja. Og han sa at hun ...

– Margido svartmaler alltid. Du vet da det.

Nei, det visste han ikke. Men med tanke på hva han levde av, stemte det sikkert.

– Det er hjertet hennes nå, har visst legene sagt.

– Jada jada, sa Tor. – De maser om dette hjertet. Men hun er så frisk ellers. Hun kommer seg. Bare hun kunne våkne.

– Hva var det egentlig som skjedde? Da hun ble innlagt?

– Nei, hun ... følte seg ikke helt god. Lå litt utover dagen. Ikke særlig matlyst heller. Frøs. Og plutselig kunne hun ikke snakke. Sa bare ga ga.

– Ga ga?

– Ja, det hørtes sånn ut. Akkurat som om hun prøvde å si noe, men ikke fikk det til. Det var ...

Tor holdt inne, ristet på hodet gjentatte ganger, samlet hendene. De var møkkete, men antagelig nyvasket.

– Du har begynt med gris, hører jeg.

– Sa Margido det? Han vet da ingenting om mine griser.

– Men han sa nå det, i hvert fall.

– Sa Torunn noe om at hun kommer hit i morgen? Jeg tenkte meg en tur på formiddagen.

– Jeg vet ikke noe om hennes planer, annet enn at hun skal reise. Jeg kjenner henne faktisk ikke. Har bare snakket med henne på telefonen, visste ikke engang at hun fantes. Akkurat *det* er faktisk ganske ...

– Jeg kan ringe henne. Hun ... hun har kjøpt julegaver til meg.

De ble sittende stille og se på moren. Fjøslukta spredte seg i rommet, fylte det til bristepunktet.

– Hun har rørt på armen sin! sa Tor med plutselig høy stemme og reiste seg halvveis fra stolen. – Det la jeg jammen ikke merke til med det samme!

– Det var jeg som puttet den under dyna. Hun var så kald på fingrene.

Da Tor skulle gå, tok han ham i hånda, ønsket god jul og la til: – Sikkert at du ikke skal være lenger, da. I tilfelle hun våkner?

– Jeg ville bare se henne. Jeg tar meg kanskje en tur til, i morgen før jeg drar.

– Hit?

– Hvor ellers.

Da Tor var gått, gikk han rett bort til vinduet for å åpne det, men det lot seg ikke åpne. I stedet satte han døra inn til det lille badet på vid vegg, men fant ingen bryter til en vifte han kunne skru på. Klokken var nesten syv.

– Da tror jeg nesten at jeg må stikke, jeg, mor. Jeg har nemlig en avtale med barnebarnet ditt. Dessuten er jeg ganske fyllesyk og vurderer å drikke meg snydens for å utsette nedturen. Den tar jeg etter hjemturen. Du får ha det på badet, da, din gamle sjokolade.

Det lå en høy stabel snø på rekkverket over Elgeseter bro. Han skjøv en god del av den ned i det svarte elvevannet, snøen oppløste seg straks og gikk i ett med det svarte. Han ble nummen av kulde i fingrene, hansker glemte han å ta med. Han stilte seg ved rekkverket der snøen var borte og fulgte elveløpet med blikket. Skråningen opp mot Kristiansten festning tindret av lys mot det hvite. Det var oppholds, men tunge skyer var på vei inn fra fjorden, sennepsgule av lysene fra byen, med enkelte åpne slisser av nattsvart stjernehimmel mellom. Det var tett biltrafikk over brua, og busser med reklame. Det var ikke reklame på bussene da han dro sin vei, da var de mørkerøde. Men Nidarosdomen var den samme, kanskje mer opplyst nå enn før. En ambulanse kom for fulle sirener på vei til sykehuset, bilene trakk inn til høyre for å slippe den forbi, to unge jenter gikk forbi bak ryggen hans, arm i arm, mens de snakket lavt sammen. Han stakk hendene dypt i lommene på skinnjakken, han fikk skynde seg, han var sulten. Han lurte plutselig på om man fikk bestilt sprit på room service i dette landet.

DA HUN SNAKKET med ham på telefonen, trodde hun først det var det københavnske hun hørte i stemmen hans, men da han åpnet døra, så hun det med en gang, da han løftet begge armer teatralsk i været og ropte:
– Torunn!

Hun lot ham gi henne en klem mens hun holdt posene fra Burger King ut fra kroppen.

– Men få se skikkelig på deg, da! sa han, tok grep om skuldrene hennes og studerte henne på strake armer.

– Du ligner ikke på *noen*, jo! Er du sikker på at Tor …

– De påstår så. Både moren min og han, sa hun.

– Kom inn, da! Ikke stå der! Jeg holder på å sulte i hjel. Liker du rødvin?

– Egentlig ikke. Heller en øl.

– Bra. For jeg har fått opp bare to flasker, og den ene er halvtømt allerede. Hadde jeg bare handlet på taxfreen på Kastrup, men jeg hadde tankene helt andre steder, og dessuten var jeg så fyllesyk i formiddag at jeg aldri trodde jeg ville drikke alkohol mer i mitt liv. Så feil kan man ta, du! Men du skulle hatt en *lille en* til ølen din, liker du gammel dansk?

– Jada.

– Jeg bestiller opp en halvflaske, jeg. Man kan nemlig få sprit også, jeg sjekket i tilfelle jeg fikk lyst på en konjakk senere.

– Blir ikke det veldig dyrt?
– Vi skal jo feire!
– Skal vi det?
– Klart vi skal.

Det var umulig å se denne mannen for seg på Neshov, på kjøkkenet, stabbende som liten gutt rundt på tunet, se ham ved siden av Tor eller Margido, eller se ham som ung mann i et fjøs. Håret hans var farget svart, nesten blått. På den ene øreflippen stod en klar edelsten, sikkert diamant, for klærne hans virket dyre også. Han fant ei flaske pils til henne.

Ved vinduet stod to kongeblå ørelappstoler med et lite bord mellom, de åpnet posene fra Burger King og plasserte innholdet utover, skålte. Erlend jamret seg og lukket øynene da han satte tennene i burgeren. Mens han fremdels tygget sa han: – Vet ikke når jeg sist spiste slik mat, dette var en genial idé. Men ikke snakke med mat i munnen!

– Spiser altfor mye sånt jeg. Jeg er mye på farten, og siden jeg bor alene ...

– Hvor lenge har du gjort det?

– Bare et halvår nå. Kastet ut samboeren min i sommer, etter at en jente ringte meg og spurte hvorfor jeg truet med å skyte meg hvis han forlot meg.

– En feig faen, med andre ord. Hvor lenge hadde han kukkeluret med den damen, da?

– Nesten et år.

– Og brukte deg som unnskyldning for å slippe å ta et valg. Mannfolk. Vet ikke engang at damer aldri skyter seg, men tar tabletter.

– Nemlig.

– Dessuten virker du ikke som typen til å begå selvmord.

Jeg er en god menneskekjenner. Nesten alle homser er det. Røntgensyn, rett i sjela på folk. Sikkert fordi vi er så touchy på kroppsspråk og halvkvedede viser og doble meldinger.

– Sånn er ikke jeg. Ikke på folk, i hvert fall. På hunder derimot ...

– Hva driver du med? Lever av? Ja, for vi må jo nesten begynne et sted, når vi skal bli kjent! Vi får kjøre et tredjegrads på hverandre. Skål, lille niese! Og velkommen inn i familen!

Han spurte, hun svarte, han likte å snakke, med store fakter og store ord, hun lurte på om det var ekte eller påtatt, om han var overfladisk eller dønn ærlig, eller om det i det hele tatt var noen motsetning. Hun følte en umiddelbar kontakt med ham som hun ikke kjente i forhold til Margido, eller til faren, for den saks skyld. Og overhodet ikke for den gamle kvinnen i sykehussenga.

– Margido liker meg ikke, sa hun.

– Sikkert bare noe du innbiller deg. Han er temmelig tilkneppet, har alltid vært det. Kristen, vet du. Og kristne har jo enerett på å definere virkeligheten.

Han smilte til henne. De var i familie. Delte en god del DNA. Blod var tykkere enn vann, det var blodsbånd mellom dem. Han hadde allerede tømt den første rødvinsflaska. Snapsen var levert på døra, og den varmet henne og fikk gråten til å løfte seg høyere opp i magen, men hun ville ikke gråte, han ville jo feire. Og det var så mye hun lurte på, dette var mannen som kunne gi henne svar. Og allerede i morgen dro de hver til sitt.

– Han sa at gården aldri er blitt skrevet over på Tor, på faren min.

– Det fant han vel betimelig å nevne, ja. Når mor skal

dø. Men han har rett. Hvis gården var blitt skrevet over på ham, ville til og med jeg ha visst det. Vi er jo to til, her. Papirer som må underskrives og sånn.

– Hva arver du og Margido, da?

– Nei, hva er det å arve? Hundreogsyv dekar dyrkamark for tyve år siden, tviler på at det er mer nå. Men det kaster jo ikke av seg, så hvis Margido eller jeg, eller bare en av oss, forlanger noen form for arv, da ryker gården. Tor greier ingen gjeld på toppen, det kan jeg aldri tenke meg, hvis han ikke har vunnet i Lotto og har stint av gryn på kistebunnen. Men Tor har ikke gjort meg noe, jeg vil ikke ødelegge for ham. Jeg har penger nok. La mannen stulle med grisene sine og få lov til å eie gården noen år før han stuper selv.

– Men hva med Margido? Hvis han ...

– Selv om han er kristen, tror jeg ikke han sender Tor på trynet fra gården. Hvor skulle de gjort av seg ... de to. At gården ikke er blitt skrevet over på ham, handler mer om mor enn noen andre. Men jeg nekter å tro at Margido vil gjøre krav på arv når han kjenner konsekvensene. Han har så han greier seg. Det er gode penger i døde mennesker.

Han fniste, og fortsatte: – Men det er kanskje på tide å nevne det for ham, for Tor også. Just in case gamla dør. Så vi er enige. Kanskje Tor ligger våken om nettene og tror han må flytte på hybel på Spongdal.

– Jeg forstår ikke helt at det er moren din som ... at om hun lever eller dør ... Det er jo faren din som eier gården?

– På papiret ja, vennen min. Han har ikke greie på noe. Så lenge jeg kan huske har han bare gått der og stullet, og gjort de arbeidsoppgavene han ble satt til, uten å mukke.

Hun tok en stor slurk snaps fra vinglasset.

– Jeg traff ham ikke i det hele tatt da jeg var der ute, sa hun. – Han ville ikke ha kaffe, heller.

– Glem han nå, vi skulle jo feire, Torunn!

– Jeg har jo ikke noe med det, sa hun.

– Jo, det har du absolutt. For når gården blir skrevet over på Tor, er det du som arver den etter han. Blir det ikke slik, da? Jo, jeg tror det. Er ikke helt stø i odelsrett og arverett og sånn, men ...

– Men det høres helt sprøtt ut. Hvis faren min dør dagen etter moren din, så er alt liksom mitt? Nei, det blir feil. Da må jo gården selges og du og Margido dele det dere får for den.

– Odelsrett er alvorlige saker, lille venn. Men du må jo ta utdannelse, da. Utdanne deg til bonde. Nei, jeg vet ikke. Kanskje du har rett. Uansett må gården over på Tor nå. Noe annet ville vært blodig urettferdig. Han har slitt og jobbet der og holdt ut i hele sitt liv.

– Jeg vet jo at mamma ikke var bra nok, men hvorfor fantes det ikke andre han kunne gifte seg med?

– Nå vet ikke jeg hva som har skjedd i løpet av de siste tyve årene, men ... Mor ville ordne ting selv. Uansett hvilket inntrykk moren din hadde gitt, ville mor sagt nei. Hun var aldri typen til å komme på kår. Ville styre alt. Unntatt da bestefar Tallak levde, da. Hun hørte alltid på ham. Det gjorde alle. Han døde da jeg var sytten år, og det var akkurat som om ... som om ...

Han ble blank i øynene og var oppe med en finger i det ene. Så rystet han på overkroppen som en hund, og snufset dramatisk og lenge.

– Æsj, jeg gidder ikke sippe mer! Det er denne vinen! Men det er akkurat som om jeg husker alt mulig nå, siden jeg landet på Værnes. Og jeg fordrar ikke å huske ting jeg har pakket pent i esker og satt på loftet. Syns du jeg er teit? Ikke slik du tenkte deg onkel Erlend? Jeg savner Krumme. Hvorfor er ikke Krumme her. Det er min skyld. Men tenk om han hadde sett ... og luktet Tor. For søren, nå glemmer jeg jo at han er faren din. Fadderullan som jeg babler, nei nå drikker vi.

– Fortell meg om Krumme, da.

Hun tenkte: Jeg har aldri før blitt så fort glad i et annet menneske som i Erlend. Hun benyttet anledningen til å le av noe han sa, hun visste hun var blitt ganske beruset nå, men visste samtidig at hun ville vite det i morgen i edru tilstand også: Aldri var hun blitt så fort glad i noen. Det var forbløffende, han var nesten som en bror, den broren du aldri hadde hatt. Han inkluderte henne, stilte ikke spørsmålstegn verken ved hennes eksistens eller berettigelse. Han var til å stole på. Ja, det var det han var. Til å stole på, på hennes side, enda hun frem til nå ikke hadde skjønt at hun befant seg på en side, enten den var her eller der, hun hadde bare vinglet på en midtbane og forholdt seg til andres virkelighet, og her satt hun plutselig, plassert av Erlend som Tors datter, på en måte faren ikke hadde evnet, til tross for at han tok henne med inn i fjøset sitt og delte lykkene sine med henne.

Han var midt i en lang fortelling om en skinnfrakk Krumme skulle få på julaften, da hun strakte hånda over bordet og la den på armen hans, han sluttet å snakke midt i et setning, så spørrende på henne.

– Tusen takk, sa hun.

– For hva?

– Fordi du ... jeg vet ikke helt. Jo, forresten. Fordi du ville spise burger på rommet, ikke protesterte. Jeg grudde for å møte deg, nemlig, midt blant mange fremmede mennesker, var redd for at jeg bare skulle ... jeg vet ikke. Det har vært så mye nå.

Han kom og satte seg på huk foran henne, og tok begge hendene hennes i sine. – Vet du noe, sa han lavt. – Fra nå av ... er jeg onkelen din. Forever! Og Krumme er jo også blitt en slags onkel! Onkel Krumme. Du skal komme til oss i København, du aner ikke hvor festlig vi skal få det! Komme til onklene! Og så skal vi fikse deg litt, det tar jeg meg av, Krumme er ikke flink til den slags. Vi skal fikse håret ditt og kjøpe klær og ... og ingen skal noensinne knulle rundt et helt år med ei kjerring og si at han ikke kan forlate deg for da svelger du førti paralgin forte!

Tårene hennes var begynt å renne mens han snakket.

– Han sa skyte, sa hun. – Han skjønte jo ikke engang at ...

– Skyte, svelge. Drit i detaljene. Poenget er at vi to er de normale her. Og da er ikke Trondheim stedet. Huff, jeg glemte at du bor i Oslo. Men Oslo er heller ikke stedet, en liten fillelandsby. København derimot ...

– Jeg syns det var fantastisk flott på Byneset. Helt nydelig. Og selv om gården er forfallen ...

– Er den det?

– Ja. Veldig. Rot overalt. Og inne ... Så møkkete at du aner ikke.

Han slapp hendene hennes og reiste seg, ga seg til å se ut av vinduet.

– Det ville ikke blitt noe annerledes om jeg var blitt værende, sa han. – Høyst sannsynlig mye verre. De skammet seg sinnssykt over meg. Mannemannen.

– Kaller de det det?

– Ekkelt ord. I København er jeg *bøsse*, i Trondheim er jeg homse, på Byneset er jeg mannemann. Kjært barn har mange navn, hva? Og mandag kveld, da hun ble syk …

Han skyndte seg inn på badet og kom tilbake med hånda holdt flatt mot henne.

– Se.

Det var en knøttliten spiss glassbit.

– Hva er det?

– Enhjørningen min mistet hornet sitt. Og ble til en helt ordinær hest. Da skjønte jeg at noe var på gang. Ingenting er tilfeldig. Jeg kjente det i hele kroppen, stod opp midt på natta og alt mulig! Og jeg fikk rett.

Hun nikket. Hun forstod ikke et kvidder. Kanskje hun var mer enn ganske påvirket nå, kanskje hun faktisk var rimelig full. Hun hadde drukket halvparten av snapseflaska, tre øl fra minibaren og var i gang med en lettøl sammen med neste snaps. Mente han at den glassbiten kom fra en enhjørning?

– Rart ord. Enhjørning, sa hun.

– Ja, ikke sant! Som om den har ett hjørne! Men egentlig er det en enhorning, da.

– Og hornet falt av.

– Ja! Jeg samler på glassfigurer, har ett hundre og tre figurer, jeg elsker dem. Tilber dem! Og det skjer aldri at de går i stykker, de får samme behandling som kronjuvelene i Tower of London. Og så falt enhjørningen i gulvet. Rett i gulvet! Jeg trodde jeg skulle dø av sorg, og etterpå ble jeg så urolig. Det var et tegn, Torunn. Et tegn.

Han nikket gravalvorlig, gjentatte ganger, og holdt blikket hennes.

– Syns du skal kaste det hornet ut av vinduet, jeg, sa hun.

– Syns du?

Han ga seg til å stirre på glassbiten.

– Ja, det syns jeg. Rett ut av vinduet. Kanskje moren din blir frisk også. Nesten som voodoo, bare omvendt, sa hun.

– Herregud! Nei, da legger jeg det heller i et bankvelv! For Tor sin skyld!

Hun lo høyt. – Du er ikke riktig klok!

– Jeg fikk den av Krumme! Enhorningen. Men jeg har ikke sagt det til ham. At det dumme hornet falt av ...

Han hikstet tørt.

– Ring ham nå, og si det, sa hun.

– Jeg tør ikke! Det var en kjærlighetsgave! Den kan bare søke hvile i en jomfrus skjød!

– Enhjørningen?

– Ja! Det var en symbolsk gave!

– Ring ham og si det likevel. Han kjøper en ny til deg.

– De vokser ikke på trær, lille niese.

– Det gjør vel ikke slike som Krumme heller.

– Nei. Definitivt ikke. De trærne ville det ha vært synd på.

Han ringte Krumme og hulkegråt inn over skrivebordet og hotellets presentasjonsmappe i blått skaitrekk med gulltrykk. Han fortalte om enhjørningens horn og innrømmet at han hadde drukket to flasker rødvin, ellers ville han aldri ha våget å *bekjenne* det, dessuten var det niesen hans som overtalte ham til å ringe. Hun åpnet en Pepsi Max og oppdaget at den smakte godt sammen med Gammel Dansk. Halvflaska var snart tom.

Da Erlend la på etter å ha forsikret utallige ganger hvor høyt han elsket Krumme og laget kysselyder i røret, snudde han seg mot henne og sa: – Hvordan ser ansiktet mitt ut? Å herregud, ikke svar meg. Se litt på TV mens jeg nedsenker det i iskaldt vann. Men det er jo tomt for snaps! Jeg bestiller mer!

– Kaffe og konjakk ville også vært godt ...

En ung mann i hotelluniform banket på døra mens Erlend fremdeles var på badet, mannen kom trillende inn med et bord på hjul. På bordet stod kaffekanne og kopper, fløte og sukkerbiter, fire glass med konjakk, ei flaske rødvin, ei halv flaske Gammel dansk, to fat med marsipankake, en vase med en enkelt rose i og en skål peanøtter. Mannen forklarte at Erlend måtte signere.

– Erlend! ropte hun.

Han kom styrtende fra badet med en hvit vaskeklut foran ansiktet, og fniste da kvitteringen ble søkkvåt og falt i gulvet sammen med kulepennen.

– Ha en fin kveld, sa mannen og lukket seg ut av døra.

– Men hvordan ..., sa hun.

– Det var telefon på badet, sa han, fjernet vaskekluten og dro luft inn av nesa mens han bøyde hodet bakover og lukket øynene. – Jeg visste du ville protestere hvis du hørte at jeg bestilte så mye.

– Er du rik?

– Ja, sa han. – Det er vi. Er ikke du?

– Nei.

– Men du skal jo arve en hel gård, da. Og en drøss griser.

De trillet bordet bort til lenestolene. Hun kjente seg ikke full lenger, hun var i ferd med å drikke seg edru. Da hun løftet konjakkglasset til munnen, sved det i øynene, kaffen var nytraktet og akkurat passe varm. Hun plukket til seg fjernkontrollen og skrudde av TVen.

– Er du glad i Tor? *Kjenner* du liksom at han er faren din? spurte han.

– Nei. Syns mest synd på ham. Han er så stakkarslig.

– Han er snill. Tor er altfor snill. Hans bane i livet. Jeg er også snill, men han er snill på en sånn måte hvor man blir tråkket på.

– Det er så mye jeg ikke forstår om ... dere.

– In vino veritas, sa han, og slo rødvin i glasset.

– Som du drikker.

– Ja, har du sett på maken som jeg drikker! Slapp av, Torunn min, jeg er ikke alkis. Jeg har med et brett valium også, men det har jeg ikke rørt. Bare ta deg en konjakk til, du. Nå har du jo tømt din første. Nei, jeg er bare litt utta meg. Foretrekker kjernesunn Bollinger til hverdags.

– Den har jeg ikke smakt. Jeg liker ikke rødvin.

– Det er *champagne*, skatten min! Og vi skal virkelig gjøre noe med håret ditt. Hva er den egentlige fargen? Om man tør spørre?

– Kommunegrått.

– Akkurat. Og da er det selvsagt naturlig at man velger mahognybrunt i voksen alder. Men det er altfor langt! Du ligner litt på ... Barbra Streisand. Det *kunne* vært et kompliment, men er det egentlig ikke. Og du har jo en hodeskalle som Nefertite! Om så du ble helt skinhead ville du vært vakker! Hvorfor vil du ikke være vakker? Når du er det?

– Er ikke vant til det. Gidder ikke. Har ikke tid. Men du ... Hvorfor ble du så lei deg da du begynte å snakke om bestefaren din?

– Bestefar Tallak ... Nei, han ... Huff, skal vi ...

– Kan vi ikke snakke om litt ordentlige ting, da? I morgen reiser vi hver til vårt.

Han krysset beina og drakk av glasset sitt, tente en sigarett og slikket seg om leppene, kikket i gulvet.

– Glem det, sa hun. – Vi kan snakke om hårfargen min i stedet.

Hun lo litt for å få ham til å tro at hun mente det.

– Jeg var sytten da han døde, men det sa jeg vel, sa han. – Jeg fikk sjokk. Alle fikk sjokk, enda han var åtti. Han spratt rundt bestandig, var aldri gammel. Holdt på med ting fra morgen til kveld. Da var det jordbær og høns og nymalte hus. Han stod i toppen av stigen og malte mønet på låven bare noen dager før han døde. Tror ikke Tor har jordbær lenger. Mye arbeid med jordbær.

– Han har ikke nevnt ikke noe om jordbær, nei.

– Sikkert bare korn nå.

– Nå høres du helt annerledes ut. Når du snakker om gården. Hva med bestemoren din? Hvor gammel var du da hun døde?

– Hun døde flere år før bestefar, men hun lå i tre år først.

– Lå?

– På rommet sitt. Oppe. Det var mor som stelte henne, hun ville ikke på gamlehjem. Jeg husker brettene mor laget og bar opp, mat i kaffekopper. Knøttsmå porsjoner, som til et lite barn. Jeg var aldri inne hos henne. Hun var bare sur og sint. Man blir vel det av å ligge og glane i taket i tre år.

– Hvordan døde bestefaren din?

– Druknet. Fikk slag mens han var ute og sjekket fiskerommet. Gud, tenk at jeg husker at det heter det! Fornota, storrommet og fiskerommet! Men han druknet, falt over ripa, de fant ham to kilometer unna nota, det er sterk strøm inne ved land. Og da ... da døde hele gården.

Det er sant. Alt bare døde. Mor ... låste seg inne på soverommet sitt i to dager. Og jeg ... jeg hadde ingen andre enn han. Vi gjorde alt mulig sammen. Mor bare laget mat og snakket aldri med meg, og far ... gikk nå bare der. Margido og Tor var jo så mye eldre enn meg, vet du.

– Stakkars deg ...

– Det var ingen som *så* meg lenger, da han døde. Plutselig var det akkurat som om jeg stod naken på en stor slette, uendelig i alle retninger. Helt alene. Fullstendig alene. Jeg var vettskremt, Torunn.

Han hentet vaskekluten på badet og la den mot munnen.

– Jeg orker ikke å grine mer. Jeg skal ta meg sammen. Jeg husker plutselig så mye. Det er litt godt òg ...

– Men hva gjorde dere sammen? Jobbet på gården og sånn?

– Jada. Jeg var ganske klønete og livredd edderkopper og veps og litt sånn småhysterisk, men bestefar bare lo og var tålmodigheten selv. Når jeg ikke var på skolen eller gjorde lekser, hang jeg etter ham. Jeg hadde ikke venner på fritida, de mobbet meg ikke eller noe, men jeg ble liksom ikke venner med noen. Jeg var forelsket i et par av guttene, da ... Det fortalte jeg til bestefar. Han ble ikke sjokkert, han bare flirte og sa at dette fant jeg nok ut av når jeg traff ei søt jente en dag.

– Så han skjønte ikke at du faktisk ...

– Jeg vet ikke. Han laget i alle fall ikke noe helsikes leven av det. Maste ikke med det.

– Jeg greier ikke å se for meg deg gå og rake rundt jordbærplanter.

– Jeg gjorde ikke mye av det, for der krydde det av veps! Men kilnotfiske, det var det beste. Det var nesten ingen som drev med det lenger, allerede da var det en eldgammel måte å fiske laks på. Neshov har ikke lakserett, men han og en nabo som hadde, jobbet sammen. Og så jeg, da. Og når tjelden og hestehoven kom, var det å begynne med garnet i fjæra. Ja, bestefar satt jo om vinteren og bandt, da. Store løkker av hamptråd, jeg hjalp ham med å træ ... notnåla, het det. Og så, nede i fjæresteinene. Gjett om det luktet godt når vi kokte opp kjelen med tjære!

– For at den skulle bli tynnere?

– Ja. Og så tjærebredde vi båten, og tønnene. De ble brukt sammen med ankere som lå på bunnen. Hele nota hang fast, skjønner du! Til land! Vi tok den opp hver fjortende dag, og det var et salig styr å få den på plass, jeg pleide å ro mens bestefar og ... husker ikke hva han het, Oscar tror jeg, de satte ut nota. Men det var best på land, alt som måtte ordnes først. Vi kokte en kjempekjele med bjørkebark, dampen stod! Og litt tjære oppi der også, og silte av og slo over nota som lå i en tønne. Og så steiner på toppen.

– For at den skulle tåle saltvannet?

– Jepp. *Impregnere* nota, slikt et gøyalt ord, hva? Pregnant er jo å være gravid, men her handler det om at ting ikke skal trenge inn og *ødelegge*! Det stikk motsatte! Men hvor var jeg ... jo, steiner på toppen. Og de luktene, du! Og tjelden som skrek, og sola og fjæra og fjorden, og det at vi gjorde noe viktig, skulle få svære laks vi kunne selge! Du aner ikke ...

– Så det var først etter at bestefaren din døde at du begynte å tenke på å dra din vei.

– Ja. Trodde jeg skulle være der bestandig, jeg. Sammen med ham. Hørt på makan til toskeskap. Men sånn var han. Så levende og til stede at han virket ... udødelig. Jeg kommer til å få *den* nedturen når jeg kommer hjem.

Jeg snakker ikke med Krumme om Norge. Jeg har bare liksom ... blitt meg selv i Danmark.

– Ikke helt. Det hører jo med dette også.

– Åja? Lille frøken psykolog?

– Skål, onkel Erlend.

Erlend sovnet i stolen, la plutselig hodet bakover og var sovnet i samme sekund. Hun la sengeteppet over ham, slukket lyset og tok heisen opp til sitt eget rom i sjette. Hun skrudde på mobilen og fikk tre sms fra Margrete, og en fra mobilsvar. Det var faren, han snakket sakte og omstendelig som i en mikrofon, han hadde hørt hun ikke dro før i morgen og regnet derfor med at hun tok en tur på sykehuset neste formiddag også. Han avsluttet med å fortelle at Siri hadde ligget i hjel to av ungene sine. Ikke noe mer, bare de ordene, Siri har ligget i hjel to av ungene sine.

DET VAR FØRSTE GANG det skjedde. Ikke med noen tidligere kull hadde hun vært så skjødesløs. Han hadde trodd hun var den perfekte mor.

Han vasket og stelte rundt henne, fant ren halm og sagmugg og torvstrø, lot som ingenting. Ungene hadde han bare kastet da han fant dem i går kveld, bak låven hvor de forkullede restene av madrassen lå. Han hadde hentet noen vedskier, slått på litt parafin og satt fyr på dem midt i madrassrestene.

– Fine jenta, her skal du få.

Han trakk en brødskive opp av brystlomma og ga henne, klødde henne bak øret og oppførte seg akkurat som vanlig. Ungene hadde han trukket frem fra under skinkene hennes uten at hun reagerte. Bare fjernet dem. Griser kunne vel ikke telle.

Han kjente seg ikke god. Kroppen var så tung, og hodet. Hva om han ble syk også, det var ikke til å tenke på. Hadde bare moren sittet inne i kjøkkenet og ventet med frokost. Ikke at hun kunne ta fjøset for ham hvis han ble syk, men det å vite at hun var der, hun ville ha visst hva de skulle gjøre. De brukte aldri avløsere, han var jo alltid frisk. Men hun ville ha ordnet opp hvis han ble syk, på en eller annen måte.

Han vasket og stelte grundig og lenge, ryddet på vaskerommet, dro kraftfôrlappene av firtomsspikeren hvor han pleide å samle dem, måtte få gjort litt papirarbeid inne i dag, etter at han hadde vært på sykehuset. Skulle han kanskje ringe Torunn igjen, han stolte ikke helt på at hun fikk høre det han hadde snakket inn.

Faren satt i TV-stua. Det var visst blitt daglig rutine, det. En bøtte med sagflis og en skje stod plutselig på gulvet ved vedovnen på kjøkkenet, det var fyrt opp der også. Han gikk bort og kikket nærmere på bøtten, kjente lukt av parafin. Sagflis og parafin. Han ropte inn i stua: – Gidder du ikke å fyre opp skikkelig heller nå? Parafin koster faktisk penger!

Han lukket døra hardt igjen. Landpostbudet hadde ikke vært her ennå, det var ingen fersk avis, han hentet en gammel og satte over kaffekjelen, skar seg en brødskive. Det stod en skål med jordbærsyltetøy i kjøleskapet, det var ganske inntørket, han fylte oppi litt kokende vann og rørte rundt. Syltetøyet ble så godt som nytt. Det skulle ingen si, at han ikke greide seg. Ryddig og fint var det på kjøkkenet, fat og kopper hopet seg ikke opp, han var begynt å like å vaske kopper, de rene hendene. Telefonen ringte. Det var nok Torunn, han ville være på sykehuset om en time, det var noe å glede seg til, han trodde jo ikke han skulle få se henne mer.

Det var fra sykehuset. Moren var blitt dårligere og måtte få oksygen. Vann i lungene, sa kvinnestemmen, på grunn av hjertet. De trodde også det var en lungebetennelse på gang, hun hadde fått feber.

Han nikket, kremtet. – Jaha.

Han burde komme. Han var sønnen?

– Ja.

Og mannen hennes burde også komme.

– Han er syk, han. Influensa.

Andre pårørende, da, sa hun.

– Ja, sa han og la på røret. Det freste, en lyd freste i ørene på ham. Kaffen. Den kokte over. Han skyndte seg bort og løftet av kjelen. Hentet en klut og tørket litt rundt kokeplaten, men brød seg ikke om å løfte opp komfyrplaten og vaske grundig, ikke nå, en annen gang, hva hadde lungene med hjertet å gjøre? Vann i dem? Han kikket på den lukkede døra inn til faren. Nei. Ikke tale om. Men han måtte ... han måtte ringe Torunn. Og Erlend? Torunn fikk varsle ham. Og han måtte ringe Margido, eller kanskje sykehuset hadde ringt ham alt? Han fikk ringe for sikkerhets skyld.

Det gikk en lang stund før hun tok telefonen. Stemmen hennes var hes og nesten ugjenkjennelig, han ble redd.

– Er du syk? Ligger du?

Hun hostet. Svarte neida og joda, hun var ikke syk, men hun lå, fordi hun sov ennå, det var bare det. Hun hostet en gang til og sa at det var fælt det med Siri og de to ungene.

– Er jo ganske vanlig. At ei purke ligger i hjel unger. De forsker på det, hos Norsvin. Avler på purker som ikke gjør det.

Det syntes hun var interessant, hun hostet igjen.

– Mor er blitt dårligere. Farmoren din.

Hun spurte på hvilken måte.

– Noe med vann i lungene. Og oksygen. Hjertet. Sikkert bare tull, men de ringte i alle fall. Jeg drar vel nå. Med én gang. Ja, det gjør jeg. Kan du ... Traff du Erlend i går?

Det gjorde hun. Det var koselig, sa hun, han var en veldig hyggelig gutt.

– Han er snart førti, sa han.

Det var ikke slik hun mente det. Hun skulle varsle Erlend, så kom de sikkert sammen til sykehuset.

Han ringte Margido.

– De påstår hun er blitt dårligere. Vann i lungene. Hun får oksygen.

Da hadde hun ikke lenge igjen, sa Margido.

– Det vil jeg nå se før jeg tror det, sa han. – Men nå koker kjelen her, skal bare ha meg en kaffeskvett før jeg kjører. Vi sees på sykehuset, da.

Nei, det gjorde de ikke, for Margido var på vei til en begravelse i Bakke kirke, og de to damene som jobbet for ham, hadde også hver sin begravelse, de hadde tre tilsammen i dag, fredag var favorittdagen for begravelser, det var komplett umulig for ham å slippe unna, nå var den elleve, og tidligst klokken to kunne han være der. Han kom i alle fall så fort han fikk det til, og gjentok dette med at nå hadde hun ikke lenge igjen.

Margido sa alltid ting rett ut når de var dårlige, men aldri ellers, bra at han kom på det med kaffen, og ikke ble sint. Ikke på syv år hadde han noensinne gjort noe koselig for moren sin, kommet på besøk eller sendt en blomst eller kort eller hva man nå gjorde når man ikke bodde her. Ikke Erlend heller, selvsagt, men Erlend var et eget kapittel. Siste gang Margido var her, kranglet de fælt, han og moren, selv var han gått i fjøset.

Til kyrne. Han savnet dem, plutselig savnet han dem voldsomt. Han skulle til og med gjerne ha vasket jur akkurat nå og kjent den søte lukta av varm melk, sett rumpene vifte. Lydene fra dem, de trygge lydene som alltid hadde vært der, morgen og kveld, griser ble aldri det samme, han hadde da aldri i sine levedager opplevd at ei ku lå i hjel en kalv. Han helte i en halv kopp kaffe og spiste brød med lunkent syltetøy på.

Ansiktet hennes var rødflammet, det var vel feberen. Han skulle så gjerne ha sett øynene hennes, møtt blikket. Disse øyelokkene var til å bli gal av, men nå var heldigvis det meste av skjevheten i ansiktet dekket av en oksygenmaske. Maskinen den var koblet til, laget en susende lyd. To sykepleiere var der inne, men gikk da han satte seg ned på stolen. Den ene klappet ham på skulderen før hun gikk, og smilte fort til ham.

Han tok den gamle hånda, den velkjente travle hånda. Så mye som den hadde jobbet, vært overalt, i vaskebøttene, rundt maten, på strikkepinnene, i bærbuskene bak låven. Han la kinnet sitt ned mot den, og følte kulda. Huden luktet litt stramt, slik det kunne lukte under en klokkereim.

Han rykket hodet opp idet døra åpnet seg. Begge var bleke og gustne å se til, nesten syke.

– Vi kom så fort vi kunne, sa Erlend og sank ned på stolen.

– Hva sier legene? sa Torunn.

– Jeg har ikke snakket med dem. Hun ligger nå bare her. Sikkert noe som går. Et virus. Mye av det nå.

– Låner badet, jeg, sa Erlend og lukket seg inn der. Vannkranen ble satt på fullt, men bak lyden av strømmende vann hørte de tydelig lyden av Erlend som brakk seg.

Torunn smilte forsiktig og sa: – Det ble sent i går. Vi hadde mye å snakke om. Ble endel rødvin. Og konjakk ...

– Dere er da voksne mennesker. Behøver ikke å unnskylde til meg.

De var fyllesyke, syntes vel det passet seg å gå på fylla på et fint hotell mens hun lå her alene på sykehuset. Erlend var drivende hvit i ansiktet da han kom ut fra badet.

– Jeg må ha noe saft, sa han. – Få opp blodsukkeret.

– Jeg også, sa Torunn. – Jeg vet hvor den står.

Begge forsvant ut døra, han så ned på hånda igjen. Og opp på maskinen hvor hjertet hennes var en grønn linje med små fjelltopper for hvert slag. Da stoppet den, linjen ble flat, og en lampe begynte å blinke, det kom visst en høy lyd også, han reiste seg og rev masken av henne, knep henne om kinnene.

– Mor! Mor!

En sykepleier kom springende, løftet opp håndleddet til moren og klemte med to fingre.

– Er det noe galt med maskina? Hun har da vel puls? ropte han.

Sykepleieren la hånda sakte ned på dyna.

– Du har nok mistet henne nå, sa hun. – Jeg beklager. Så syk som hun har vært, var det ikke annet å vente. Og når situasjonen forverret seg slik. Bare sett deg ned, du, så skal jeg hente et talglys.

Han nikket og satte seg. Ansiktet hennes. Det var blitt glattere. Munnen falt litt åpen. Han strakte frem en hånd og løftet det ene øyelokket hennes. Det viste en gulaktig blank kule med et blikk midt i, et blikk han ikke kjente. Han trakk hånda til seg, og øyelokket gled på plass. Sykepleieren kom med et hvitt lys i en stake og satte på nattbordet, og koblet moren fra all apparatur før hun tente lyset.

– Går det bra med deg? hvisket hun. – Tenk på at hun ikke led. Hun sovnet stille inn, helt uten smerter.

Noen lo. Det var Erlend og Torunn på vei inn døra med hvert sitt glass saft. Han hørte lyden av klirrende isbiter. De stanset, og ble stående.

– Er hun …, sa Torunn.

– Ja, sa sykepleieren.

Erlend gikk frem til senga, satte fra seg glasset på nattbordet og strøk moren over kinnet.

– Hun er varm, sa han.

– Fordi hun har feber, sa Tor. – Hadde.

Nei, dette gikk ikke. Dette greide han ikke å være i.

DEL 3

FAREN FALT AV STOLEN og ble liggende på gulvet. Sykepleieren skyndte seg å hente et håndkle på badet, og dynket det i kaldt vann, før hun satte seg på huk og strøk ham over panna med det.

– Han har bodd sammen med henne hele sitt liv, sa Erlend. – Hun skulle ha ligget syk litt lengre så han fikk vent seg til tanken.

Han åpnet øynene. Han lå på siden med parkasen åpen. Hun så at den skjorten han hadde på under genseren, var gul av kroppsfett på innsiden av snippen og kjente en plutselig og forsinket medlidenhet med ham.

– Han kommer til seg selv nå, sa sykepleieren. – Jeg henter litt kaffe til dere, og en kakebit. Kanskje han ikke har spist noe heller.

Hun satte seg på huk ved faren. – Går det bra? Du besvimte.

– Besvimte jeg?

– Falt rett av stolen. Men jeg tror ikke du dunket hodet ditt, du falt liksom ... på skrå. Nå kommer de med kaffe. Vil du reise deg opp?

Erlend hjalp til, de fikk ham på stolen. Og da var det som om han oppdaget den gamle i senga på nytt. Han lukket øynene og laget et slags skrik, med sammenpressede lepper. Sykepleieren kom med kaffen på et brett, tre plastkopper og noen ruter Mor Monsen-kake.

– Han bruker sukkerbiter også, sa hun. Sykepleieren nikket og forsvant igjen.

Faren satt lut på stolen, foldet hendene og presset dem inn mot magen. Hun vekslet blikk med Erlend.

– Margido vet hvordan ..., sa faren. – Han kommer klokken to. Han kunne ikke komme før. Han har en ... en ...

Hun fikk Erlend med ut på gangen.

– Vi kan ikke dra fra ham, sa hun. – Vi må få ham med hjem.

– Men herregud Torunn!

– Du sa det jo selv! Han har bodd med henne i hele sitt liv! Noen må jo ...

– Jeg greier ikke! Det er julaften på mandag! Jeg vil hjem til livet mitt!

– Jo, du greier det. Og hva med meg, da? Skal jeg liksom alene ... Han er da broren din! Og faren din sitter der ute på gården og ... og ...

Hun begynte å gråte, han la armene om henne.

– Jeg skal prøve, hvisket han. – Jeg har jo med valium. Tor kan få en, men da må vi innom hotellet og hente. Og jeg må ringe Krumme.

Hun svelget vekk gråten, ville tenke rasjonelt nå, trakk seg ut av armene hans.

– Jeg sjekker ut av rommet på Royal Garden, sa hun. – Og ligger over på Neshov.

– Det gjør *ikke* jeg! sa han. – Der går grensen!

– Vær så snill. Jeg kjenner jo ikke engang huset. Vet jo ikke hvor ... Kan du ikke være onkelen min nå, da. Først og fremst? Selv om du ikke ...

I noen sekunder stod han helt stille med blikket i gulvet, så nikket han sakte.

Faren ville ikke vente på Margido, han bare ristet på hodet da de spurte ham.

– Hjem, sa han.

Hun overlot til sykehuset å kontakte Margido, Erlend ga dem mobilnummeret hans. Det snødde da de kom ut. De gikk med faren mellom seg, han husket ikke hvor han satte bilen, men hun fikk øye på den.

– Jeg kjører, sa hun.

– Har ikke certet likevel, jeg, sa Erlend. Han måtte rydde unna forskjellig skrammel i baksetet. Han hadde en lys bukse på seg, han ville bli møkkete av å sitte der, tenkte hun. Han nevnte ikke lukta. Bilen startet på første forsøk, men hun slet med giret og måtte jobbe for å få satt det i revers. Clutchen tok ikke før pedalen var nesten helt ute. Og det var ingen servo.

– Hvor er vindusviskerne?

Faren svarte ikke, satt med bøyd hode, hendene i fanget.

– Ja, jeg vet *ikke*! sa Erlend og lente seg frem mellom setene og studerte hektisk de ulike knappene på dashbordet.

Hun fikk etter hvert plundret til både viskere og varmeapparatet, mens hun kjente i hele seg at dette ville hun ikke. Ville ikke, men måtte. Ut til den forfalne gården, med en far på sammenbruddets rand. Hun eide ikke erfaring med mennesker i sorg. Det var bra Erlend hadde valium, å få tankene kjemisk flate ville bli det beste for faren nå. Men hva med fjøset?

De kom seg ut av sykehusområdet og kjørte til hotellet. Faren løftet hodet da bilen stanset foran hovedinngangen.

– Hjem, sa han. – Ikke hit.

– Vi skal bare hente tingene våre og sjekke ut, jeg lar

bilen gå på tomgang så den holder seg varm, okey? Det går greit at du sitter her og venter?

Han svarte ikke.

Erlend betalte for dem begge, hun ga seg ikke til å protestere.

– Det er bare et plastkort, sa han. – Ikke ekte penger. Gå ut til Tor, du, så fikser jeg dette.

Han satt som før. Bilen var blitt varm, rutene duggfrie. Hun fikk ikke åpnet bakluka og måtte krabbe inn i baksetet og hive bagen sin over seteryggen. På baksetet lå en diger innretning hun mente måtte være en revesaks.

– Har du en revesaks baki her? Du har vel ikke brukt den?

Han ristet på hodet. – Fant den. I åkeren. Tenkte å ... gi den bort til noen.

Hun spurte ikke videre, satte seg bak rattet, tente en sigarett og rullet ned vinduet litt.

Erlend ringte Krumme fra bilen. Han snakket rolig og kortfattet, moren var død, de ble med Tor hjem, han kom ikke med flyet i dag, visste ikke når.

– Følg skiltene til Flakk, sa faren.

De kjørte gjennom den julepyntede byen. Fortauene var fulle av mennesker, alle utstillingsvinduer strålte om kapp.

– Less is more, sa Erlend.

– Hva?

– Ingenting. Jeg bare snakker med meg selv.

De sa ikke mer, noen av dem, før de passerte Flakk. En vegg av skyer lå bak dem, her var det blekblå himmel, to ferjer passerte hverandre midtfjords.

– Helt sykt å være her, sa Erlend.

Hun betraktet ham i speilet.

– Jeg skulle jo bare si adjø til henne. Enda hun ikke gadd å si adjø til meg.

– Hold opp, sa faren.

Erlend fortalte henne hvor hun skulle ta av, hun husket ikke veien, kjente seg ikke igjen før de kom til den staselige alleen.

Faren gikk ut av bilen med én gang hun parkerte på tunet, og satte kursen mot fjøset.

– Far! ropte hun. Det var første gang hun kalte ham det. Han stanset ikke.

– Men vi må jo inn først! Og fortelle det!

Han lukket fjøsdøra bak seg.

– Dette blir moro, du, sa Erlend. – Kan vi ikke bare dra. Haike tilbake til byen. Ser jo faen ikke ut her. Enda dritten er dekket av en halvmeter snø ...

– Kutt ut. Jeg har ikke engang møtt ham før.

Den gamle mannen satt inne i TV-stua. Farfaren hennes. Løftet hodet mot dem da de kom gjennom kjøkkenet og inn. Han var skjeggete og sjasket å se til, med huller og matflekker på klærne, og masse flass på skuldrene. Han satt med en tykk bok i fanget, i venstre hånd holdt han et forstørrelsesglass. Det var bilder i boka, hun rakk å se at det var ett av Hitler der, til og med oppned gjenkjente hun Hitler. Gamle folk blir visst aldri ferdig med krigen, tenkte hun.

– Heisann, sa Erlend og lente seg mot dørkarmen. – Her er jeg.

Hun gikk frem og rakte hånda mot farfaren. Han tok sakte imot den, med en stor forundring i ansiktet. Neglene hans var lange og sennepsgule, med sørgerender.

– Jeg er Torunn, datteren til Tor.

– Datter?

– Ja. Jeg var her på onsdag, men du var visst opptatt med forskjellig.

– Men jeg har da aldri ...

– Hun er død, sa Erlend.

Den gamle mannen så over på ham, sa ingenting. Erlend stakk hendene i lommene.

– Nå nettopp, sa hun. – Og faren min er i sjokk, han besvimte på sykehuset og gikk rett i fjøset nå. Han var ikke i stand til å kjøre bil, derfor ble vi med ham, og ligger over.

Erlend gikk tilbake i kjøkkenet.

– Er Anna død nå, sa farfaren. Han hadde bare tenner i overmunnen, det oppdaget hun nå, hvordan underleppen snurpet seg sammen om den nakne gummen i undermunnen og fikk haken hans til å vippe frem, skarp og avfeldig.

– Ja. Hun sovnet helt stille inn. Hadde fått vann i lungene, det var hjertet. Og feber, antagelig en begynnende lungebetennelse. Det var ingenting de kunne gjøre. Hun hadde ingen smerter.

– Neivel. Jaha. Jasså. Og du ... er Torunn. Jaha. Når ...

– Nå i formiddag. Nå nettopp.

– Nei, jeg mener ... at du, at Tor ...

– Å sånn, ja. Han var sammen med moren min mens han var i militæret. Hun var her på besøk en gang også. Spiste leverpostei.

– Akkurat. Det husker jeg. Det husker jeg godt. Men at hun var med barn ...

– Det var hun. Men det hjalp visst ikke. Jeg må nesten stikke og se hvordan det er med faren min.

Ute i kjøkkenet hvisket hun til Erlend: – Han visste ikke at jeg fantes. Ikke han heller. Dette er bare helt sykt.

Faren hadde låst fjøsdøra. Hun fant ikke noe nøkkelhull.

– Det er en slå på innsiden, sa Erlend, han var kommet etter henne og tente seg en sigarett. – Fy faen så møkkete det var der inne. Jeg holdt på å spy igjen.

– Er det ingen annen inngang til fjøset?

– Via høyloftet, jeg skal vise deg. Men du får gå inn alene, jeg har ikke tenkt å ødelegge klærne mine. Den bilturen var nok til at jeg ...

– Jada, jeg går inn alene.

Han hadde ikke rukket å drikke særlig mye av whiskyflaska, antagelig ikke mer enn han godt trengte. Han satt på en striesekk inne i bingen til Siri, han hadde hatt nærværelse nok til å skifte til kjeledress og støvler. Siri lå også, og ungene sov under den røde varmelampen sin. De avvente smågrisene i de andre bingene ylte og bar seg ved synet av henne, og purkene glante skrått og ristet på ørene.

– Vil være i fred, sa han, og knep hardere om tuten på whiskyflaska. Den var kjøpt i raus juleglede, nå stod den på halm og sagflis og skulle trøste en sorg.

– Klart det. Jeg ville bare være sikker på at du ...

– Jeg gjør meg ikke noe. Er ikke sånn. Må passe på grisene.

– Jeg skal hjelpe deg, vi blir her, Erlend og jeg, jeg hjelper deg med fjøset. Dette skal vi få til sammen, vi skal ligge over, vi tar en dag om gangen.

Han nikket.

– Kan jeg få åpne fjøsdøra på innsiden? Bare for sikkerhets skyld? Jeg lover at vi ikke skal forstyrre deg.

Han nikket igjen.

– Du er snill, du, sa han.

Erlend stod fremdeles på tunet, nå tråkket han sneipen ned i snøen.

– Jeg har tenkt, sa han. – Vi må ta noen grep her. Det går ikke an å oppholde seg på det kjøkkenet før noe gjøres der. Jeg foreslår full action, rett og slett for å overleve. Kom igjen, du er sjåfør.

På butikken på Spongdal fylte de en handlevogn til randen. Erlend plukket med seg to plastbøtter, gummihansker, et stort utvalg vaskekluter, grønnsåpe, salmiakk, skuremiddel, skuresvamper, Bio-tex, tørkerull, samt brød og pålegg, hermetikkbokser med trøndersodd, smør, kaffe og sjokolade, øl og brus og aviser, en rull svarte søppelsekker. Han betalte med Visa, etter å ha hisset seg opp fordi de ikke tok Diners. Rullen med søppelsekker åpnet han med det samme, og fylte varene oppi.

– Vi knytter dem godt igjen så ikke det setter seg lukt på alt sammen, fra bilen. Jeg fordrar ikke den lukta. Nå samler jeg alle vaskesakene i én sekk, så setter vi maten ute på tunet til det er blitt nogen lunde rent inne. Eller rent og rent, fru Blom. Vi konsentrerer oss om kjøkkenet til å begynne med. Og badet oppe. Jeg må nok ha en valium før jeg går inn der.

I en kiste ute i gangen fant han forklær til dem, de var rene og strøket, med skarpe strykekanter.

– De har sikkert ligget her i årtier, jeg husker dem, de var penforklærne hennes. På en gård har man nemlig pene forklær om søndagen og stygge forklær til hverdags. Vil du ha det grønnrutete eller dette røde med hvite blomster langs kanten. Jeg tror nok jeg vil kle det grønne best.

– Er du ikke lei deg, Erlend?

– Fordi hun er død eller fordi jeg er blitt med hit?

– Fordi hun er død.

– Nei, det er jeg ikke. Men dette er litt av en suppe. Og det er jeg ganske lei meg for. Jeg savner Krumme og prøver å ikke tenke på ham. Men når jeg er lei meg, setter jeg i gang med noe. Det er nok det geskjeftige bondegenet i meg, det.

Farfaren satt ikke i stua lenger.

– Skal vi se etter ham?

– Han liker å pusle for seg selv. Må vel fordøye nyhetene også. Nå skal det vaskes, lille niese.

De iførte seg forklærne, begge hadde snorer til å knyte både i nakken og bak på korsryggen. Med hvert sitt par gule gummihansker betraktet de hverandre, lo litt. Det var vanskelig å vite hvor man skulle begynne. Erlend åpnet en ny søppelsekk, ned i den slapp han oppvaskklut og håndklær, oppvaskkost og flere par grytelapper det var umulig å bedømme fargen på, samt noen skitne forklær som hang på en knagg ved døra. Han fylte vann og Bio-tex i en balje og hektet ned gardinene og stappet ned i vannet. Hun begynte å tømme kjøleskapet. Det var godt å jobbe med hansker og forkle, hun følte seg beskyttet, men det forhindret ikke at hun ble kvalm, det var inntørket og gammel mat, små tefat med rester som ikke lot seg identifisere, unntatt et fat med en grøtskvett på, den hang så godt fast i fatet at hun måtte skrape den løs med en kniv. Hun fylte vann i vaskekummen og slapp fatene oppi etter hvert.

– Kast alt i det kjøleskapet, sa Erlend. – Alt! Vi kan heller ta en tur til på butikken. Og trekk ut kontakten så vi får tinet det av.

– Trenger vel ikke å kaste en uåpnet melkekartong?

– Jo! Så lenge den har stått inne i det kjøleskapet der, så.

– Egentlig er vi fyllesyke. Jeg kan ikke forestille meg noen verre dag å være fyllesyk på.

– Nei, dette slår alt. Jeg fikk i hvert fall spydd litt. Det var antagelig den siste lyden hun hørte. Sin homofile sønn som spydde rødvin og konjakk.

Hun begynte å fnise, alt var helt surrealistisk, for ikke mange dagene siden stod hun på talerstol i Asker og holdt foredrag om rangordning blant canine flokkdyr.

– Vi kommer faen meg til himmelen for dette, sa Erlend. – Rød løper og fri bar.

– Jeg er innmari glad for at du ble med, onkel.

– Så så, jeg er jo faktisk den bortkomne sønn. Kanskje Tor slakter noe ungt og mørt til meg.

Den lille varmtvannstanken på kjøkkenet ble fort tom, de satte over to kasseroller med vann. Dette var ikke vasking hvor man så vidt så forskjell, dette var vasking man så på reklamefilm på TV, hvor kluten laget hvite gater i det svarte.

– Det er en varmtvannstank på badet også, sa Erlend. – Jeg stikker opp og henter en bøtte, det må jeg vel greie uten valium.

– Har faren din lagt seg, tror du?

– Kan godt være. Gamle folk legger seg når de ikke liker livet i sittende tilstand.

Margido ringte mens hun stod med langkost og vasket taket over komfyren med salmiakkvann. Det var ingen avtrekksvifte over komfyren, fettet rullet av i svartoransje pølser. Hun tok telefonen uten å ta av gummihanskene, hullene nederst på røret var mørkebrune og nærmest lodne. Erlend var i gang med skapene og fylte søppelsekken med tomme rømmebegre, flasker og annen emballasje, samt en god del tørrmat og halvfulle melposer.

Margido ringte fra sykehuset, han måtte spørre opp igjen om han var kommet til Neshov.

– Ja, det er Torunn, sa jeg jo.

Jasså, var hun der. Han ville bare høre med Tor hvordan de skulle gjøre det.

– Han er i fjøset nå. Har det ikke så bra. Skal jeg be ham ringe deg?

Det hastet ikke. Det var selvsagt umulig å få i stand noen begravelse før jul, han holdt en knapp på neste torsdag, tredje juledag, og det ville ikke koste noe, det måtte hun si til Tor, for Tor var redd for å bruke penger, og nå var gravferdsstøtten falt bort, det visste han sikkert ikke. De kostnadene som falt på dem utenfra, ville Margido dekke. Og dødsannonsen skulle han ordne med slik at den stod i morgen allerede, han kjente noen i avisa. Trodde hun at Tor eller Erlend hadde noen preferanser?

– Hvordan da?

For annonsen. Dikt og denslags.

– Det tror jeg ganske sikkert at de overlater til deg.

Men hva med minnestund, i sykehuskapellet i kveld, ville Tor ha det?

– Jeg skal be ham ringe deg.

Hun stod der med gummihansken mot øret og tenkte på det han hadde sagt, at hun ikke ville trives i denne familien. I stedet for å avslutte samtalen, sa hun: – Vi vasker. Erlend og jeg.

Var Erlend der også?

– Det ser ikke ut her, sa hun. – *Noen* må jo ...

Han avbrøt henne med å spørre hvor lenge de ble.

– Hvordan skal jeg vite det? ropte hun. – Alt er jo bare helt ... Hun er jo nettopp død! Hadde *du* tenkt å komme hit, kanskje?

Det hadde han ikke. Ikke i dag. Men selvsagt måtte de

sette seg sammen og planlegge selve kirkeseremonien en av dagene.

– Du hadde ikke tenkt å komme hit. Moren din er død, og broren din ... Og når folk ... som man faktisk er i familie med, er helt på trynet, da *må* man liksom ...

Hun måtte roe seg ned. Hun visste ingenting. Og han hadde ikke tid til å snakke lenger.

– Ikke jeg heller! sa hun og la på.

Erlend satt på kne foran kjøkkenskapet og lo.

– Den telefonen er møkkete, sa hun. – Den må demonteres og skrubbes.

DET VERSTE VAR IKKE at hun var borte, men at hun ikke hadde forberedt ham på noen som helst måte. Sagt noe om at hun følte seg gammel og skrøpelig. Gården var ikke hans, hva skulle det bli av alt dette. Sende alle grisene til Eidsmo rett over nyttår. Selge. Hvor skulle han gjøre av seg, bo. Og Torunn ville ligge over, *nå* ville hun det, og han kjente ingen glede ved det lenger. Hva tenkte hun om alt dette. Og Erlend. Hva hadde han her å gjøre.

Han ville ikke drikke mer. Han måtte snakke med Margido. Han beholdt kjeledressen og støvlene på da han gikk fra fjøset og inn for å ringe.

Han ble stående i kjøkkendøra og trodde ikke det var sant det han så. De drev og vasket, i morens penforklær. To store søppelsekker stod midt på gulvet, fulle, han skimtet melposer og rømmebegre på toppen av den ene, gardinene var borte, doggen rant av vinduene.

– Men hva gjør dere? Dere må da ikke kaste noe av mors ...

– Jo, sa Erlend. – Det må vi. Det ser ikke ut her. Rene slummen.

– Vi har da holdt det så fint her! Jeg òg, etter at mor kom på sykehuset!

– Da trenger du briller, sa Erlend.

– Hun er jo ... nettopp død!

– Men vi skal jo være her, sa Torunn. – Og da må det liksom ...

– Da trenger dere ikke å være her.

Han gikk inn på kontoret, Torunn fulgte etter, han satte seg tungt i arbeidsstolen, hun ble stående foran ham med en dryppende klut.

– Margido har ringt.

Hun fortalte hva han hadde sagt, at han ville bekoste alt og at han lurte på om de ville ha minnestund i sykehuskapellet.

– Nei. Vi har jo sett henne alle nå. Jeg ringer ham og sier det.

– Faren din har ikke sett ham.

– Han behøver ikke det.

– Men skal du ikke spørre ham? Så han får bestemme det selv? sa hun.

– Nei. Han orker ikke. Det blir for mye for ham.

Han skjønte hun godtok løgnen da hun fortsatte med å si: – Du ... det blir fint her nå. Vi kaster ikke ordentlige ting, bare det som er gammelt. Vi handler nytt, og Erlend sier det er fullt av rene håndklær og grytelapper og sånn, i et skap han vet om. Vi skal være her og hjelpe deg.

– Men dere trenger da ikke å gjøre om på alt. Og gardinene, de ... Vi har da alltid hatt dem hengende der. Hun er jo nettopp ...

– De ligger i bløt. Vi skal henge dem opp igjen etterpå. Stryke dem og henge dem opp. Alt blir likedan, bare rent. Og vi har handlet mat.

– Jaha. Og gardinene, de skal altså ikke ...

– Neida, de blir hengt opp igjen. Rene og fine.

Han hørte stemmen hennes, hvordan hun snakket til ham som til et barn, mens hun var den voksne, som gjentok og beroliget.

– Men hvorfor er du så opptatt av akkurat dem? sa hun.

– Nei, jeg bare ...

Hvordan forklare henne at det var foran disse gardinene de alltid satt, han og moren, pratet om vær og vind, løftet litt på tyllkappen innimellom for å titte på gradestokken eller ut på tunet, snøen eller regnet som falt, kveldsskyggen som dro seg forbi tuntreet, mens de drakk kaffe og småspiste på noe søtt. Å se vinduet slik som nå, avkledt og firkantet ... De hadde alltid hengt der.

– Vi satt der så ofte. Mor og jeg, sa han.

– Ved bordet foran vinduet?

– Ja.

– Og pratet sammen og hadde det koselig?

Han ble brått lei det overbærende i tonen hennes, han fikk en ekkel lyst til å vippe henne ut av rollen, komme ovenpå igjen. Dette var hans sorg.

– Vi pratet om alt mulig. Mor ble aldri ferdig med å snakke om krigen, sa han.

– Ja, det er vel sånn når man har opplevd den. Det skjønner jeg godt.

Han ble glad i henne igjen, hun kunne ha sagt noe om at *gamle folk* aldri ble lei av krigen, men det gjorde hun ikke.

– Hun visste mye, fulgte godt med. Hitler ville bygge en svær by her. Over femti tusen terrassehus og verdens største marinebase, sa han.

– Her? Nå tuller du godt.

– Gjør ikke det, nei. De plantet trær også, tyskerne. Berlinerpopler de tok med seg hjemmefra. Så de ikke skulle ha sånn hjemlengsel. Plantet dem dypt og godt. Uten at det hjalp.

– Døde de?

– Nei. De er digre nå. Det ble så varmt i været da tyskerne dro.

– Og det snakket dere om, sa hun.

– Ja. Hun sa … hun sa alltid at det som greier å gro, det varer. Hun var veldig opptatt av disse trærne …

Han holdt inne, og la blikket på fillerya. Den var skitten. Det var vanskelig å se hvilke farger den opprinnelig var vevd i. Hun kunne ha sagt noe nå, og at han vaset og antagelig hadde drukket for mye whisky, siden han satt her som en tulling og bablet om gardiner og marinebaser og tyske trær, men i stedet nikket hun bare flere ganger som om hun skjønte hva han mente, og gikk tilbake i kjøkkenet. Hun lot døra stå åpen etter seg, på radioen der ute var Norgesglasset begynt på P1, de spilte utenlandske julesanger.

Han kikket utover skrivebordet, rotet litt rundt i papirene, stabelen med kraftfôrlapper, det var snart årsoppgjør, verdens verste jobb, som han måtte ordne alene. Moren pleide å lytte når han beklaget seg, og lokket ham vekk fra papirene når han var som mest oppgitt, med kaffe og kanskje noe nybakt. Handlet mat, hadde de gjort, Torunn og Erlend. Fryserne stod da fulle. Mye bær som hadde ligget der i mange år, men sikkert litt kjøttmat også, og fisk. Det var umulig å få skikk på tankene, whiskyen dugde ikke til noe, den bare brant og gjorde vondt i magen. Heldigvis drakk han ikke mye. Han skulle ikke fortalt henne det om tyskerne og trærne, det var noe som var hans og morens.

– Da begynner jeg oppe, hørte han Erlend si. – Kryss fingrene for meg, I'm going in.

– Nei! Han bykset opp fra stolen og kom seg ut i gangen. – Nei, gjentok han.

Erlend holdt en dampende bøtte i hånda, en uåpnet plastpose med en klut inni og ei flaske skuremiddel.

– Ikke … Du skal ikke, du får ikke lov, sa han.

– Ikke lov til hva? spurte Erlend.

– Ikke rommet hennes.

– Skal ikke røre rommet hennes, jeg skal vaske på badet. Jeg mener å huske at det badekaret var lyseblått en gang i tida. Og nå har jeg tenkt å finne ut om det stemmer.

– Vi har sorg i huset. Og dere bare ... dere bare ...

– Hør her. Du behøver ikke å tenke på alt lenger. Konsentrer deg om det som er viktig. Grisene dine aner ikke at mor er død. For dem er dette en vanlig dag.

Mente Erlend at han ikke tok seg av dyrene sine?

– De har det fint, de!

– Det var ikke sånn ment, sa Erlend. – Jeg skjønner at dette er grusomt for deg. Vi prøver bare å hjelpe til. Og har du sett hvordan det ser ut på gulvet etter de støvlene dine? Og fjøsdressen her inne, det ville ikke mor ha likt. Hun var like lite glad i fjøslukt i huset som jeg.

Ordene roet ham ned, det lå et skjær av normalitet over dem. Moren ville virkelig ikke ha likt det, Erlend hadde rett.

– Det er forresten tomt for ved i kjøkkenet, kanskje du kan hente litt.

Erlend gikk opp trappa. Svarte bukser og svart genser, og to grønne sløyfer i nakken og bak på rumpa. Han hadde aldri trodd han skulle se ham i dette huset mer, og der skrittet han opp trappa med en dampende plastbøtte med skum på toppen. Forkle og øredobb, voksne mannen.

Han hentet sinkbaljen i kjøkkenet.

– Går det bedre? spurte Torunn. Hun stod foran komfyren, komfyrplaten var løftet opp. Hun stod og hakket med en spiseskje, hadde gruten virkelig satt seg så godt fast da kjelen kokte over i dag?

– Skal hente ved, sa han.

– Når begynner du i fjøset?

– Verken slutt eller begynnelse, der, sa han, og syntes selv det var et godt svar. Hva visste vel de to.

HAN VILLE IKKE LIGGE på det gamle rommet sitt, men Torunn måtte gjerne ligge der. Hun flirte godt da hun så at alle tre postersene på veggene på rommet hans var av David Bowie i hermafrodittperioden sin, med tung sminke og piggete hår.

Trønderlåna hadde soverom på rad og rekke i andre etasje, åtte tilsammen. De gikk gjennom dem og så etter dyner og puter og sengetøy. Han kjente hvordan klærne lå svette mot kroppen, og kvalmen satt i ham etter vaskingen på badet. Han åpnet dører og lukket dem, snakket med Torunn mens han tenkte på Krumme og at han skulle sove her på Neshov og ikke hjemme. De hadde kjøpt øl, han hadde med valium, han måtte greie det. De fant ingen skikkelige dyner, bare tunge vattepper de bar med seg ned i kjøkkenet og la mellom stolene til tørk, teppene var rå av kulde. Selv ville han ligge på det gamle rommet til bestefar Tallak, Torunn gikk opp med en vaskebøtte for å få spindelvevet vekk fra nattbord og vinduskarmer og panelovner på begge rommene. Da han hadde minnet henne på hvor redd han var edderkopper, og at hun derfor måtte sjekke ekstra grundig over senga hans, påstod hun at ingen edderkopper levde midtvinters, da lå de i dvale. Men en ekstra hardfør av dem kunne våkne og krabbe frem for å skremme vettet av ham.

Det luktet rent på kjøkkenet. To nye kasseroller med vann var varme, han blandet til nok et såpevann og tok med inn i TV-stua. Han kastet alle plantene unntatt en som levde. Hermetikkbokser med aluminiumsfolie og ulltråd rundt, Krumme ville ikke tro det om han fortalte det. Vinduskarmene lyste tomme, Tor kom antagelig til å hisse seg opp over det, men det fikk ikke hjelpe. Han vasket bord, og armlener på stolene, bar putene ut av døra og slengte dem i snøen, hvor filleryene allerede lå. Han ville helst ha kastet dem også, men han kunne jo ikke kaste hele gården i en sekk.

Han turde ikke ringe Krumme. Han ville bryte sammen hvis han hørte stemmen hans, og ikke hadde han svar på når han kom hjem. Men hvis Tor greide seg, og de handlet inn masse mat til ham. Han og gamlingen kunne vel fint feire jul alene. Han hadde glemt å ringe flyselskapet, det trodde han ikke Torunn hadde gjort heller. Han satte på kaffekjelen. Den var skurt med stålull, både inni og utenpå. Kaffeboksen var blitt ren. Han hentet inn sekken med matvarer og satte alt på plass i kjøleskapet. Knappen på håndtaket hadde fremdeles litt brunt på seg, han hentet kluten og gned. På radioen debatterte de Midtøsten og selvmordsbombere.

Torunn kom ned trappa.

– Den faren din, skal han bare ligge?

– Jada. Nå drikker vi kaffe, og så tar vi en tur til på butikken. Er Tor i fjøset?

– Hvor ellers. Jeg kan stikke opp med en kaffekopp til faren din.

– Kaffe på senga? Det tror jeg ikke han har opplevd før.

– Klart han har. Det har vel alle.

De skar seg noen skiver brød på en fjøl med en innbrent tegning av en gris, fjølen var skrubbet i kokende vann. De hadde kjøpt peanøttsmør og ost og hamburgerrygg. Torunn gikk opp med en kaffekopp, sukkerbiter og to brødskiver. Hun kom fort ned igjen.

– Ble han glad?

– Veldig overrasket, sa hun. – Men det ser ikke ut der inne. Det sengetøyet må ha ligget på en stund. Og som det lukter! Han lå og leste. Litt rart, når kona hans nettopp er død.

De stod ved benken og spiste, stolene var okkupert av vatteppene.

– Og så syns jeg det er temmelig snålt at ikke Margido vil komme hit i dag, sa hun. – Være sammen med deg og faren min. Dere er jo brødre som har mistet moren sin. Det kjennes liksom ikke som om noen er død. Da skal det være blomster og slektninger og ...

– Gråtekor? Ingen vet det jo. Hadde naboene visst det, ville de nok kommet med en blomst. Normal høflighet, det, selv om de ikke var venner av mor. Etter at bestefar døde var det slutt på omgangen med naboer. Bom slutt over natta. Dødt. Men vi skal handle blomster, i alle fall planter, jeg har kastet alle unntatt en. Og vi må tenke om det er mer vi trenger.

– Flatbrød til trøndersodden. Og litt ekstra pølse til å ha oppi, det er bare noe kjøttbollegreier i de boksene. Og melk. Hvor skal vi gjøre av søppelet?

– Brenne det. Vi pleide å brenne ting bak låven. Slå over litt parafin.

På butikken plukket han med seg seks potteplanter, han unngikk julestjerner og juleglede. Av potteskjulere hadde de bare noen ufattelig stygge i plast, men han tok likevel seks grønne. Torunn ville kjøpe telys. For å gjøre det litt koselig, som hun sa. Selv gikk han og tenkte på faren, hvordan de skulle få ham til å vaske seg. Da han la strømper og boxershorts i handlekurven, fordi han hadde med seg altfor få skift, tok han med et ekstra sett til faren også. Men han måtte komme seg på badet før ham, mens badet ennå var rent. Hvorfor gikk han uten tenner i undermunnen? Det måtte da bli vanskelig å tygge. Å måtte suge maten i seg.

Da de kom tilbake, tok han mattene og putene med bort til hushjørnet og ga seg god tid med dem. Sparket snø innover ryene, dunket og ristet på putene mens han betraktet utsikten. Det var begynt å mørkne, himmelen var klar, fjorden lå svart og flat uten en krusning. Visst var det vakkert her, som Torunn sa. Han hadde mange ganger i København tenkt på nettopp denne utsikten, renheten i den, det åpne og langstrakte. Lufta var så god å puste i, noe annet enn lufta hjemme som var full av eksos. Skogholtene var blitt høyere og bredere siden sist. For hundre år siden fantes det ikke trær her i det hele tatt, hadde bestefar Tallak fortalt. Og raset i tjueåtte tok åtti mål dyrket mark, bare blåleire lå igjen. Det var utsatte lier, dette, lier som søkte mot fjorden, nesten ikke flatt land, alt skrånte mot vann. Han kjente plutselig savnet etter bestefaren igjen, voldsomt og ferskt. Det var sorg, det! Da var det ekte sorg på gården, stuene satt stuvende fulle av folk den kvelden det skjedde, alle hadde med mat av forskjellig slag, mat mer enn blomster. Sånn sett gjorde jo Torunn og han det riktige, de kom med mat, fylte kjøleskapet, nå skulle de snart koke kjøttsuppe. Torunn skulle bare vaske over alle dyptallerkener først, og bestikket.

Han fikk puter og ryer på plass, Torunn ordnet med plantene. Han dusjet, vannet var så vidt blitt lunkent, han tok på seg rent og banket på døra til faren. Det kom et grynt til svar, han åpnet, pustet gjennom munnen og lukket for nesa.

– Du må vaske deg, sa han. – Her er nye underbukser og sokker. Resten har du vel rent i et skap. Skjorte og bukse og sånn, ei annen strikkejakke. Vannet er ikke helt varmt ennå, men jeg har satt tanken på tre. Du kan klippe neglene dine også, jeg har lagt neglesaksen på kanten av vasken.

Faren så forferdet på ham.

– Kommer her folk?

– Nei. Bare oss, men det lukter av deg. Torunn er ikke vant til slikt. Og hvor er resten av tennene dine?

– Mistet dem.

– Det er snart kjøttsuppe.

Tor var kommet inn i TV-stua. TVen var ikke slått på. Han satt sammensunket i en lenestol og stirret rett fremfor seg, iført vanlige inneklær, og ullsokker i treskoene.

Kasserollen med kjøttsuppe stod på komfyren.

– Har du snakket med flyselskapet? spurte han Torunn.

– Har glemt det. Jeg blir nødt til å kjøpe ny billett. Jeg blir ruinert.

– Har glemt det jeg også. Men ikke tenk på pengene, det ordner jeg. Langsiktig lån. Veldig langt.

Han hentet seg tre øl i kjøleskapet og åpnet dem, ga den ene til Torunn, gikk inn i stua og rakte den andre til Tor. Han måtte dulte ham i skulderen for å gjøre ham oppmerksom på den. Tor kvapp til og tok likegyldig imot flaska, uten å takke.

– Nå ble det vel fint her.

– Mor strevde fælt med de boksene, sa Tor. – Jeg syns de var fine.

– De var rustne. Og plantene var døde. Dessuten er det en igjen.

– Kan den få stå der, den da.

– Det kan den.

De la vatteppene i stua mens de spiste. Det var bare tre stoler, Tor hentet en krakk i gangen. Faren stinket, det var vanskelig å spise. Han så at Torunn plagdes uten at hun ville vise det, bordet var lite, de satt tett.

Han kjente en snev av medynk vike plassen for gammel avsmak, selv om faren var så likegyldig for ham at han knapt hadde skjenket ham en tanke på tyve år. Tor beveget seg som en robot da han kom og satte seg. Nå lå øynene hans på maten, og venstre albue på bordhjørnet.

Ingen av dem snakket. Suppen var grei nok, Torunn hadde saltet den ekstra, men tanken på å gjøre det *koselig* med telys, var glemt. Alle unngikk hverandres blikk, konsentrerte seg om skje, fat og flatbrød. Han betraktet mønsteret i respatex-bordet, han husket da de kjøpte det, hvordan de strevde med å få slått det opp. Bestefar Tallak kjøpte det, kom triumferende med den digre eska en dag han hadde vært i byen, det var siste skrik, han påstod det lignet marmor. Nå var respatex moderne igjen. Veggplatene på badet var også respatex, badet kostet en liten formue å sette i stand, det var tredve år siden. Vannklosett og badekar, og blandebatteri over håndvasken. Da var det fremgang på Neshov. Rosebed inne ved veggene, jordbær og hønsehus, og bål i fjæresteinene på St. Hanskvelden. Og julestemning. Julenek på tuntreet og grøt til nissen på låven, han og bestefaren gikk ut med den, han sluttet aldri å være så barnslig at han unnslo seg

å tro på gårdsnissen. Han fortalte at nissen gikk i grå kofte og rød lue, og bodde under tuntreet. Hvis man ikke stelte godt med nissen, gikk det dårlig med gården.
Han trodde ikke noen hadde vært med julegrøt på låven på de siste tyve årene.

Torunn ble med faren i fjøset. De var borte i nesten to timer. Han burde ringe Krumme, men gjorde det ikke. Mobilen lå avslått i jakkelomma hans. Han ryddet på kjøkkenet, vasket opp og satte seg foran TVen. Faren huserte på badet oppe, hvordan gikk det an å miste halve tanngarden, tenkte han. For en tulling.

Da Torunn kom tilbake, sa hun etter å ha dusjet: – Jeg kan ikke huske sist jeg var så sliten. Vatteppene er vel tørre nå, jeg må legge meg.
– Jeg skal re opp senga for deg. Gikk det bra i fjøset?
– Jeg var så sliten at jeg ikke hadde overskudd til å være redd dem.
– Redd? Du er vel ikke redd griser?
– Når de veier et kvart tonn, så. Men han hadde ikke greid alt selv, han gikk bare rundt og vaset uten å gjøre seg ferdig. Og han snakker ikke. Han har alltid likt å snakke om grisene sine. Den ene purka lå i hjel to unger i går, den purka han er aller mest glad i. Det har visst gått veldig inn på ham. På toppen av det hele, liksom.

En time senere krøp han selv innunder sitt eget vatteppe, oppå et laken stappet skjevt og likegyldig ned mellom madrass og sengeramme, krøllet seg sammen på siden med hendene rundt knærne, uten ork til å pine tærne ned i kulda i fotenden. Han kjente igjen lukta av sengetøyet, det var lukta fra dette huset, den gamle lukta han husket.

Han lå stille og pustet og ventet på at tabletten skulle virke. Her lå bestefaren en gang, med alt sitt, med hele seg, den han var, alt han kunne, alt han tenkte. Lukta av sengetøyene fikk bildene til å strømme i ham, bestefaren på enga i grønn skjorte og med en ljå han håndterte med slik letthet og presisjon at han så ut som om han stod der og bare slengte en taustump uanstrengt fra side til side, han ropte noe, kanskje at han var sulten snart, hvor ble det av Anna med maten, og skrittene hans over plogfurer, lange og dype skritt i støvler, han var aldri i ro den mannen, det var energi i hver minste bevegelse, om så det bare var å stryke svetten av panna, andre ble som snegler i regn rundt ham, unntatt moren kanskje, hun lo ofte med ham, skjønte hva han mente før han var halvveis i setningene, og hun pleide å smile når han åt, han åt med slik glupskhet og fornøyelse, det likte hun visst å se på. Han husket at bestefar Tallak hev henne opp i lufta en gang, da var han selv ganske liten, de visste vel ikke at noen så dem. Ingen gjorde slikt midt i hverdagsstrevet, stod og tullet og hev folk opp i lufta. Men han så dem mellom veggplankene i utedoen, bestefaren tok henne om livet og hev henne rett opp i lufta, hun hylte og landet og liksomslo etter ham. Han krøp tettere sammen under dyna og tenkte på akkurat dette bildet, moren i gul kjole og med hvitt forkle med jordbærflekker, bestefaren svær og sterk foran henne, han husket at han var blitt sjalu, og sprang ut av doen uten å tørke seg skikkelig bak, sprang rundt til dem og forlangte at bestefaren skulle gjøre nøyaktig det samme med ham. Hiv meg, bestefar, hiv meg også! Moren hadde sagt han måtte slutte å tulle, og gikk fra dem begge.

Nå kjente han tabletten, den glatte strengen som viklet seg ut, rundt og rundt i kroppen, det nyttet ikke å fryse i en slik velvære, han strakte seg så lang han var og romsterte med tær og hender rundt i dynetrekket for å tette alle åpninger hvor iskald luft kunne trenge inn.

Gardinene var gjennomsiktige, vinduet åpent i en liten sprekk. Det var så stille. I København var det alltid lyder, også midt på natta. Han hørte noen trekke opp ute på do, den tilforlatelige lyden ga magen hans et lite puff av lettelse. På mandag var det julaften. I morgen tidlig ville han ringe Krumme og forhåpentligvis vite hva han skulle si.

HUN BRUKTE MOBILEN som vekkeklokke. De skulle i fjøset til syv, hun satte mobilen på vekking til kvart på syv. Da den blinket med grønt display og pipelyd i det stupmørke rommet, forstod hun ikke hvor hun var. Hun fant ikke lysbryteren til leselampen og famlet rundt langs sengegavlen en stund før hun endelig fikk trykket lys inn i rommet og kikket rett opp på David Bowie som Aladdin Sane, med det blå og røde lynet malt på tvers av ansiktet.

Grisene. Faren.

Gulvet var isende kaldt, hun grep klærne og toalettmappen og sprang på badet. Det var stille i huset. Hun visste hvor farens rom lå nå, og farfarens. Dørene var lukket. Faren forsov seg vel ikke, bønder kunne ikke det. Gikk ikke an å ringe over til fjøset og si man hadde forsovet seg og avspaserte noen timer. Nyttet ikke med fleksitid.

Han satt i kjøkkenet alt, det luktet kaffe og det røk fra tuten på kaffekjelen, men han hadde ingen kaffekopp foran seg. Han var tung i ansiktet, satt med halvåpen munn og stirret rett frem, gløttet bare så vidt på henne da hun lukket seg inn døra. Adventsstaken stod utent i vinduskarmen, kontakten stod i støpselet så hun, hun gikk og begynte å vri på lyspærene, da hun kom til den midterste og høyeste, tente alle syv seg. Bekmørket lå klistret innpå rutene og gjorde dem til speil. Utetermometeret viste minus syv.

– Har du ikke sovet, kanskje?

Han ristet sakte på hodet. – Jeg tror liksom hun ligger på sykehuset ennå. At jeg skal dit snart. Og se om henne. Se om hun har våknet og blitt seg selv igjen.

Stemmen hans knakk litt, men hentet seg inn med et langsomt kremt.

Hun la hånda på skulderen hans, klemte.

– Stakkars deg. Det må være forferdelig å miste moren sin.

Over gardinkappen så hun sitt eget ansikt, blekt, med mørkt hår rundt, mot det glassblanke desembermørket.

– Du kjente henne ikke. Det er synd.

– Ja. Det er synd, sa hun.

– Det er fint her nå, Torunn. De blomstene var fine òg. Men Erlend trenger jo ikke å være her. Er det ikke nok at *du* ...

Hun kjente en liten glo av indignasjon, faren ante ikke hva det kostet Erlend, det ante vel ikke hun heller, fullt ut. Men hun sa rolig, uten å slippe skulderen hans:

– Nei. Kanskje ikke. Men når noe slikt skjer ... Og du må ikke glemme at han kom øyeblikkelig, helt fra København da hun ble syk. Det må jo bety noe.

– Men han er ikke lei seg.

– Alle sørger på sin egen måte, sa hun, slapp skulderen, satte seg.

– Sørger han? sa han og løftet ansiktet mot henne over bordet, det smale ansiktet hun ikke så seg selv i, men hvor hun likevel visste at hun var.

Hun nikket, så vekk, lot som om hun var lei seg ved tanken på det.

Det var godt å komme inn i fjøset. Hun lot seg ikke affisere av den skitne kjeledressen lenger, ikke brød hun seg om den skarpe grishuslukta heller. Hun gledet seg til å se ungene, det gikk ikke an å se seg mett på dem, ikke engang midt i alt dette. Grisene hvinte og gryntet og romsterte opphisset da lysrørene langs taket ble tent. Først skulle de fjerne møkka, det var sikkert mindre på morgenen, tenkte hun, griser sov da om natta, drev ikke og gjorde fra seg nattestid, vel.

Det var hun som oppdaget den døde ungen. Ikke en av Siri sine, men Saras nå. Den lå alene midt på gulvet i bingen, mens de fire andre ungene sov under varmelampen. Sara stod våken og uanfektet med trynet mellom metallrørene på bingen og snufset mot henne, den store tryneplaten beveget seg som en radar.

– Se, sa hun og pekte. – Den ungen bare ligger der, jo.

Han kom de få skrittene mot henne og ble stående med hendene tungt ned langs siden og stirre på ungen, før han gikk inn i bingen og løftet den opp med et nakkegrep. Grisehuden foldet seg som tynt stoff mellom fingrene hans.

– Er den ligget i hjel? sa hun.

Han svarte ikke, lukket seg ut av bingen og bar ungen ut på vaskerommet. Hun hørte lyden da den lille kroppen traff betonggulvet der ute. Så ble det stille. Hun ble stående og betrakte Sara.

– Hva har du gjort, hvisket hun. – Og så akkurat nå.

Saras blikk vek ikke. Det var fylt av sult og iver, bekymringsløshet, hun hadde fire til, det var det første kullet hennes, hva visste hun vel om å være en god mor.

– Det forskes på sånne som deg, sa hun. – Og du er dødsens.

Hun slo Sara hardt over trynet med flat hånd. Sara

stavret en halvmeter bakover, måtte sette seg på rumpa, ble forvirret og flakkende i blikket. Faren kom ikke ut fra vaskerommet, fremdeles var det stille. Hun gikk ut dit.

Han satt på huk foran ungen, med begge hender oppe rundt hodet. Håret hans stakk ut i tufser mellom fingrene, han satt med ryggen til henne, ungen lå i en krapp vinkel opp mot veggen, den var mer lyseblå enn rosa.

– Far, sa hun, og hørte at det fremdeles ikke lød naturlig.

– Jeg greier ikke, sa han. Stemmens hans var våt og grumsete.

– Du sa det var vanlig, sa hun.

– Ikke nå. Ikke nå.

Han begynte å rugge på fotballene.

– Jeg skjønner hva du mener, sa hun.

Han svarte ikke. Han rugget fortere, og etter noen sekunder falt han over på siden, ble liggende, fremdeles med hendene oppe i håret sitt, og knærne opp mot brystet. Det begynte å yle igjen inne i fjøset, først en to–tre griser, deretter flere, som i en ulveflokk. De var sultne, ville ha frokost, dette gikk for sent. Hun bøyde seg over ham, forsøkte å rive den ene hånda løs fra håret, men greide det ikke. Han hulket, det rant vått på tvers av neseryggen og ned på gulvet. Det var fryktelig kaldt her inne, kjente hun, ville ikke vannet i kranene fryse. Grisene skrek, purkene på en bassdyp og guttural måte, de avvente smågrisene i hvinende falsett. Lydene klemte mot ryggen hennes, nakken, bakhodet, trommehinnene, dette var levende vesener, og de var avhengige av rutinene sine.

– Jeg må … Jeg ordner dette, jeg. Det går bra. Det går bra. Du kan bare … Så går vi inn sammen etterpå og spiser frokost.

Hun gikk fra ham og forsøkte på huske hvor mye de ulike bingene fikk kvelden før. Hun fikk ta møkka siden i dag, det var ikke viktig, nå handlet det om å få roet dem ned, stilt behovene.

Etter mye plunder fant hun lysbryteren på fôrrommet. Siloen hang tung og bulende ned fra taket. Hun holdt bøtten under og trakk vekk lukkemekanismen. Fôret fosset støvende ned av tuten, hun skjøv platen tilbake, den ga motstand, hun måtte presse, og det flommet over i bøtta, drysset på gulvet. Erlend hadde valium, hvis faren ikke ville ha, fikk hun knuse en tablett og putte i maten hans. Hvis hun fikk mat i ham, da. Eller kanskje i kaffen.

Det ville ha vært godt å ha ansvaret her inne i fjøset alene, hvis ikke faren lå der ute, hun kjente det helt plutselig mens hun skyndte seg fra binge til binge, at det ville vært godt, hun hadde aldri vært alene i et fjøs før, bare vært observatør, og her gikk hun og hentet og tømte kraftfôr ned til forslukne dyr og var livsnødvendig. Ingen andre ville gjøre det når faren lå omkull på vaskerommet. Hun tenkte på reportasjer i Dagbladet og VG, dyrevernsnemder som avdekket grusomme forhold, dyr som vasset i møkk til knærne og åt på hverandre, var det slik det begynte. Det kunne godt begynne slik. En viktig person på gården som døde, og purker som skuffet, og dermed var gleden ved arbeidet slutt, alt ble ordløse anklager og nederlag.

Han lå som før.

– Nå går vi inn, sa hun. – Kom nå.

Han lå som om han sov. Skulle hun ringe en lege. Det slo henne at de burde ha snakket med en lege på sykehuset før de dro, men om hva? Hvordan takle sorg og sjokk? Hun hadde trodd at om bare hun og Erlend ble med til Neshov, ville alt ordne seg. Grisungen fikk bare ligge der. Til og med mennesker lå i hjel sine egne barn hvis de ammet dem om natta og sovnet, hun hadde lest om det, vemmet seg ved tanken, koblet slikt til manglende morsinstinkt, også i søvne hegnet vel en mor om eget avkom.

– Kom nå.

Han åpnet øynene, løftet blikket sakte i retning av henne.

– Besvimte jeg?

– Vet ikke helt. Det var fælt med den ungen. Men nå må du ...

– Besvimte jeg?

– Ja. Du besvimte. Kom nå.

HAN BEGYNTE Å RINGE Krumme i ni-tida, uten å få svar. Etter syv oppringninger, hvor han hadde lagt igjen tre meldinger han selv skjønte måtte lyde ganske hysteriske, ringte han avisen. De visste ikke hvor Krumme var, han hadde kveldsvakt i dag. Han forsøkte mobilen på nytt. Ingen svarte. Bare Krummes stemme som med monoton forretningsmessighet ba ham legge igjen en beskjed.

Dette var straffen. Krumme ville ikke ha mer med ham å gjøre. Han visste godt med seg selv at han hadde vært altfor tilkneppet og litt avvisende da han ringte kvelden før og sa at han ikke kom hjem. Men hvordan skulle han ellers ha snakket, når både Tor og Torunn hørte alt han sa. Han hadde lukket Krumme ute av livet sitt med den samtalen, og alt begynte med enhjørningen, løgnen, da han lot som om han sov mens Krumme puslet om ham. At han ikke sa noe, der og da! Først tre dager etterpå sa han det, i fylla fra hotellrommet, det var gjort nå, Krumme var garantert ferdig med ham, han var en løgnaktig drama queen, verken mer eller mindre.

Han satte seg til ved kjøkkenvinduet, lot tida gå. En drøss med spurver og meiser huserte på fuglebrettet, med brødsmuler og en klump med et eller annet som hang i en snor. Han tenkte på gårdsnissen igjen, som antagelig lå steindød under tuntreet. Han drakk lunken kaffe, forsøkte å la fuglene på brettet fylle bevisstheten, det travle og hverdagslige ved dem. Tor sov oppe, etter at Torunn fikk puttet i ham en valium i dag tidlig, det var hun som vekket ham, det hadde vært fryktelig å våkne og skjønne hvor han befant seg og at han snart måtte ringe. Det gikk en time før han ringte første gang, med en skrekk i seg for hva han måtte si, nå som Tor åpenbart *virkelig* var falt sammen, og Torunn var helt fortvilt. Han måtte bli her, det var ikke bønn, selv om han egentlig ikke skjønte hva han kunne bidra med, annet enn å være her, være onkel, han visste ikke hva det var å være onkel, men nå fikk han tydeligvis lære det. Han hadde hørt dem ute på badet, hvordan Torunn nærmest måtte tvinge i ham tabletten, hun gråt og tagg og ba før hun fikk ham til å svelge. At han skulle sørge så fælt over den moren, men med Tor hadde moren alltid hatt en annen kontakt enn med han selv og Margido. Hun hadde *sett* Tor, forholdt seg til ham.

Nå var Torunn i fjøset igjen. Faren hadde nettopp vært nede og skåret seg en skive brød og tatt med seg opp. De vekslet ikke et ord. Klokken var snart halv tolv, det var lav og honninggul vintersol ute, lilla himmel, det var isroser nede i hjørnene på kjøkkenrutene, han hadde løftet gardinkappen flere ganger og sett på dem, men unngått å ta helt inn over seg hvor vakre de var, naturens eget Swarovski-design, det var aldri isroser på vinduene hjemme. Hjemme ... Her, der, hjemme.

Han røykte den ene sigaretten etter den andre med et tefat som askebeger, og hadde bitt av flere negler før han fikk sukk for seg, det var lenge siden han bet negler. Da han ville legge i mer ved, så han hvor lite ved som lå i baljen. Måtte han virkelig gå i vedskjulet. Han tente enda en sigarett og sjekket kjelen, det var bare våt grut igjen. Alt nådde visst bunnen her snart.

Han hektet skinnjakken ned fra kroken ute i gangen, den var iskald, gangen var iskald og uten oppvarming, bootsene var like kalde. Med sinkbaljen i hendene gikk han over tunet til skjulet, det var antagelig mange minus, men det var litt godt også, med ren og blåfrossen luft ned i lungene.

Veden lå i en kolossal trebinge, større kubber til venstre, litt kløyvd ved til høyre. Hoggestabben stod med øksa liggende på tvers oppå. Gulvet var mykt av gammel flis og sagmugg, det luktet godt og sterkt her inne. Han vurderte størrelsen på ovnsdøra i vedkomfyren og fylte ferdigkløyvd ved i baljen mens han tenkte på gasspeisen hjemme, og det tre-timers videoopptaket av peisbål han varmet seg ved som ung mann i København. Til TV-stua tok han med et par av de større kubbene, det var ikke fyrt opp der inne ennå. Noe skinte i bunnen av bingen, inne ved hjørnet, han fomlet det opp, det var et gebiss, han stakk det i lommen, ville gjerne ha ledd høyt over å finne det der, men eide ikke ork. Kanskje han kunne le av det når han viste det til Torunn, hun måtte da snart være ferdig i fjøset.

Tilbake i kjøkkenet slapp han gebisset i et melkeglass, fylte på med vann og satte det på benken. Sagflis fløt opp og ble liggende på vannflaten øverst i glasset. Han fyrte opp i TV-stua, skylte kjelen og satte over nytt kaffevann, der hørte han Torunn i døra, nå ville han dekke på frokost til dem, finne de telysene de glemte i går, han var ikke sulten, det var for hennes skyld. Han hentet brødet frem fra brødboksen av lysegul plast, og brødkniven, i det samme hørte han bildur på tunet. Fra vinduet kunne han se en hvit Golf som stanset med et lite spretthopp ved tuntreet. Langs bilen stod det: Europcar Bilutleie.

Han ble stående og se, holdt seg godt fast i respatexbordet, han hadde øyeblikkelig oppdaget hvem det var. Torunn gikk ut igjen, gikk Krumme sakte i møte, rakte frem hånda, Krumme tok den, det utenkelige var blitt virkelighet, han ville gjemme seg, innerst i et kleskott, dø, omkomme av skam. Men det var lettelsen som vant, han var ikke forlatt, han var tvert imot blitt oppsøkt, hele den lange veien, og Krumme som var slik en elendig sjåfør, de kjørte aldri selv noe sted, og så på hvitt vinterføre, men han var god til å orientere seg, spørre om veien, lytte og notere, bruke kart, det skulle han ha. Men han hadde jo kveldsvakt! Og det var det første han sa da Krumme sekunder senere kom hastende inn i kjøkkenet og fant ham foran vinduet:

– Men du har jo kveldsvakt!

– Erlend. Her er du.

Hvilen i å kjenne luktene av ham, holde rundt ham, legge kinnet ned mot pannen hans. Men blikket falt på gebisset i melkeglasset, Coop-kalenderen, gardinene, luktene og forfallet tross alt bak det nyvaskede.

– Vi drar med én gang, Krumme. Fint at du har leid bil.

– Men det kan vi ikke gjøre. Da ville du jo ha dratt allerede.

DET SATT EN UKJENT mann i kjøkkenet, han ble stående i døråpningen mens han holdt seg fast i dørkarm og dørklinke.

– Kom helt inn, det trekker, sa Torunn.

Han gjorde som hun sa. Han tenkte: fjøset. Og sa det:
– Fjøset.

– Alt er i orden der, mat og vann og rene gulv. Og halm og torvstrø. Kom og sett deg og spis, du har sovet i mange timer nå, må være sulten.

Han var nødt til å tro henne, hodet hang skjevt på halsen, og halsen kjentes som som den var festet til skuldrene med gummistrikk. Da kom han på noe. Like fort ble det borte for ham, før det plutselig var der igjen.

– Lyset, sa han. – Det skal stå på.

– Hos grisene om dagen?

– Ja. Bare mørkt om natta. Må ha ... døgnrytme.

– Det visste jeg ikke. Jeg skal stikke ut og skru på med én gang.

Han så på den fremmede mannen igjen. Enda mannen satt på en kjøkkenstol kunne han se at han var ganske kortvokst og tykk. Lignet Karlsson på taket. Torunn gikk forbi ham i døra og ut. Mannen hadde likedan øredobb som Erlend. Erlends hånd lå på mannens kne. Bordet hadde fått duk. Og det stod mat på bordet. Oppskårne brødskiver og pålegg og smør. Og ei høy, mørkebrun flaske med gul og rød etikett. Kaffekoppene var de pene moren aldri brukte.

– Har dere tatt mors penkopper? sa han.

– Måtte det, sa Erlend. – Det var jo ikke en eneste kopp eller fat i skapet her som matchet.

– Matchet?

– Ja. Matchet. Hils på Krumme.

– Krumme?

– Samboeren min fra København. Han kom nå nettopp.

– Hit?

– Han sitter jo her, ser du vel!

Erlend snudde seg mot mannen og hvisket noe, han oppfanget ordet valium.

– Jeg ville ikke ha, sa han. – Det var Torunn.

– Sett deg, Tor, så skal du få kaffe. Den tabletten virker i mange timer ennå, det er derfor du føler deg litt rar.

Erlend slapp mannens kne etter å ha gitt det en ekstra klem og noen forte klapp.

– Nei, sa han.

– Nei til hva? At du skal ha kaffe eller føler deg litt rar?

– Nei.

– Skal du ikke hilse på Krumme, da?

– Nei. Du har aldri gjort mor annet enn vondt. Hadde hun sett dette ... Det er bra hun er død.

– Hva faen snakker du om? ropte Erlend høyt, altfor høyt og tynt, det var ikke plass i kjøkkenet til hele stemmen hans, det lå isroser på kjøkkenvinduet.

– Din gris, sa han. – Komme her og ... og sitte sånn og grafse. Du kan dra nå.

Erlend kom helt opp i ansiktet på ham, han luktet manneparfyme og peanøtter.

– Du skal holde kjeften din! sa han. – Jeg er ikke her for *din* skyld, men for *Torunn* sin skyld!

– Ikke rop. Du har aldri gjort mor annet enn vondt.

Kinnet sved, han falt inn over kjøkkenbenken, spredte armene til hver side for å holde seg fast, kinnet brant glohett ned mot den kalde benkeplaten, han forsøkte å løfte opp hodet, men det ville ikke lystre. Så gikk det i døra og Torunns stemme var der, og hendene hennes rundt skuldrene hans, det var vondt i øret også, kjente han nå. Torunn dro ham opp.

– Hva er det dere driver med? ropte hun.

Skulle hun også begynne å rope nå. De snakket bak ham, han snudde seg ikke. Han hørte de gjentok alt han hadde sagt, og hva Erlend hadde sagt, unntatt det med at han var her for Torunns skyld og ikke hans. Torunn skjøv ham mot døra.

– Tror du skal ligge litt til, jeg, sa hun. – Jeg blir med deg opp, og så henter jeg kaffe og litt mat opp til deg etterpå.

Senga var fremdeles varm, han lå her i fulle klær. Plankene i taket var de samme. Alt var annerledes, men takplankene var de samme. Det var han takknemlig for, han bestemte seg for å studere dem lenge og grundig. Også da døra gikk opp og han i øyekroken skimtet Torunn komme med ting i hendene hun satte fra seg på nattbordet.

– De er glade i hverandre, sa hun. – De har vært sammen i tolv år.

– Mor ville …

– Moren din er død. Og hun ville vært glad for å vite at Erlend hadde det godt og trygt sammen med en snill mann.

– Nei.
– Så la være, da!
Hun smalt døra i bak seg da hun gikk.

La være hva da? Han kikket på kaffekoppen, det var heldigvis en av de gamle. Hun hadde glemt sukkerbiter. Han sølte da han støttet seg opp på albuen og løftet koppen over til seg. To brødskiver med ost og en med ... Han tok et tygg, det var hamburgerrygg. Det hadde han ikke smakt på årevis, de kjøpte trønderfår eller salami. Men han likte ikke så godt salami, det var gode gamle og utslitte avlspurker som ble salami.

Det var morens hjemmebakte brød, den danske mannen satt der nede og spiste brød bakt av en død kvinne som ville ha hatet ham. Kinnet var fryktelig varmt, han la hodet ned på puta igjen mens han tygget, og la hånda mot kinnet. Det brant mot fingrene hans, huden banket i takt med pulsen. Komme hit og slå. Sitte og klisse med hverandre under kjøkkenbordet, og så slå. Han fikk heller sende alle grisene til Eidsmo, og skyte seg etterpå.

HAN MÅTTE ANKOMME samtidig som presten, da ble det noe profesjonelt over det, etter å ikke ha vært der på syv år. Han hadde et ærend. Det var en begravelse som skulle settes i stand, komponeres og planlegges. Han fikk tak i Fosse prest og avtalte å hente ham, da trengte han ikke være lenge, han ble jo nødt til å kjøre hjem presten.

Det var mørk ettermiddag da de svingte opp alléen. Det stod en fremmed bil på tunet, en leiebil. Han parkerte Citroënen rett bak. Mobilen lot han ligge igjen i setet. Han var glad for å slippe unna den, Selma Vanvik ringte som besatt, julekort hadde hun også sendt ham, til privatadressen. Og han kunne jo ikke gjøre seg utilgjengelig på telefon heller, folk døde ikke innenfor en definert åpningstid.

I mørket så gården ut slik den alltid hadde gjort. Det lyste tilforlatelig fra kjøkkenvinduene, de var dekket av dogg på innsiden.

– Ja, da får vi se hvordan dette går, sa han til Fosse prest som ventet i bislaget for å la ham gå inn først. De kunne høre musikk.

En fremmed mann i svart høyhalset genser og grønt forkle stod foran komfyren, foran stekepannen, det luktet intenst av krydder og stekt kjøtt. Han var liten og tykk og rugget i takt til musikken fra radioen, en popsang. To kasseroller kokte på de bakerste platene, dampen lå på alle vinduer, vinduet ved adventsstaken stod halvåpent uten at det hjalp. Torunn og Erlend satt ved kjøkkenbordet og holdt rundt hver sin flaske pils, de måtte drikke direkte av flaska, han kunne ikke se noen glass. På gulvet stod flere handleposer fra City Syd som ennå ikke var pakket ut, på kjøkkenbordet lå avisa åpen på dødsannonsene. Han rakk også å skimte farens knær gjennom døråpningen til TV-stua. Erlend og Torunn reiste seg da de fikk øye på mannen bak ham, og den hvite kraven i halsgropa innenfor ytterjakken. Torunn skyndte seg mot radioen og skrudde den av, den lille mannen foran komfyren snudde seg. Det ble veldig stille i kjøkkenet, men fra stua hørte de stemmen til en opphisset fotballkommentator.

– Er det deg, sa Erlend. – Dere.

Fosse prest rakte hånda mot ham. – Er det du som er Erlend?

– Ja.

– Kondolerer. Jeg er Per Fosse. Presten her ute.

– Takk, sa Erlend og tok imot hånda, han virket forfjamset, kikket på ølflaskene på bordet.

– Det er lov å sitte sammen og hygge seg selv om man har sorg i huset, sa presten og smilte.

– Dette er ... Carl, sa Erlend. – Carl, dette er Margido, broren min.

De håndhilste, Torunn og denne Carl også, på presten. Mannen var dansk.

– Han kom i dag, sa Erlend.

Fosse prest gikk inn i stua.

– Sett deg, sa Torunn. – Erlend og ... Carl har nettopp

vært og handlet. Kjøpte avisa også. Annonsen var fin. Og det er kommet to store sammenplantinger fra nabogårdene, de står inne i stua.

– Hvor er Tor?

– Han fikk et slags sammenbrudd i dag, han har fått en tablett, sa Erlend. – Han ligger. Men sett deg. Vil vel ikke ha øl når du kjører. Men det er litt trangt på komfyren for en kaffekjel akkurat nå. Brus, da?

Han nikket. – Dette behøver ikke ta lang tid. Men Tor må også ...

– Kan du ikke bare stikke opp til ham? sa Erlend fort. – Jeg behøver ikke å bestemme noe.

– Det er valg av salmer og musikk, og hvordan sangheftet skal se ut.

– Bestem det, dere, sa Erlend.

Tor lå med lukkede øyne, men han kremtet. Man kremter ikke når man sover, tenkte Margido. Han lå fullt påkledd, med lys på leselampen.

– Er det her du ligger?

– De har presset i meg en tablett, sa Tor og åpnet øynene. – Jeg ville ikke ha. Bare så du vet det.

– Du trengte den sikkert. Dette må være hardt for deg.

– Dansken til Erlend har kommet, jeg kan ikke gå ned. Og jeg må i fjøset snart. Torunn ordnet alt der inne før i dag, men jeg må se at det er i orden.

– Jeg traff ham. Han står og lager middag nå.

– Gjør han?

– Ja.

– Det er ikke til å holde ut å ... tenke på. Erlend ligger på rommet til bestefar. Der skal de vel ... ligge sammen.

Han satte seg på en krakk rett innenfor døra. I hendene holdt han salmebok og skriveblokk og kulepenn. Han var her for å forberede en begravelse.

– Men likevel, Tor, så må du ...

– Hva må jeg?

– Gå ned. Være her. Du kan ikke bare ligge og ...

Tor la en arm over øynene, svarte ikke med det samme, snufset hardt.

– De satt og klådde på hverandre. Under bordet, hvisket han.

– Klådde på hverandre? Hvordan klådde ...

– Strøk. På låret.

– Jeg skal snakke med Erlend.

– Hva skal du si til han, da?

– Skal snakke med ham, Tor. Men begravelsen ... Tredje juledag klokka ett. Har du sett annonsen?

– Nei. Orker ikke å tenke på den.

– Vi må velge salmer og musikk. Jeg tenkte kanskje ...

– Bestem det, du. Det er jo jobben din. Du vet best.

– Presten er her. Vil du snakke med ham? Skal jeg be ham om å komme opp? Fosse prest er en snill og klok mann som ...

– Herregud! Traff han dansken? ropte Tor og løftet seg opp på albuen.

– Gjorde da det. Men prester er vant til så mangt. Slapp av. Skal jeg be ham om å komme opp en tur?

– Nei! Jeg skjemmes! Prester liker ikke sånt! sa Tor og slapp seg ned på ryggen igjen.

– Akkurat det varierer nok. Og det er ikke sikkert at han skjønte ...

– Det lyser jo lang vei av Erlend! Og de har likedanne øredobber.

– Men du blir likevel nødt til å gå ned, late som ingenting.

– Jeg klarer ikke.

– For mors skyld. Du må passe gården. Det er jobben din, gården er ditt ansvar.

Da Margido kom ned, fikk han Erlend med seg ut i gangen.

– Tor klarer ikke dette, hvisket han uten innledning.

– Å velge salmer? Men da kan da vel du ...

– At dere ... tar på hverandre.

Erlend snudde seg for å gå inn igjen, grep i dørklinken, Margido grep fatt i armen hans og hveste: – Erlend! Hør på meg.

Til den bortvendte ryggen sa han: – Dette gjelder gården og dyrene. Torunn er da ikke i stand til å ... Tor må *fungere*, skjønner du det? Hvis dere skal være her, så kan dere vel, bare i noen dager greie å la være å ... å ...

– Å være glade i hverandre?

– Nei. Men ikke så Tor ser det.

– Skal vi hate hverandre hvis Tor er der?

– Du forsøker å provosere meg, men dette gjelder Tor. Han må kunne gå rundt i huset her uten å ...

– Jeg skjønner hva du mener. Det er greit. Jeg skal forklare Krumme at han er kommet til et annet århundre.

– Krumme?

– Jeg kaller ham det. Et kjælenavn. Får jeg lov til å bruke det?

– Men Erlend, du må da ikke tro at *jeg* ... Det er bare det at Tor ...

Erlend åpnet kjøkkendøra, han fulgte etter ham inn.

Torunn hadde skjenket opp to glass brus til ham og Fosse prest. Han satt alt med sitt og smilte til Margido: – Det gikk fort?

– Vi får finne ut av salmer og musikk, vi to. De overlater det til meg.

Han ville gjerne dra nå, og tømte brusglasset.

– Vi har snakket om noe, sa Torunn. – Julaften. Vi blir jo her til begravelsen alle tre nå.

– Jaha.

– Vi snakket om det rett før dere kom, faktisk. Erlend har vist meg den digre peisestua innenfor TV-stua, den er jo så fantastisk flott. Det hadde vært fint om du også kom. Vi skal ikke ha gaver og sånn.

– Å komme hit på julaften? Er det det du mener?

– Skal vi ikke ha gaver? sa Erlend. – Det har ikke jeg hørt noe om.

– Nei, sa Torunn. – Gaver skal vi ikke mase med. Men for broren din sin skyld, Margido. Når det faktisk er julaften. Vi kan vel være sammen.

– Da er det vel ikke meg du mener, sa Erlend. – At det er for min skyld Margido skal være her.

– Nei, akkurat nå snakker jeg om Tor. Du er da ikke på randen av sammenbrudd, Erlend.

– Jeg skjuler det godt.

Feire julaften på Neshov. Han husket knapt hvordan peisestua så ut. Dette var en maskerade, men hva skulle han svare.

– Du sa at jeg ikke kom til å trives i denne familien, så jeg skjønner du ikke liker dette, sa hun.

Og det sa hun mens presten satt der. Hva måtte han ikke tro.

– Men siden det er julaften, la hun til.

– Det tar seg ikke ut med noen storstilt julefeiring når mor er død. Det syns jeg ikke, sa han.

– Det blir ikke storstilt, det blir et måltid, sa Torunn. – Vi har ikke tenkt å sette fakler og nisser i alléen, hvis det er det du tror.

– Det høres da fint ut, Margido, sa Fosse prest. – Å spise sammen, være sammen om både savnet og høytiden.

Selma Vanvik hadde ringt mens han var inne i huset. Meldingen på svareren viste at hun ikke hadde gitt opp, hun ville at han kom til henne på julaften, og hvis han kunne kjøpe med akevitt, var det fint. Resten behøvde han ikke tenke på. Han ringte henne tilbake med én gang Fosse prest var satt av foran oppkjørselen sin.

– Moren min døde i går, sa han. – Så jeg kan nok ikke komme.

Hun begynte å gråte, men fikk stotret frem at nå bar de begge på sorg og visste hvordan den andre hadde det.

– Kanskje, sa han.

Hva mente han med det?

– Jeg mener bare at ... Jeg kan i alle fall ikke komme.

Hva med nyttårsaften, det var også en fin kveld hvor de kunne gjøre noe sammen.

– Vi får se.

Margido trakk luft dypt ned i lungene, åpnet vinduet og lot kulda strømme inn. Hvorfor greide han ikke å skyve henne vekk, han var jo ikke interessert. Men på den annen side visste han jo ingenting om det han gikk glipp av. Kanskje han kom til å like det, like å være mann for noen. Eller var han som Erlend. Ute av stand til å ville inntil en kvinne. Han kjente plutselig en intens trang til å sitte alene i en badstue, lukke øynene for rennende saltsvette, bli varm helt inn i knoklene, suge glohet luft ned i lungene, ikke tenke, måtte ta stilling til.

Svette og etterpå sove, det var det eneste han hadde lyst til, svette seg tom og deretter sove.

DE BEGYNTE I PEISESTUA søndag etter frokost, hun og Erlend. Krumme var dratt for å handle, alle butikker inne i Trondheim holdt søndagsåpent.

Det var et svært og staselig rom, med langbord i midten og åtte høyryggede stoler rundt, med skinnseter. Veggene var nakent tømmer malt lysegrønt, gulvet bestod av brede og ubehandlede treplanker. Flere vevde åklær dekorerte veggene, og i den svære, åpne peisen hang en svart jerngryte etter en tykk kjetting. Gardinene i de to høye vinduene i enden av rommet var også vevd, som tykke portierer helt ned til gulvet. Kontrasten til de nedslitte sekstitallsmøblene i TV-stua var enorm. Dette var et rom som signaliserte velmakt og tradisjon.

Rommet var iskaldt. Erlend fyrte opp i peisen. Den var eneste varmekilde i rommet, det ville ikke nytte å åpne dørene mellom stuene før det var blitt varmt her inne. Spindelvev beveget seg alle vegne, oppe under taket, i vinduskarmene og langs gulvet. De hentet vann og begynte å vaske for å komme i varmen.

– Det skal finnes noe julepynt et sted, i en kiste, sa han. – Men vi skal vel ikke overdrive.

Han fortalte om juleselskapet han og Krumme nettopp holdt hjemme i København, hvordan bordet hadde sett ut og hva de hadde servert. Erlend var lett og glad i kroppen, hoppet rundt med kluten i hendene og var ikke engang hysterisk for spindelvevet, det var for gammelt til å utgjøre noen trussel. Hun håpet inderlig at julekveldsmiddagen ville la seg gjennomføre på en hyggelig måte. Bare faren ikke slo seg vrang igjen. Kvelden i forveien, etter at hun hadde hjulpet ham i fjøset, gikk han rett inn på kontoret og satte seg.

– Det er middag, sa hun. – Kjøttgryte.

– Det er ikke middag nå, sa han. – Det er kveld.

– Du må jo ha mat.

– Jeg er ikke sulten.

– Kjenner du ikke hvor godt det lukter?

– Jeg har masse kontorarbeid å ta igjen, det er årsoppgjør snart.

Han begynte å rote rundt i en haug skitne lapper med hull gjennom.

– På en lørdagskveld, sa hun. – Men okey, gjør som du vil.

Han hadde ikke reagert da hun fortalte ham at Margido kom på julaften. Men da han sa ja til å spise søndagsfrokost i kjøkkenet etter fjøset i dag tidlig, hadde Erlend hvisket til henne ute i gangen: – Han tør å være der inne nå. Jeg har lovet Tor at Krumme og jeg ikke skal klå på hverandre mens han ser det. Margido tagg meg på sine knær om at jeg måtte love det. Så Tor kan bare slappe av.

– Men hva sa Krumme til det? Han må jo tro at ...

– Det var Krumme som overtalte *meg*, da han fikk høre det. Jeg ville heller kjørt fullt show midt på gulvet mens presten var der, jeg!

– Litt barnslig akkurat *det*, da.

– Barnslig, men frigjørende. Men nå tror jeg ikke at den presten ville ha reagert særlig hysterisk, han virket som et skikkelig menneske, og da går jo futten fullstendig ut av slike opprør, dessverre.

En lang buffet i peisestua inneholdt middagstallerkener og glass. Det var her de hadde hentet kaffekoppene da Krumme kom.

– Men var det fint? spurte hun nå og løftet frem en stabel med middagstallerkener med en smal gullstripe langs ytterkanten. – At Krumme kom? Selv om dere ikke kan tukle med hverandre i full offentlighet?

– Skremmende og herlig. Men han syns det er tøft å se meg her. Se meg som bondegutt. Han fantaserer om meg i snekkerbukser nå, barbeint, tyggende på et halmstrå. Jeg har lovet ham en liten runde på låven, men det er jo så helvetes kaldt. Like kaldt som her inne. Du, vi tar en pause, leter etter duker.

Det var som om alt gjemte seg bak en fasade av forfall, ikke bare den vakre stua. Skapene oppe stod fulle av duker og pent sammenfoldede gardiner, åklær, ullpledd. Alt de fant var renere og penere enn det som var i bruk. De oppdaget et helt skap med filleryer også, helt nye, Erlend stablet armene fulle og bar ned, mens hun kom med duker de ville prøve ut for å se om lengden passet. De slengte ut de gamle ryene og la nye i alle rom, og fant en kremhvit damaskduk som passet til bordet. Duken lyste opp rommet, skinnende blank, med sylskarpe strykekanter. En gang måtte denne Anna virkelig ha holdt en viss standard.

– I morgen kjøper jeg noen lekre servietter og lys, det kan man ikke overlate til Krumme, han har bare forstand på mat, han.

De var blitt enige om *flæskesteg*, med rødkål og rosenkål og svisker.

Erlend fikk sporet opp kista med julepynt, den stod i et av soverommene ingen brukte.

– Det var her inne bestemor lå i årevis, sa han.

Hun ble stående og se på den gamle skuvsenga, forsøkte å forestille seg en gammel kvinne som lå i tre år og spiste mat fra kaffekopper.

– Fins det ingen bilder? spurte hun.

– Det brukte vi aldri å ta. Så når folk døde i vår familie, så døde de virkelig forever. Se her.

Han løftet frem en diger nisse som holdt en nøtteknekker.

– Denne husker jeg godt. Og her er julestakene til å sette på bordet.

De var bygd opp av rødmalte kuler, slike hun husket fra sin egen barndom.

– Og vi må finne einer til å legge i jerngryta. Da lukter det så godt når vi fyrer under. Apropos fyre, vi må brenne de ryene og søpla bak låven før Tor oppdager det og får fnatt.

Erlend fant en kanne parafin inne hvor traktoren stod. Det var blitt overskyet, og noen fine flak snø drysset glissent og planløst, begynnelsen på et snøvær. Faren var i fjøset, han gikk tilbake dit etter frokosten.

De slepte med seg søppelsekker og ryer. Den døde grisungen hadde hun puttet i en handlepose og gjemt bak noe skrot under låvebrua, nå hentet hun den også.

– Det er et fast sted for å brenne ting her, sa Erlend. – Bygd opp med digre kampesteiner rundt.

Det var gamle fotspor i snøen, delvis dekket av ny snø. Hun fikk snø ned i støvlettene, den lå dyp, men søppelsekkene skled lett på overflaten.

Den rektangulære firkanten var et kullsvart hull midt i det snøhvite, en svær smeltet fordypning.

– Det er noen spiralgreier der, hvisket Erlend og pekte.

– Det må ha vært en madrass. De spiralene er fjæringen fra en madrass.

– Nettopp brent. Sikkert mor sin, sa han.

– Men hvorfor har han brent den?

– Kanskje for at ingen andre skulle ligge på den, sa han.

– Og der er beinrester.

– Beinrester? Tror du det? sa Erlend og grep henne hardt om overarmen.

– Slapp av. Ungene til Siri. Den purka han er så glad i.

– Stakkars Tor. Rene gravplassen, dette. For så mangt.

De fikk fyr på sekker og ryer og posen med den vesle grisen, stod side om side og betraktet flammene, kjente varmen mot ansiktet.

– Vi må gjøre det fint i morgen kveld, sa hun.

MARGIDO VILLE I BYNESET kirke før middagen og ringte på julaften formiddag og sa det. Det var Torunn som svarte. Erlend satt og betraktet Krumme, han kunne ennå ikke helt fatte at han stod her, midt i dette stygge kjøkkenet, fullstendig uanfektet.

– Vi kan jo uansett ikke spise før vi er ferdige i fjøset, sa hun inn i røret. – Jeg hjelper faren min så det går litt fortere, hvis vi sier klokka syv?

De satt med kaffe og gammel dansk ved kjøkkenbordet. Krumme var alt i gang med rødkålen, luktene laget jul i kjøkkenet, og radioen spilte julesanger på alle kanaler. Dørene mellom stuene stod åpne, peisen brant, de passet på at det hele tida lå friske kubber i flammene. Bordet var dekket med nyvaskede tallerkener og glass, men de fant ikke sølvbestikket som han mente hadde vært her en gang. Han hadde spurt Tor, og Tor fortalte at det var solgt for mange år siden til en som kjøpte og solgte slikt, inne i byen. Serviettene var i rødt og gull, og lysene røde. Sammenplantingene naboene hadde sendt, stod i hver sine ende av bordet, de gikk i hvitt og grønt og sølv, de var fine. Det var et enkelt og greit bord, selv om det ville sett ganske annerledes ut hvis konteksten hadde vært en annen og han kunne tatt den helt ut. To av stolene var stilt inntil veggen, de ville sitte romslig og godt. Ingen skulle sitte på kortendene, Torunn lurte på hvorfor, men det fikk han ikke helt forklart henne. Det var noe med å sitte som bonde og bondekone i hver sin ende, gamle tradisjoner, og slik var det ikke her. Nå var det mennesker som manglet, og rollene var uklare. De fikk pent sitte på langsidene alle sammen.

I kveld ville han si det rett ut, at Tor måtte få gården skrevet over på seg. Han kunne ikke tenke seg at Margido ville motsette seg det, også han måtte jo skjønne at de ikke kunne ta ut noen arv slik det stod nå, men at papirene likevel burde komme i orden. Det var på tide at Tor ble rettmessig bonde på Neshov.

Han gledet seg til å si det, vise raushet overfor Tor, ta ansvar for å bringe temaet på bane og få saken ut av verden. Det ville nok få Tor til å rette ryggen, se fremover. Det ble på en måte julegaven hans, til dem alle. Og på samvirkelaget hadde han kjøpt en plasteske med ferdiglaget risengrynsgrøt, den ville han springe på låven med mens Tor og Torunn var i fjøset. Han behøvde ikke varme den. Grøten var julegaven til bestefar Tallak, og han hadde allerede planlagt at han skulle gråte når han rev av emballasjen, tillate seg å bli dypt sentimental, og legge enhjørningens lille horn ved siden av.

Tor drev og brøytet tunet og alléen nå. Han var oppegående, men sa ikke stort. Kvelden før, da han kom fra fjøset, luktet det sprit av ham. Han satt og drakk i fjøset, det var ikke godt å tenke på. Han visste at det stod en whiskyflaske der ute som Torunn hadde gitt ham. Men det var utenkelig at Tor hadde sin faste gang på Polet, hvordan skulle han ha råd til det. Men de burde kanskje gi ham litt penger, han og Krumme, hvis han ville ta imot, da. Slett ikke sikkert at han ville ta imot rene kontanter.

De burde heller kjøpe et par hundre liter rød og hvit maling og gi ham før de dro.

Krumme hadde lovet at de skulle stelle til en ny julaften når de kom hjem. Det virket så fjernt nå, sjakkbrettet han ønsket seg, leiligheten, juletreet med Georg Jensen-stjerne i toppen og kunstig snø i kurvene. Der hjemme stod det alene, og i dag var det virkelig julaften i København. Hele byen ville glitre og blinke og juble om jul, men hvis han skrudde av radioen nå, ville antagelig traktoren til Tor være alt han hørte. Og ikke skulle de pynte seg ekstra, han hadde ingen dress med. Krumme hadde sin svarte, til begravelsen, han rakk å tenke så langt før han dro. Men svart dress kunne ikke Krumme ha på i kveld, det ville virke underlig, nesten makabert.

– Jeg får kjøpe meg en svart dress tredje juledag morgen, kjøre inn til byen, sa han.

– Vi reiser vel hjem dagen etter begravelsen? sa Krumme.

– Ja. Vi må jo det.

– Kan jo ikke flytte hit heller, sa Torunn. – Bare faren min kommer over det verste, så ...

– Og alt er jo annerledes nå. Vi skal sees igjen, holde kontakt, du skal komme til oss i Købehavn.

– Det skal du, sa Krumme, og strøk henne over kinnet.

– Det er rart, sa Torunn. – Hvis noen hadde fortalt meg for en uke siden ...

– Den følelsen tror jeg vi har alle sammen, sa Krumme.

Faren satt inne i stuen og så på tegnefilmer. Han gikk og stilte seg i døra, lente seg mot dørkarmen, betraktet den gamle mannen.

– Skal du ikke barbere deg?

Faren så opp.

– Nå når har du tenner og alt. Du må se skikkelig ut, tenke på at det bursdagen til Jesus.

Faren så tilbake på skjermen og sa: – Jo, jeg kan vel kanskje ... Men det er sånt plunder. De underbuksene jeg fikk var gode.

– Savner du henne?

Han reagerte ikke.

– Hun var ikke spesielt snill mot deg. Bosset deg rundt fra morgen til kveld.

Dette er et usynlig menneske, tenkte han, et usynlig menneske som har gått på jorda i åtti år. Sitter her i nye underbukser til førtiåtte kroner og forsøker å takke for dem.

Bambi snurret fortumlet rundt på isen, snart ville de synge When you wish upon a star. Det måtte han for enhver pris unngå å høre i dag, da gråt han alltid i bøtter og spann og ville komme til å skremme vettet av faren.

– Jeg kan hjelpe deg, far. Hjelpe deg med barberingen. Kom så går vi opp på badet.

Han fikk anbrakt ham på en krakk foran servanten og la et håndkle rundt halsen hans, som en smekke, festet med en klype i nakken. Han visste fra rundvasken at det lå en pakke nye barberblader i skapet. Han kastet det gamle og satte et nytt i høvelen. Det fantes ikke barberskum.

– Pleier du å bruke vanlig såpe?

Faren nikket alvorlig og stirret på seg selv i speilet.

– Vent litt.

Han hentet sin egen toalettveske og Chanel-stiften, brukte en vaskeklut og vætet farens ansikt før han gned stiften rundt i skjeggstubbene til skummet lå tett og hvitt. Han forsøkte å ikke tenke så mye mens han gjorde det. Faren satt med lukkede øyne og stiv nakke, høytidsstemt.

Han dro høvelen sakte og omhyggelig over det gamle ansiktet, laget hudfargede spor i det skumhvite. Til slutt løftet han håndkleet opp og klappet ansiktet tørt.

– Nå ble du fin. Skikkelig julefin.

– Tusen takk.

– Og når jula ringes inn, skal du få en snaps av meg. Det blir vel bra.

Faren nikket gjentatte ganger, tok seg til kinnet med en finger.

Da kom Tor opp trappene og rett inn på badet.

– Hva ...

– Jeg har barbert far. Ble han ikke fin?

– Nå står faen meg ikke verden til påske her, sa Tor og snudde og gikk ned igjen.

– Og så litt fuktighetskrem, så ikke huden tørker ut.

Faren senket hendene i fanget og lot ham gni kremen inn, mens han lukket øynene.

MARGIDO HADDE RETT, han måtte se til å ta seg sammen, tenke på gården, dyrene sine. Én ting var å få besøk i fjøset og vise frem dyrene til datteren sin, noe ganske annet var å være så utafor at han ikke kunne greie seg i fjøset og aldri fikk være der alene. Men hun var flink, nå bar hun på halm og strødde i bingene, var ut og inn til purkene lett som ingenting, de kjente henne nå. Og de avvente smågrisene var helt ville etter henne og yrte rundt føttene hennes når hun var i bingen.

Da de var ferdige og skulle inn til julemiddag, sa hun:
– Du kan bare pakke dem opp nå. Vi skal jo ikke ha gaver, så da blir det litt urettferdig hvis du pakker dem opp inne. Jeg har sett at de står ute i vaskerommet.

Så det hadde hun. Hadde vel sett flaskene i skapet også, akevitten og sherryen. Det ville virke rart om han ikke kom med den akevitten, da. Erlend beklaget seg høylytt i dag over at Polet var stengt, at det eneste de hadde var pils og ei flaske rødvin og noe dansk snaps. Det hørtes veldig mye ut for ham, det stod to kasser med pils i bislaget, men det var dette med akevitten, at det ikke ble jul uten, hadde Erlend sagt.

Det var ullundertøy av fineste slag. Han brettet julepapiret pent sammen mens han studerte den unge, sporty mannen på bildet utenpå esken.

– Det var jammen ... Noe så fint. Du skulle ikke ha ...
– Og så de andre.

Kaffe og brunt sukker på trepinner, et krus formet som en gris. Hanken var grisehalen, han løftet den og førte den mot munnen og liksomdrakk, hun smilte og smilte, han kunne vel gi henne en klem nå, tenkte han, når de stod her slik i likedanne kjeledresser fra Trønderkorn.

– Takk. Men jeg har ingenting til deg, sa han, og ga henne en fort klem. Hun luktet såpe bak fjøslukta.

– Slapp av, du kan få gi meg en god gave ved å la meg få gå først på badet!

Det ga ham noen minutter å samle seg på. Han hentet frem akevittflaska og stilte den på benken, og åpnet den ene sherryflaska, tok flere slurker. Det var tomt for whisky, slik kunne han ikke holde på. Bare han fikk henne i jorda og begravelsen var vel overstått, ville alt være ved det samme gamle igjen. Og han kunne nå like godt drikke mens han hadde.

Sherryen varmet, kløp seg fast som en glo i brystet, middag i peisestua, faren barbert av Erlend med smekke om halsen. En danske med øredobb foran grytene, dette skulle moren ha sett. Og så i peisestua. Sølvbestikket måtte de selge for å få nok penger da han betalte på Torunn.

Margidos Citroën stod i tunet. Han møtte ham inne i gangen, Margido tok av seg ytterklærne, var akkurat kommet. Det luktet godt fra kjøkkenet. Dørene stod åpne, i kveld var også yttergangen varm.

– Nå ligger hun i bårehuset, sa Margido.
– Allerede?
– Jeg kjørte henne dit i dag, det er fullt på sykehuset.

Bare noen hundre meter unna. Når kirkeklokkene ringte til julemesse i morgen, ringte de også for henne. Han forsøkte å se henne for seg. Hvitt, hun lå nok i noe hvitt, alle gjorde det, med hendene samlet. Han bestemte seg for å ville se henne i bårehuset før begravelsen og kjente en plutselig ro i seg ved det.

– Ta med den inn, du, sa han og rakte Margido den vesle akevittflaska.

– Men *jeg* kan ikke drikke noe, i tilfelle jeg blir kalt ut.

– Den får nok bein å gå på likevel.

Han hentet rene klær og tok full kroppsvask. Det var som en renselse. Det å vite at hun lå der ikke langt unna, og at han skulle se henne. Og det var jo her ute hun skulle ligge! For alltid! Ikke inne på det fæle sykehuset, det var nok det som hadde vært så vondt, å tenke på henne der. Det var her hun hørte hjemme, nesten på Neshov. Og hver eneste gang når klokkene ringte ... Han kjente tårene dryppe, men tørket dem ikke vekk, det var gode tårer å gråte, de blandet seg med dusjvannet.

Skjorten var ustrøket, men ren. Det fikk holde.

Da han gikk ned trappa, hørte han farens stemme fra kjøkkenet. Han stanset midtveis i trappa for å lytte. De satt og snakket med ham, Erlend og Torunn og dansken. Han hørte ikke Margidos stemme. De måtte ha gitt faren noe skarpt å drikke, han som aldri smakte en dråpe, det ville gå rett i fletta på ham.

– Men en hel by! Jeg trodde nesten at faren min tullet med meg, sa Torunn.

– Over femti tusen terrassehus, sa faren.

– Ville knapt blitt plass igjen til gårdene her, sa Erlend.

– Neu-Drontheim, sa faren.

– Skulle byen hete det? sa dansken.

Faren svarte ikke med det samme, han nikket vel i stedet. Men så fortsatte han: – Albert Speer laget en modell. Tjuefem kvadratmeter stor. I gips. Av alt.

– Du vet mye, du, sa dansken.

– Å. Jeg leser nå litt.

– Men hvor er den modellen nå? spurte Torunn.

– Stod i Berlin, sa faren. – Ble bombet i fillebiter sammen med alt det andre.

– Men trærne står der ennå, sa Erlend. – Jeg husker dem godt. Bestefar Tallak viste dem til meg da jeg var liten. Der står de som den mest naturlige sak i verden, som om de hører hjemme der.

– Gjør jo det etter hvert, sa faren. – Etter seksti år.

– Kan jo ikke akkurat rive dem opp og sende dem til Tyskland heller! sa Erlend og lo litt. – Liksom sånn, hallo! Her er noe småtteri dere glemte igjen! Da er de jo visnet før de passerer Støren.

Han skyndte seg ned trappa og inn i kjøkkenet. Faren satt ganske riktig med et tomt likørglass foran seg, den brune flaska stod på bordet, alle hadde hvert sitt lille glass, unntatt Margido, som stod med armene foldet og lente seg til kjøkkenbenken.

– En gammel dansk, Tor? sa Erlend og rakte ham et glass.

Jasså, så det var den brune flaska. Han hadde hørt om den snapsen, men aldri smakt den. Han forventet noe søtt, men den var bitter, en fremmed smak.

– Da kan vi vel sette oss til bords, sa Torunn.

Det stod telys i begge vinduskarmene, og peisen brant. På bordet stod høye, røde lys, og der var blomsteroppsatsene som kom fra Hovstad, og Snarli, hvor moren hadde slekt.

Han ble stående i undring like innenfor døra. Det var som en annen tid. Dansken bar ut og inn på fat.

– Så fint at du hadde akevitt på luringa, sa Erlend.
– Det var litt av en overraskelse.

Faren satt der så blank, alt var blankt på ham, huden, øynene, håret han hadde glattet bakover. Han lurte på hvor mange slike snapser de hadde fått helt i ham, uten tanke for at mannen aldri drakk.

Han satte seg på motsatt side, og på den andre enden, lengst mulig unna. Torunn slo øl i alle glass unntatt Margido sitt, og gikk etter med akevittflaska. Det var stille i rommene, radioen var avslått, og TVen var svart. Dansken kom med sausen, i et sausenebb som også var fra en annen tid, han husket det godt, moren var alltid flink med sauser, og gode sauser var det beste han visste.

– Vi har farris eller brus, sa Torunn til Margido.

– Farris er bra, sa Margido.

Det var lenge siden han spiste så god mat, han forsynte seg tre ganger. Svoren var knasende sprø og sausen så god at han glemte seg og moste potetene godt nedi. Han oppdaget nissen med nøtteknekkeren på buffeten. En skål med nøtter stod der også, og en pakke fiken og en skål med rosa og grønne marsipankuler. Ølet og akevitten og lysene og den gode maten fylte ham med takknemlighet og overbærenhet. Ingen hadde skålt ennå, skulle han våge det nå. Han løftet likørglasset.

– Skål for … mor.

Han hørte ikke hvem som skålte med ham, han måtte lukke øynene og svelge hardt og konsentrert før han tok en slurk av glasset. Ingen sa noe, de bøyde ansiktene ned mot mat og bestikk alle sammen. Det var sagt, han hadde sagt det, han visste ikke hvorfor de ordene hadde vært viktige, men at de var det. Det kunne han tenke mer på ute i fjøset en dag, når han fikk være alene med dyrene.

– Og skål for kokken, sa Erlend og brøt stillheten.

Han løftet glasset ubesværet mot dansken. Noe godt måtte det være med ham, når han kunne lage slik mat. Tolv år, tenkte han, tolv år er lang tid.

– Skål, sa han, og merket Margidos blikk på seg.

Torunn hadde laget multekrem, funnet multer i fryseren.

– Er det du som har plukket dem, kanskje? spurte hun ham.

Han nikket. Det var nok noen år siden, men det behøvde han ikke å si høyt. Multer holdt seg lenge i fryseren, de. Og moren skulle jo alltid spare på det som var godt. Dansken kom med kaffekjel og satte på peiskanten, Torunn plasserte morens penkopper utover. Hun satte koppene forsiktig ned på tefatene, det satte han pris på.

– Og til kaffen passer det vel med gammel dansk, sa Erlend, og skjenket i rundt bordet.

Han kikket fort bort på faren, han satt med en skarp bøy i nakken og glante sløvt rett ned på kaffekoppen sin og det lille glasset med mørkt innhold. Det virket nesten som om han hadde sovnet.

– Det er noe jeg vil si, sa Erlend. – Når vi alle er samlet her.

Hva var det nå, da. Han hadde da skålt med kjæresten hans, Erlend måtte forstå at de gjorde sitt beste, at det å skåle med ham satt langt inne for flere her rundt bordet, som aldri i sine levedager var i stand til å forestille seg at to voksne mannfolk kunne …

– Gården må skrives over på Tor. Det er jo aldri blitt gjort, sa Erlend.

Det begynte å suse for ørene, han grep etter kaffekoppen, løftet den så vidt og slapp den klirrende ned igjen. De ante ikke hvor dårlig stelt det var her, og nå uten morens pensjon også. Han ble nødt til å selge, han eide ikke mulighet til å kjøpe ut Erlend og Margido. Og akkurat nå som han satt her og faktisk ...

– Nei, sa han.

– Men *du* vil da vel at det skal gjøres? sa Erlend med forbauselse i stemmen.

– Nei, sa han igjen. – Da ryker gården. Det er ikke mer her enn at det så vidt går rundt.

– Men vi trenger ikke noe, vi. Ikke sant, Margido, vi har så vi greier oss.

– Dette kom litt brått, sa Margido.

– Brått? Sa du brått? Tor er femtiseks år! sa Erlend.

– Men Erlend, skulle vi ikke ... I kveld ..., sa Torunn.

– Dette er viktig, sa Erlend. – Og nå når vi sitter her alle sammen. Jeg trodde dere ville bli glade?

– Men hva med Torunn, sa Margido.

– Ja? Hva med Torunn, sa Erlend. – Hvis Tor plutselig dør så får hun alt, liksom? Det er bare å lage det skriftlig, det, at vi tar ut arven først *da*, og så får Torunn finne ut hva *hun* vil gjøre. Verre kan det ikke være.

– Det var ikke slik jeg mente det, sa Margido langsomt. – Gården er tross alt ... Og jeg vil jo også at ...

– Du har jo ikke akkurat rent ned dørene her, du heller, sa Erlend.

– Kutt ut nå, sa Torunn.

– Men hvis vi gjør det skriftlig slik som du sier, sa Margido rolig. – At vi tar ut arven *da*. Hvis det går an. Og hvis det er noe å ta ut. Hvis vi trenger det.

– Det er jo opp til deg og meg, det, Margido, sa Erlend. Å bare avstå fra arv nå, la Tor få fortsette det han har gjort i alle år, uten at han egentlig har eid noe! Det er fælt å tenke på. Jeg har jo ikke vært her heller og ...

– Hvis det er så enkelt, sa Margido.

– Man kan da avtale hva som helst hvis vi alle tre er enige og skriver under. Vitner og advokat og full pakke, jeg vet ikke så mye som sånt, men selv om Danmark er noe annet enn Norge, så mener i alle fall Krumme at vi selvsagt kan lage en egen avtale. Krumme vet alt, han.

– Da ordner vi det slik. Vi gjør det, Tor, sa Margido. – Vi snakker med en advokat om hvordan vi gjør det, alt må gå skikkelig for seg.

Han greide å løfte kaffekoppen til leppene, men det var bare så vidt. Var det så enkelt, det han hadde grunnet på i årevis, at de bare avstod fra arv inntil videre?

– Hva sier du, Tor? Blir det ikke bra slik? sa Erlend.

– Men jeg, da? sa Torunn. – Dere regner bare med at jeg ... Jeg får jo helt bakoversveis her.

– Dette er en slektsgård, sa Margido. – Og etter Tor er du den eneste som kan overta. Hvis du ikke vil, blir den solgt.

– Du kan selge *litt*, for eksempel, sa Erlend. – Og holde på med noe annet enn gris. Eller investere og utvide! Du lever da av dyr allerede. Hundene i Trondheim oppfører seg sikkert like bøllete som dem i Oslo. Eller du kan gjøre noe helt annet. Leie bort dyrkamarka og begynne meieri! Du kan gjøre alt mulig! Du sa jo du syns det er vakkert her! Når Tor overtar, blir *du* odelsjente! Er ikke det ganske stilig å tenke på da?

– Erlend. Hun må jo nesten få tid til å fordøye dette, sa dansken.

– Tror nesten det, ja, sa Torunn lavt. – Jeg har liksom ikke tenkt på sånne ting i det hele tatt. Alt har gått så fort.

– Ikke ta det personlig, men det handler ikke om deg akkurat nå. Det handler om Tor, sa Erlend. – Og at ting må ryddes opp i. Og at Margido og jeg avstår fra en arv Tor ikke har råd til å gi oss. Akkurat nå. For min del kunne jeg tenkt meg en stabel av de gamle skuvsengene, så ville jeg ha vært fornøyd, ikke sant, Krumme, at de er lekre. Men da er vi enige, da?

– Vi er vel det, sa Margido.

Han tok en ny slurk av kaffen, forsøkte å puste rolig, skulle gården endelig bli hans, hans alene, skulle han stå på tunet som bonden på Neshov og virkelig være det, slippe å måtte ha farens kråketær av en underskrift proforma nederst på alle offentlige skjema. Han gløttet fort bort på ham. Faren satt plutselig ikke i halvsovende positur lenger, men så på dem alle med stiv nakke og skinnende øyne, han var ikke lik seg, nå løftet han det lille glasset med en skjelvende hånd og tømte det i én slurk, svelget flere ganger, og sa:

– Nei.

– Nei hva? sa Erlend.

– Vi er ikke enige. Jeg vil også ...

– Du? sa Erlend. – Du behøver da ikke ta stilling til dette. Ingenting forandrer seg for deg. Tor har da ikke tenkt å hive faren sin fra gården. Ja, rent juridisk blir det jo Tor som overtar odelen etter deg. Men det er da bare for deg å skrive under og være vips ferdig med det!

– Jeg er ikke far hans.

Han ble sittende og se på kaffekoppen sin, hva var det mannen sa, hva var det faren hadde sagt.

Faren så rett på ham.

– Jeg er ikke far din, sa han. – Jeg er bror din.

– Halvbror, sa Margido.

– Til dere alle tre, sa faren. – Halvbror.

– Jeg vet det, sa Margido. – Men nå behøver du ikke si mer, hun er nettopp død.

Det ble helt stille i rommet, han hørte en av kubbene i peisen falle over ende, men snudde seg ikke for å se om gnister var kommet bort på tregulvet. Hva var det som foregikk, han løftet ansiktet mot Margido, hva var dette med halvbror.

– Jeg var aldri i lag med Anna, fortsatte faren med uventet høy stemme, mens han rettet nakken. – Aldri i lag med mor di! Jeg bare giftet meg med henne.

Faren sank sammen igjen. Kjakene hans hang, rynkene lignet svarte snorer.

– Hvordan greide du det, sa Margido lavt. – Å vite om det. Det skjønner jeg ikke.

– Behøver ikke si mer sa du.

– Men å gifte seg med henne.

– Behøver ikke si mer.

– Men du må ha vært en ..., sa Margido.

– En hva? sa faren, og rettet nakken igjen, men holdt øynene lukket, som for å lytte nøye, han hadde lagt hendene flatt fremfor seg på duken.

– En veldig lydig sønn, sa Margido lavt. – Altfor lydig.

– Ja. Men det spilte ingen rolle.

– Å gifte seg med henne. Spilte ikke det noen rolle? sa Margido.

– Nei. For jeg likte dem ikke så godt.

– Hva likte du ikke, sa Margido.

– Jentegreier, sa faren og kikket skrått bort på Erlend med det samme.

– Du er full.

– Ja, sa faren og flirte. – Jeg er full.

Erlend la ansiktet ned i hendene, sank inn over bordet. Et av glassene foran ham veltet.

Han kom seg ut i fjøset, fikk slåen ned på innsiden av døra, fant sherryflaska, det var iskaldt her inne, han stod her i bare skjorta, han rev korken opp av flaska og plugget den i igjen, uten å drikke, faren var aldri sammen med moren, det hang ikke i hop, mannen måtte ha blitt gal, og dette med jentegreier, det hang ikke på greip, en gammel mann på åtti år, han hadde da vel aldri ...

Han gikk inn til grisene, tente ikke taklyset, lyset fra den åpne døra bak ham falt som ei smal hvit seng inn på betonggulvet, enkelte halmrusk kastet lange skygger, dyrene sov, lot seg ikke merke med det lille flaket av lys, for dem var det natt, de lå kropp mot kropp og pustet og hvilte, mette på vei mot en ny dag, visste ikke engang at det var julaften, varmelampene var røde flekker i det svarte. Det hamret på døra der ute, han hørte Margido rope navnet hans om og om igjen, at han måtte åpne, og nå Torunns stemme også, som ropte. Han ville så gjerne legge seg inntil grisene, ikke vite, bare være dyr som slapp å tenke på noe utover mat og varme og hvile, få fred. Men plutselig ble senga av hvitt lys rotete og bevegelig, og de stod der begge to, rett bak ham. Torunn gråt, hørte han. Han gikk fra dem, lenger inn i mørket, mot de røde flekkene og tuene av sovende liv.

– Jeg trodde aldri han ville si det selv, sa Margido lavt. – Og mor hadde nok aldri tenkt å fortelle det.

Noen av grisene begynte å grynte svakt, luftige og søvnige grynt, han kjente dem, hver nyanse av lyd, faren hadde aldri vært her inne etter at de gikk over til gris, ikke Margido heller.

– Jeg skjønner ikke. Hva er det som skjer, hvisket han,

kjente at han siklet, at han helst ville spy. Han skimtet konturene av purkene han snart skulle få i brunst, de var mørkegrå fjell mot det beksvarte.

– Han drikker jo aldri, sa Margido. – Han ville bare få litt oppmerksomhet, være *med*. Og han er oppført som faren vår, hos folkeregister og i kirkebøker. Men han kommer ikke til å gjøre mer med dette. Når han blir edru, vil han bare ... Bli med oss inn igjen nå, Tor. Han har sikkert lagt seg allerede.

– Men at han aldri var i lag med henne. Hvordan ... Vi fins jo til, vi tre.

Margido kremtet voldsomt før han sa: – Jeg så dem sammen. Jeg kom tidlig hjem fra skolen fordi jeg var blitt syk.

– Bestefar Tallak? hvisket han. Det var som å stå og snakke midt i en drøm, midt i en mørk drøm med stemmene bak seg, uvirkelige. Bestefar Tallak. Moren låste seg inne på soverommet i to døgn da han døde. Svigerfaren hennes.

– Ja, bestefar Tallak, sa Margido. – Men de så ikke meg. Husker du jeg kranglet med mor? Sist jeg var her? Jeg syntes dere var så fæle mot far. Det fikk da være grenser, sa jeg til mor.

– Men han er en ... Han er jo bare en tufs.

– Men hvorfor er han det, Tor?

– Fordi ... Fordi han aldri ... Jeg vet ikke. Det har alltid vært sånn. Han sa det jo selv, at det ikke spilte noen rolle.

– Mor hadde bare avsky til overs for ham, kanskje nettopp derfor. At han aldri protesterte. Det ble først virkelig ille etter at bestemor døde, tror jeg. Da var det bare far igjen, mellom dem. Og hun fortsatte å avsky ham etter at bestefar døde. Kanskje enda mer etter at bestefar døde.

– Men bestemor ...

– Jeg tror ikke hun kan ha visst om dem. Før kanskje mot slutten. Da hun lå i årevis og fikk mor til å stelle seg, og ikke ville på pleiehjem. Det var kanskje en slags hevn, det òg. Men jeg ... Ikke engang jeg visste at far *aldri* var sammen med mor. Det sa hun først den dagen for syv år siden.

Han støttet seg mot en binge og falt på kne, ble sittende der på gulvet, plutselig kom lyset på. Torunn kom og satte seg på huk rett foran ham, det var Saras binge de satt ved, Sara reiste seg ikke, bare glippet med øynene mot dem, de nesten blinde øynene, forstyrret midt i rutinene, bak henne lå ungene, de få hun hadde igjen.

– Da du sa til henne at det fikk være grenser? hvisket han.

– Hun svarte at jeg ikke ante hva jeg snakket om. Og da sa jeg at jeg hadde sett dem. Drive på oppe. Jeg skammer meg ikke, sa hun, det var Tallak og jeg fra begynnelse til slutt. Sånn er det, Tor. Og når far blir edru ...

– Men han er jo ikke faren vår lenger! Han er jo ... Han er jo odelsgutten her! Tallaks eldste sønn! Vi andre er jo bare ... småbrødre. Små halvbrødre ... Nei, dette. Dette klarer jeg ikke å ...

Sara reiste seg, stavret mot ham, stakk trynet mellom stålrørene og opp i håret hans, han lot henne gjøre det.

– Ta deg sammen, Tor! På papiret er han faren vår! Vi bare later som om alt dette ikke har skjedd. Blitt snakket om. Gården blir skrevet over på deg.

Margido var hard i stemmen, som en skolelærer.

– Men han skal jo bo her! Sammen med meg! Du kan bare dra hjem etterpå!

– Kanskje det blir lettere nå. For deg.

Margido kom og stilte seg foran ham, det var ikke til å holde ut at de klistret seg innpå ham slik. Margido i innesko og mørkebrun dress, han ville bli nødt til å kaste alt sammen, ville aldri få ut lukta.

– Men *du* hadde ikke tenkt å fortelle meg det. Du hadde ikke det.

– Jo, Tor. Om en stund. Når du ikke ... når du ikke ville tro jeg sa det for å sverte mor. Jeg hadde tenkt å si det da. Slik at du heller kunne begynne å synes synd på far, istedenfor å bare irritere deg over ham.

– Var det det du tenkte.

– Ja. For det er synd på ham, sa Margido. – Tenk på at han har gått her i alle år. Og etter at bestefar døde, alene med henne han liksom var gift med.

– Moren deres må ha vært en heks, sa Torunn og reiste seg.

– Det var hun ikke! ropte han, og presset Saras tryne tilbake mellom stålrørene, hun forsøkte å bite ham, men tygget bare vått og skarpt i løse lufta.

– Nei, hun var ikke det, sa Margido. – Men hun har ødelagt mye for oss, Tor. Hun har det. Husker du da du ringte fra sykehuset den kvelden mor ble lagt inn?

– Du ville ikke komme fordi han var der. Jeg trodde du ... mente det samme som meg. Om han.

– Jeg holdt ikke ut tanken på å se dem *sammen*. Jeg ville aldri mer se dem *sammen*, det sverget jeg for meg selv for syv år siden. Se ham sitte der ved sykesenga hennes og vite hva han fant seg i fra henne. Ikke kunne gjøre noe.

– Men hva gjør *jeg*, da? Bare slakter alle grisene og ...

– Nei! sa Torunn. – Det gjør du slett ikke. Se deg om. Det gjør du slett ikke. Det får du ikke lov til. Av meg.

– Du snakker med ham, sa Margido. – Behandler ham som et menneske. Det vil du ha godt av. Da går det an å være her på gården igjen. For meg også. Faktisk kunne komme hit og ... Det er fine griser du har her, Tor.

– Jeg var på parti med henne. Det var oss to mot han, hvisket han.

– Jeg vet det. Men nå slipper du det mer.

– Men hun ligger rett her nede! Å mor ...

Han begynte å hulke tørt. Margido bøyde seg ned og la en hånd på skulderen hans.

– Kom så går vi inn, Tor.

Erlend satt ved bordet og holdt danskens hånd. Han snufset da han fikk øye på dem, ansiktet hans var hovent av gråt. Dansken strøk hånden hans.

– Herregud, som det lukter fjøs av dere, sa Erlend og smilte svakt, tørket seg over kinnene.

Faren satt på enden av bordet med hodet nedsunket i hendene, en gammel mann på åtti år med nybarbert hake og kinn og et gjenfunnet gebiss.

– Nå tror jeg vi tar en ny runde med kaffe og snaps, sa dansken.

Han satte seg. Kaffen dampet opp av koppen, dansken fylte det lille glasset, han måtte si noe.

– Far?

Den gamle mannen løftet ansiktet mot dem, blikket virret uten å fokusere på noen av dem.

– Nei takk, jeg skal ikke ha mer. Går og legger meg, jeg nå.

Ingen sa noe da han møysommelig kom seg på beina og sakte gikk ut av peisestua, mens han støttet seg mot veggen med ei hånd, ikke før han var over dørstokken og Torunn sa: – Trenger du hjelp opp trappa?

– Neida, sa han. – Det går fint. God natt, og takk for maten. Tusen takk.

Han skulle jobbe alene på tyskerhusene, det var hans tur. Til å begynne med ville alle både på Øysand, Leinstrand og Byneset rive husene. De var skampletter, bevis på tyskernes intense vilje til å slå rot her i fremmed land, bygge og bo, innbille seg at de hørte hjemme. Husene ble bygget for tysk marinebefal på frivakt. Og det var gode små hus, det var da for galt å rive dem, var det flere som mente, blant dem Tallak. Det var bedre å sette dem i stand, få brukt dem til ett og annet på sikt. Kanskje forsamlingshus, eller ungdomshus.

Folk fra gårdene byttet på å arbeide der. I helgene jobbet ofte flere sammen, og det ble liv og latter etter hvert som kvinnfolkene kom med mat og drikke når sola rant.

Hun hadde jobbet i potetåkeren i flere timer allerede, varmen fikk ugresset til å vokse fortere enn de nye potetplantene, og jorda måtte hakkes opp så vannet ikke rant av hvis det kom regn. Men Tallak måtte jo få litt å spise, det skjønte alle, og så bare godt i det at hun tok på seg jobben med å gå dit.

Det var et stykke å gå, men det gjorde henne ingenting. Det var grått på himmelen, men det lignet ikke regnskyer. Hun måtte følge veien, åkrene var nypløyde og vonde å gå i. Dessuten tok det seg ikke ut heller, å tråkke slik i annen gårds plogfurer.

Da hun endelig kom til toppen av Bråliene, stanset hun, slik hun alltid pleide her. Elveoset lå bredt og mektig, slik Gaula hadde formet det. Skogholt og buskas var irrgrønt flor mellom små viker som vannet hadde vasket ut.

Hun fikk tårer i øynene, men visste ikke om det var fordi hun skulle til ham, eller fordi alt snart ville forandre seg, og det at hun ikke visste på hvilken måte forandringen ville skje.

Hun trakk pusten og ga seg i vei ned lia, lot kroppen falle ned etter hvert skritt, kjente at hun knapt brukte en eneste muskel i kroppen, bare slapp seg varm og doven ned mot tyskerhusene, mot ham.

Han stod på en krakk og drev og flikket på kjøkkentaket. Han hoppet ned fra krakken og sprang og låste døra bak henne straks hun var inne. I munnen hadde han en rad spiker strittende fra leppene som han spyttet rett ut på gulvet i samme sekund som nøkkelen gikk rundt med et skarpt sukk. Han tok kurva fra henne og trakk henne mot seg.

– Anna min.

Å kysse Tallak var som å dø. Og etter døden kom enda en død, smalere og dypere, når han trakk klærne av henne, pustet henne i øret og sa hvem hun var, og hvorfor hun var det, at det var for dette hun levde, dette og ingenting annet, fordi hun var hans. Og da hun kom til seg selv denne gangen, satt hun på kjøkkenbenken. Han stod der og smilte hvitt, med tungespissen mellom tennene stod han der og betraktet henne, og hodet på skakke. Hendene hans lå på hoftene hennes, hun satt her på en tysk kjøkkenbenk i bare sko og sokker og som vanlig snudde hun seg aldri vekk fra blikket hans, skammet seg aldri for nakenheten, den var der beint imot ham, alltid når de var sammen. Han bøyde nakken og løftet det ene brystet hennes med den grove neven, kysset det med lepper så gode at hun gjerne kunne dø igjen.

– Sitter du vondt? hvisket han mot det fuktige brystet, huden nuppet seg, hun banket skohælene mot underskapet.

– Neida, løy hun og dro hodet hans tettere inntil seg.

– Jeg skal hente vann ute i brønnen, sa han. – Så du får stelt deg litt.

– Ikke gå.

Han rev seg løs, kysset henne fort på munnen.

– Er snart tilbake.

Han låste opp døra, og hun skyndte seg i klærne. Noen kunne komme, døra stod åpen ut mot alt og alle. Det var over for denne gang.

– Det er noe, sa hun. – Noe jeg må si.

– Jaha?

De stod ute. Han hadde spist brødskivene hun hadde med, drukket kald ripssaft blandet med brønnvann. De stod flere meter fra hverandre, hun med den tomme kurva i armkroken så alle som glante skulle skjønne hvilket ærend hun var her i. De var godt synlig fra gårdene rundt nå, og fra veien.

– Jeg er med barn.

Han rørte seg ikke, kom ikke mot henne, måtte ikke det.

– Anna min. Vi går inn igjen.

– Nei! Da blir det bare … Jeg må vite hva du tenker. Vi snakker ikke mye sammen. Vi bare …

– Ja. Det gjør vi.

– Men hva kommer han til å si, Tallak?

– Guttungen?

– Guttungen ... Han er faktisk like gammel som meg. Og han er mannen min.

Hun måtte plutselig skratte høyt, og hørte selv at det var en rar og ekkel latter, den sluttet like fort som den begynte, men det var så sjelden hun tenkte på det. Det satt i blodet på henne nå, at alt skulle skjules, ikke vites om av andre, likevel var det en som visste det, visste det fordi han gikk med på det. Men at det skulle bli barn av det, at det skulle komme barn, levende mennesker som sprang rundt og aldri måtte få vite at ...

– Han kommer ikke til å si noe, sa Tallak.

– Men ...

– Du vet jo at han ikke vil ha deg. Det er jo ikke slik at han går rundt og vil ha hendene i deg.

Hun tenkte på bryllupet. Den rare dagen da alt var feil, men likevel riktig, fordi hun skulle til Neshov. Hvor glad hun hadde vært fordi ingen forventet noe storslagent så tett etter krigen. Alle hadde nok med sitt og altfor lite av alt. Og dessuten hadde Henrik på Landstad giftet seg samme dag med Guri, og der var det overflod, ikke minst av åpenbar lykke, så de fleste ville heller i gjestebud dit.

– Hva skal ungen kalle ham, da?

– Far, sa Tallak.

– Far? Skal ungen kalle ham far?

– Kan ikke kalle ham noe annet.

Hun rettet på kjolen, kjente på varmen der nede, heten som hang igjen etter ham. Hun hadde ikke tenkt å si det i dag, hadde tenkt å vente, ikke la det komme noe nytt inn i verden rundt dem, der var det så visst nok å holde rede på.

– Men hva med ... henne?

– Hun har aldri skjønt noe. Ikke engang at guttungen hennes aldri ville ha greid å skaffe seg ei jente. Tenk ikke på henne.

– Men jeg er redd, Tallak.

– Det skal du ikke være. Det er for seint å være redd. Du hører til på Neshov nå.

– Jeg vet ikke ...

Plutselig ga han seg til å dra i en av poplene. Hun så forskrekket på ham.

– Men hva gjør du? Slipp!

Han slapp ikke, og det gjorde ikke det vesle treet heller, slapp ikke jorda. Men bladene dirret, den sølvaktige undersiden av bladene vendte seg opp mot dem, overgivent.

– Ser du? Det henger fast, sa han. – Har ikke stått her lenge, men det henger helt fast. Ikke engang Tallak Neshov greier å slite det løs.

Han gikk unna det vesle treet. Hun gikk bort til det, løftet en av raklene inn over fingrene, blomsterstøvet spredte seg i hånden som ørsmå håp.

– Og de som plantet det, er jagd ut av landet, sa han. – Likevel står det her og gleder seg til sommeren.

Hun svarte ikke.

– En dag er jeg også borte, sa Tallak.

– Nei! sa hun og slapp treet, gikk et skritt mot ham, før hun sanset seg.

– Jeg er så mye eldre enn deg, en dag er jeg borte, og da er det noe du må love meg. Siden du er med barn og alt blir annerledes fra nå av.

Hun bare pustet og ventet, tok ikke blikket fra ansiktet hans, det var alvorlig og stivt, øynene mørke og møtte ikke hennes.

– Du må love meg at du aldri må forakte ham, sa han lavt. – Det er ikke guttungens feil.

– Feil?

– Ja. Det er ikke hans feil at han ikke er bonde, at det ikke er tak i ham.

– Jeg kjenner ham ikke, hvisket hun. – Og jeg vet ikke hva han kommer til å tenke om dette.

– Nei. Hvem vet det. Han vet det vel ikke selv. Men stod det til ham, ble det ingen til å ta over gården.

– Hvorfor liker han ikke jenter? spurte hun modig, hun hadde aldri spurt Tallak om dette.

Han svarte ikke med det samme, så vekk, ble stående og gni den ene treskoa rundt i gresset.

– Det er nå slik. Det trenger ikke å være ord for alt, sa han endelig.

– Men du tok meg ikke bare fordi gården trenger en ny guttunge?

– Nei.

Han stirret henne beint i øynene da han sa det, hun slo blikket ned. Hun ville så inderlig gjerne at han kunne ha holdt om henne akkurat nå.

– Anna. Du er min. Og om gården døde ut … Du var likevel min. Men nå dør den ikke. Fordi du er med barn. Men du må aldri forakte ham. Du må love meg det.

Hun lyttet til ordene hans, lot dem synke inn ett og ett, hørte dem. Hørte dem helt tydelig. Hun ranket seg, løftet kurva skikkelig inn på arma og besvarte blikket hans.

– Ja, sa hun. – Jeg lover. Men da må du love at du aldri må bli borte for meg.

Oktober pocket

Bjørn Esben Almaas: *Costa del Sol*
Kjell Askildsen: *Davids bror. Omgivelser*
Kjell Askildsen: *En plutselig frigjørende tanke*
Kjell Askildsen: *Thomas F's siste nedtegnelser til almenheten*
Kjell Askildsen: *Thomas F's siste nedtegnelser til almenheten; Et stort øde landskap; Hundene i Tessaloniki*
Ola Bauer: *Forløperen*
Ola Bauer: *Hestehodetåken*
Ola Bauer: *Humlehjertene*
Ola Bauer: *Løvetemmersken*
Ola Bauer: *Magenta*
Ola Bauer: *Svartefot*
Line Baugstø: *Skulle du komme tilbake*
Rune Christiansen: *Samlede dikt*
Rune Christiansen: *Steve McQueen er død*
Niels Fredrik Dahl: *I fjor sommer*
Niels Fredrik Dahl: *På vei til en venn*
Trond Davidsen: *Triggerhappy*
Richard Ford: *Kvinner med menn*
Richard Ford: *Rock Springs*
Richard Ford: *Sportsjournalisten*
Richard Ford: *Uavhengighetsdagen*
Marita Fossum: *Forestill deg*
Marita Fossum: *Verden utenfor*
Gunnar Fredriksson: *20 filosofer*
Gunnar Fredriksson: *20 politiske filosofer*
Kjell Gjerseth: *Chakoo*
Geir Gulliksen: *Våkner om natten og vil noe annet*
Klaus Hagerup: *I denne verden er alt mulig*
Tormod Haugland: *Under*
Tormod Haugland: *Verd*
Dermot Healy: *Bukkesangen*
Kjell Heggelund: *Samlede dikt*
Kim Hiorthøy: *Du kan ikke svikte din beste venn og bli god til å synge samtidig*
Edvard Hoem: *Engelen din, Robinson*
Edvard Hoem: *Frøken Dreyers musikkskole*
Edvard Hoem: *Heimlandet. Barndom*
Edvard Hoem: *Kom fram, fyrste!*
Edvard Hoem: *Prøvetid*
Mona Høvring: *Noe som hjelper*
Espen Haavardsholm: *Gutten på passbildet*
Espen Haavardsholm: *Martin Linge, min morfar*
Espen Haavardsholm: *Store fri*
Espen Haavardsholm: *Tjue*
James Kelman: *Så seint det var, så seint*
Søren Kierkegaard: *Begrepet angst*
Karl Ove Knausgård: *En tid for alt*
Heidi Marie Kriznik: *Applaus*
Selma Lagerlöf: *Gösta Berlings saga*
Selma Lagerlöf *Keiseren av Portugalia*

Halldór Laxness: *Brekkukotkrønike*
Vibeke Løkkeberg: *Leoparden*
Vibeke Løkkeberg: *Purpur*
Klaus Mann: *Vendepunktet*
Mike Marqusee: *Muhammad Ali og frigjøringskampen på sekstitallet*
Trude Marstein: *Elin og Hans*
Trude Marstein: *Plutselig høre noen åpne en dør*
Trude Marstein: *Sterk sult, plutselig kvalme*
Karl Marx: *Kapitalen*
Jon Michelet: *Den drukner ei som henges skal / Mellom barken og veden*
Jon Michelet: *Farvel til en prins*
Jon Michelet: *Le Coconut*
Jon Michelet: *Terra roxa*
Jon Michelet: *Tiger Bay*
Jon Michelet: *Thygesen-fortellinger*
Jon Michelet: *Thygesens terrorist*
Jon Michelet/Dag Solstad: *VM i fotball 1982*
Jon Michelet/Dag Solstad: *VM i fotball 1986*
Jon Michelet/Dag Solstad: *VM i fotball 1990*
Jon Michelet/Dag Solstad: *VM i fotball 1994*
Jon Michelet/Dag Solstad: *VM i fotball 1998*
Åsa Moberg: *Simone og jeg*
Tove Nilsen: *Amazonaspornografen*
Tove Nilsen: *Chaplins hemmelighet*
Tove Nilsen: *Den svarte gryte*
Tove Nilsen: *Etter Kairo*
Tove Nilsen: *Kreta-døgn*
Tove Nilsen: *Lystreise*
Tove Nilsen: *Skrivefest*
Tove Nilsen: *Skyskraperengler; Skyskrapersommer; G for Georg*
Tove Nilsen: *Øyets sult*
Patrick O'Brian: *Den ødeste øy*
Patrick O'Brian: *Første kommando*
Patrick O'Brian: *HMS Surprise*
Patrick O'Brian: *Orlogskaptein*
Patrick O'Brian: *Toktet til Mauritius*
Mari Osmundsen: *Familien*
Mari Osmundsen: *Gode gjerninger*
Mari Osmundsen: *Gutten som slo tida ihjel*
Mari Osmundsen: *Wow*
Torgeir Rebolledo Pedersen: *Samlede dikt*
Per Petterson: *Aske i munnen, sand i skoa*
Per Petterson: *Det er greit for meg*
Per Petterson: *Ekkoland*
Per Petterson: *I kjølvannet*
Per Petterson: *Månen over Porten*
Per Petterson: *Til Sibir*
Per Petterson: *Ut og stjæle hester*
Anne B. Ragde: *Berlinerpoplene*
Anne B. Ragde *Dr. Zellwegers gave*
Anne B. Ragde: *En tiger for en engel*
Anne B. Ragde: *Eremittkrepsene*

Anne B. Ragde: *Fosterstilling*
Anne B. Ragde: *På kloss hold*
Lars Ramslie: *Biopsi*
Lars Rasmlie: *Destroyer*
Lars Ramslie: *Fatso*
Lars Ramslie: *Uglybugly*
Tore Renberg: *Farmor har kabel-tv/Videogutten*
Tore Renberg: *Kompani Orheim*
Tore Renberg: *Mannen som elsket Yngve*
William Shakespeare: *Kong Lear*
William Shakespeare: *Othello*
William Shakespeare: *Romeo og Julie*
Dag Solstad: *16.07.41*
Dag Solstad: *Artikler 1993-2004*
Dag Solstad: *Arild Asnes 1970*
Dag Solstad: *Ellevte roman, bok atten*
Dag Solstad: *Genanse og verdighet*
Dag Solstad: *Gymnaslærer Pedersens beretning om den store politiske vekkelsen som har hjemsøkt vårt land*
Dag Solstad: *Professor Andersens natt*
Dag Solstad *Roman 1987*
Dag Solstad: *Svik. Førkrigsår; Krig. 1940; Brød og våpen*
Dag Solstad: *T. Singer*
Thorvald Steen: *Den lille hesten*
Thorvald Steen: *Kamelskyer*
August Strindberg: *Det røde rommet*
Karin Sveen: *Klassereise*
Espen Søbye: *Kathe, alltid vært i Norge*
Espen Søbye: *Rolf Stenersen. En biografi*
Karin Sveen: *Frokost med fremmede*
Hunter S. Thompson: *Frykt og avsky i Las Vegas*
Bård Torgersen: *Alt skal vekk*
Linn Ullmann: *Et velsignet barn*
Linn Ullmann: *Før du sovner*
Linn Ullmann: *Nåde*
Linn Ullmann: *Når jeg er hos deg*
Gudmund Vindland: *Villskudd*
Gudmund Vindland: *Villskudd/Stjerneskudd*
Lars Amund Vaage: *Den framande byen*
Lars Amund Vaage: *Kunsten å gå*
Lars Amund Vaage: *Kyr*
Lars Amund Vaage: *Oklahoma*
Lars Amund Vaage: *Rubato*
Lars Amund Vaage: *Tangentane*
Howard Zinn: *USA. Folkets historie*
Hanne Ørstavik: *Hakk/Entropi*
Hanne Ørstavik: *Kjærlighet*
Hanne Ørstavik: *Like sant som jeg er virkelig*
Hanne Ørstavik: *Presten*
Hanne Ørstavik: *Tiden det tar*
Hanne Ørstavik: *Uke 43*
Mattis Øybø: *Alle ting skinner*